KB210842

석전 영호대종사

한국불교의 초석을 세우다

석전 영호대종사

한국불교의 초석을 세우다

김광식
신규탁
고영섭
정 도
법 상
자 현
김상일
오경후

조계종
출판사

석전 영호대종사에 대한 연구가

깊어지고 확산되기를 기대합니다.

映湖禪師之照

사람의 마음이란, 편한 것으로 경도되기는 쉽지만 어려움 속에서
기쁨을 알기는 어려운 법이다.

종교는 이 사회의 마지막 보루이며 종교인은 삶에 지친 중생들의 마지막 의지처이기 때문입니다. 지금 불교계가 변화하지 않으면 정법은 쇠퇴하고 한국 사회에서 불교의 미래도 장담하기 어려울 것입니다.

우리는 한국 불교가 근.현대에 들어와서 왜 이러한 어려움을 겪고 있는지 그 근원부터 깊이 성찰하고 이를 해소 내지는 대안을 찾기 위한 지혜를 모아야만 이 어려움을 극복해낼 수 있습니다.

- 법만 스님(제24교구본사 선운사 주지 '환영사' 중에서)

석전 스님께서는 당대 최고의 지식인이셨습니다. 이는 위당 정인보 · 미당 서정주 · 춘원 이광수 · 육당 최남선과 같은 분들이 스님의 문하에 모여 심성의 기량을 다듬은 것만 보아도 알 수 있습니다. 또 교학은 물론 문장과 선수행을 넘어서 계율에까지 두루 이르셨으니, 당대는 물론 근세에 드문 선지식이라 하겠습니다.

이와 같은 학문적인 위업과 대중들의 신망 속에서 석전 스님은 1929년과 1946년의 2차례 교정으로 추대되셨고, 이 중에서 특히 해방 직후 교정이 되신 것은 오늘날 대한불교조계종의 정초를 확립하신 매우 중요한 일이라고 하겠습니다.

– 자승 스님(대한불교조계종 총무원장 '치사' 중에서)

한국불교의 전통을 지키고, 불타의 정법 혜명을 올바로 세우신 석전 스님의 가르침을 재조명 하는 것은 미래 한국불교의 정통성 확립을 위해서 매우 중요한 일이라고 하겠습니다. 이는 과거를 통해서 현재를 반성하고자 하는, 이 시대의 우리가 선택할 수 있는 가장 현명한 방법인 것입니다. 모쪼록 선지식의 수행과 계율정신의 푸른 물줄기를 이어서 해이된 종풍을 각성시킬 수 있는 계기가 되기를 간절히 발원합니다.

- 범여 스님(중앙선거관리위원장 '치사' 중에서)

승가의 시대정신이란 곧 출가 정신의 회복이라 할 것입니다. 종도들에게는 신뢰와 존경을, 국민들에게는 희망을 주는 사부대중 공동체를 세워야 할 것입니다. 왜냐하면 종교는 이 사회의 마지막 보루이며 종교인은 삶에 지친 중생들의 마지막 의지처이기 때문입니다.

지금 불교계가 변화하지 않으면 정법은 쇠퇴하고 한국 사회에서 불교의 미래도 장담하기 어려울 것입니다.

－ 현응 스님(조계종 교육원장 '축사' 중에서)

오늘날 한국불교가 '상구보리上求菩提 하화중생下化衆生'을 실천하는 청정비구 승가로 자리 잡고, 급변하는 세계문화와 물질문명 속에서도 바른 수행풍토와 중생구제의 원이 멈추지 않는 것은, 스님께서 몸소 보여주셨듯이 계행으로 수행하는 풍토가 면면히 이어져 온 덕분이라 생각합니다.

- 유진룡(문화체육관광부 장관 '축사' 중에서)

1929년과 1946년 두 번에 걸쳐 한국불교의 최고 어른인 교정敎正에 추대되신 석전 스님께서는 평생 손에서 책을 놓지 않는 교육자이자 시대를 인도하는 선각자이셨습니다. 조계종립 동국대학교의 전신인 불교중앙전문학교의 교장이 되어 후학 양성에 헌신하신 일을 25만 모든 동문들은 가슴 깊이 새기고 있습니다.

– 김희옥(동국대 총장 '축사') 중에서

석전 스님은 두 번에 걸쳐 한국불교를 대표하는 종정을 역임한 당대 최고의 종교 지도자로서 일제의 한국불교 장악에 맞서 민족불교의 정통성을 지키는데 크게 공헌했습니다. 또한 동국대의 전신인 중앙학림 교수 및 중앙불교전문학교 교장 등을 역임하며 근대 불교교육의 진흥에 크게 기여하였습니다. 특히 스님은 최남선 · 이광수 · 신석정 · 서정주 · 조지훈 등과 교유하며 불교계 뿐 아니라 인문학계에도 큰 영향을 미친 당대의 최고 지성인이었습니다.

- 김용표 교수(한국불교학회장 '개회사' 중에서)

석전 영호대종사의 위상과 학문

1.

이 책에 실린 글들은 많은 분들의 인연이 모여서 이루어진 것입니다. 그 내력을 간단하게 말씀드리면, 영호 정호1870-1948 대종사와 인연 있는 대한불교조계종 제24교구본사 선운사에서 두 차례에 걸쳐 학술세미나가 열렸습니다. 그리고 최근 2014년 4월에는 (사)한국불교학회에서 '석전과 한암, 한국불교의 시대정신을 말하다'라는 주제로 학술세미나가 열렸습니다. 많은 학자들의 발표가 있었습니다. 고창 선운사는 물론 백파사상연구소와 오대산 월정사도 이런 역사力事에 힘을 보탰습니다.

2014년에 열린 세미나에서 당시의 한국불교학회장 김용표 교수님도 밝혔듯이 "두 선지식은 어려웠던 시기에 계율과 교학, 그리고 참선·수행 분야에서 큰 족적을 남겨 한국불교의 청정 종풍을 바로 세우신 근대의 대표적 선지식들"이셨습니다.

그리고 월정사 주지 정념 스님께서는 "한암 스님과 석전 스님은 본사 주지까지도 대처가 일반화되던 시기에 계율을 강조해 청정한 기상을 바로 세우고자 하셨다"라며 "이 같은 두 분의 노력이 각각 선과 교를 통해 오늘날 대한불교조계종의 청정한 선풍을 확립하는 핵심이 된 것이다"라고 강조하시기도 하셨습니다.

이어서, 선운사 주지 법만 스님께서도 "지금 불교계가 변화하지 않으면 정법은 쇠퇴하고 한국 사회에서 불교의 미래도 장담하기 어려울 것"이라며 "일제 치하 방황하는 식민지 지식인들의 정신적 지주 역할을 하셨고, 현재 조계종의 초석을 놓으신 두 분 스님들에 대해 조명하는 것이야말로 현전승가에 반드시 필요한 작업이다"라고 말씀하셨습니다.

위에서 밝힌 세 단체의 책임자께서도 언급하셨듯이, 석전과 한암 두 분은 한국불교 근현대사의 중요한 인물이십니다. 1941년 5월 1일자로 조선총독으로부터 〈조선불교조계종 총본사태고사법〉이 인가를 받게 됩니다. 이 법령에 의해 한암 중원1876-1951 선사께서 태고사 주지 겸 조계종 제1대 종정宗正으로 추대되십니다. 1945년 일제가 패망하고 이듬해 1946년 5월 28일자로 〈조선불교교헌〉이 공표됩니다. 이 교헌에 의해, 초대 교정敎正으로 석전 영호 장로께서 취임하십니다. 그러다가 1948년 2월 영호 스님께서 입적하시자, 제2세 교정으로 한암 선사께서 취임하십니다. 그 후 3년이 되던 해인 한국전쟁 중 1951년 2월 한암 선사께서 입적하시자, 그해 3월 제3세 교정으로 만암 종헌1876-1956 선사께서 취임하십니다.

이렇게 보면 석전과 한암 두 선지식은 한국불교의 근대와 현대를 연결시키는 중요한 인물이십니다. 그런 만큼 '석전과 한암'이라는 주제로 단행본을 엮는 것도 의의가 있는 일이라고 생각합니다. 그런데 아시다시피 석전과 한암은 역량이 다르십니다. 석전은 교학은 물론 선학과 계율학, 그리고 시詩와 문文으로도 당대 불교 안팎을 포함하여 다 방면에 능하십니다. 말 그대로 대종사大宗師이십니다. 반면 한암의 경우는 '오대산의 학鶴'이라는 칭송처럼 선 수행에 뛰어난 선승이십니다. 그래서 저는 석전의 경우는 따로 단행본을 엮는 것이 옳다고 생각했던 것입니다.

2.

출가 사문으로서의 영호 강백은 법맥으로는 선종을 표방하고 계십니다. 영호 스님의 손자 상좌이신 양산 통도사 율주 혜남 강백의 논문에서도 드러나다시피, 영호 스님은 태고 제22세이시며 세존 제79세이십니다. 조선 후기부터 이 땅의 승려들은 태고 보우 선사를 기세조起世祖로 하여 선종의 소목昭穆을 분명하게 하고 계십니다. 이런 점은 영호 스님의 행적을 쓰신 포광 김영수 스님의 글에도 분명하게 드러납니다. 『石顚文鈔석전문초』서울:法寶院(법보원), 1962의 뒤편에 실린 「故太古禪宗敎正映湖和尙行績고태고선종교정영호화상행적」이 바로 문헌적 증거입니다.

이렇게 법맥은 선종이면서도, 조선 후기 기라성 같은 선승들은 거의 모두 화엄강백들이십니다. 선종의 가풍에 따라 간화선을 수행하면서도, 동시에 화엄교학에 조예가 깊었습니다. 그 대표적인 분이 백파 긍선1767-1852 스님이십니다. 추사 대감이 쓴 백파 스님의 비문〈華嚴宗主白坡大律師大機大用之碑화엄종주백파대율사대기대용지비〉가 그런 정황을 단적으로 보여줍니다. 화엄 · 율 · 선, 이 셋을 동시에 겸행하는 전통이 조선 후기 큰스님들의 대세였습니다. 이런 전통을 고스란히 계승하신 선지식이 바로 우리 영호 스님이십니다.

영호 스님께서 활동하시던 당시는 소위 '宗說兼通 三大講伯종설겸통 삼대강백'이 출세하셨으니, 선암사의 금봉 화상과 화엄사의 진응 화상과 구암사의 영호 화상이 바로 그 분들이십니다. 금봉 화상은 한시漢詩에는 조예가 깊으시나 삼장三藏의 강설에는 범연한 부분이 있었고, 진응 화상은 삼장의 강설로는 인도의 세친이나 중국의 청량이나 규봉과 어깨를 겨룰만하셨으나 시문 등 문학에는 뜻이 없으셨습니다. 그런데 오직 우리 영호 화상께서는 삼장의 강설을 주로하시면서 경經 · 사史 · 자子 · 집集과 노장老莊의 학설은 물론 서예도 겸하셨습니다. 그런가 하면 조선 팔도를 유람하시면서 많은 금석문을 답사하셨고 제방의 기문記文을 필사하셨던 분입니다.

세 분은 모두 순천 선암사 대승암 강당의 강주이셨던 경운 원기1852-1936 선사의 회상에서 화엄華嚴 대교大敎를 배우셨습니다. 경술국치 후 임제종 운동을 펼치셨던 경운 선사는 글씨와 그림으로도 명성이 높으셨습니다. 조선 팔도의 학승치고 경운 강백의 문하를 거치지 않은 인물은 없습니다. 경운 강백께서 열반하시자 전액은 위창 거사 오세창 선생이 쓰시고, 비문은 위당 정인보 선생이 지어 쓰시고, 음기陰記는 석전 영호 화상이 짓습니다.

스승 경운과, 제자 영호, 두 스님의 특별함은 다음에 소개하는 편지에도 드러납니다. 이 편지는 당시 경기도 개운사 대원강원에서 강주로 활동하시던 제자 영호 스님의 화갑을 축하하며 스승 경운 스님께서 보내신 것입니다. 당시 대원강원에서는 금봉 화상의 상좌인 철운 조종현 스님도 영호 강백 회상에서 화엄 대교를 익히고 계셨습니다. 한글대장경 불사를 시작하신 운허 강백도 동문이십니다. 그런 인연으로 운허 스님은 종현스님께 '사형師兄'이라 부르십니다. 참고로 종현 강백은 조정래 작가의 선고先考이십니다. 금봉 화상께서 젊은 나이에 지병으로 입적하자 제자 종현을 서울 대원암에서 강석을 편 사제師弟 영호 화상에게 보냈던 것입니다.

수연 축시를 소개합니다. 압운과 파격을 조화롭게 운용하신 멋이며, 운필의 탈속함은 역시 일품입니다.

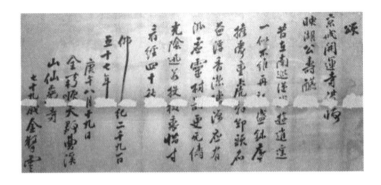

경성 개운사의 강사인 영호공의 수연을 송축하면서

昔在南巡從我遊 옛날에 남쪽을 순례할 때 나를 따라 노닐면서,
逍遙一似不維舟 소요하기를 마치 묶이지 않은 배〔舟〕처럼 하였더라.
龍盛鉢底擔常重 龍을 담은 바리때 밑은 짊어지면 늘 무겁고,
虎□笻頭名益浮 호랑이 새긴 지팡이엔 명성이 더욱 떠다닌다.

香潔□源應有派 그윽한 향기 찾아보면 반드시 이유가 있고,
虛靈材器更无儔 虛靈한 材器에는 결코 짝할 이 없네.
光陰迅若投□裏 세월은 빨라 마치 □ 속에 던지는 듯하니,
惜寸看經四十秋 촌음도 아껴서 경서를 본 지 사십 년이라네.

불기 2957년 경오년(1930) 8월 19일에
전남 순천군 조계산 선암사에서 79세 金擎雲.
(*위 시의 □부분은 해독이 불가능하여 표시한 것입니다.)

3.

위와 같은 여러 인연으로 영호 스님의 학문 세계가 최근 세상에 다시 알려지게 되었습니다. 문장에 능하시고 경학에 밝으셨고, 게다가 이 모두를 고문古文으로 격을 갖추어 쓰셨기 때문에, 스님의 유문遺文을 해석하기는 대단히 어렵습니다. 저 같은 대학교수들로서는 엄두

도 못내는 글들입니다. 그런 관계로 한글세대가 영호 스님께서 남기신 문헌자료를 연구하는 것은 참으로 어려운 일이 아닐 수 없습니다. 각고의 노력으로 문장의 벽을 넘어서야만, 영호 스님의 학문 세계를 엿볼 수 있습니다.

이 과정에서 우리는 다음의 연구 분야를 염두에 두어야 할 것입니다. 먼저, 화엄교학 방면, 선어록의 강설 방면, 시학을 비롯한 문학 방면, 서예와 서론 방면, 한국사와 불교사학 방면, 승가교육 방면 등을 꼽을 수 있습니다. 이와 더불어 전통의 계승과 근대화, 불교진흥과 교육진흥, 전법교화와 인재육성, 민족독립과 문인들과의 교류, 임제종운동과 역사의식, 계 · 정 · 혜 3학의 수행과 연구, 근대식 학교설립과 포교의 현대화, 그리고 승려의 생업종사 등도 고려해 보아야 할 것입니다.

끝으로, 영호 스님에 대한 연구는 단순히 지난 역사 연구를 넘어 오늘의 우리 불교계가 계승 발전해야 할 그 무엇이어야 합니다. 출가 사문으로서의 내전內典에 관한 지식은 물론, 당시 지식인으로서의 갖추어야 할 외전外典에 대해서도 해박하셨습니다. 이를 통해 시대정신을 선도하고, 또 미래의 대안을 모색하셨던 행동하는 지성인이셨습니다.

돌이켜보면, 인도 땅에서 혹은 중국 지역에서 불교가 성행했던 시절은 그 시대를 담당했던 승려들이 당시 유행하던 각종 사상이나 철학을 섭렵하거나 논쟁을 하면서 교학을 성숙시켰습니다. 오늘날도 마찬가지라고 생각합니다.

석전 영호 스님에 대한 연구가 깊어지고 확산되기를 기대합니다.

그리하여 스님의 학풍을 오늘에 계승하는 뛰어난 출가와 재가 학자
들이 늘어나기를 기대합니다.

2015년 1월 20일
연세대 위당관 601호실에서
문학박사 신규탁 씀

목 차

목 차

1장

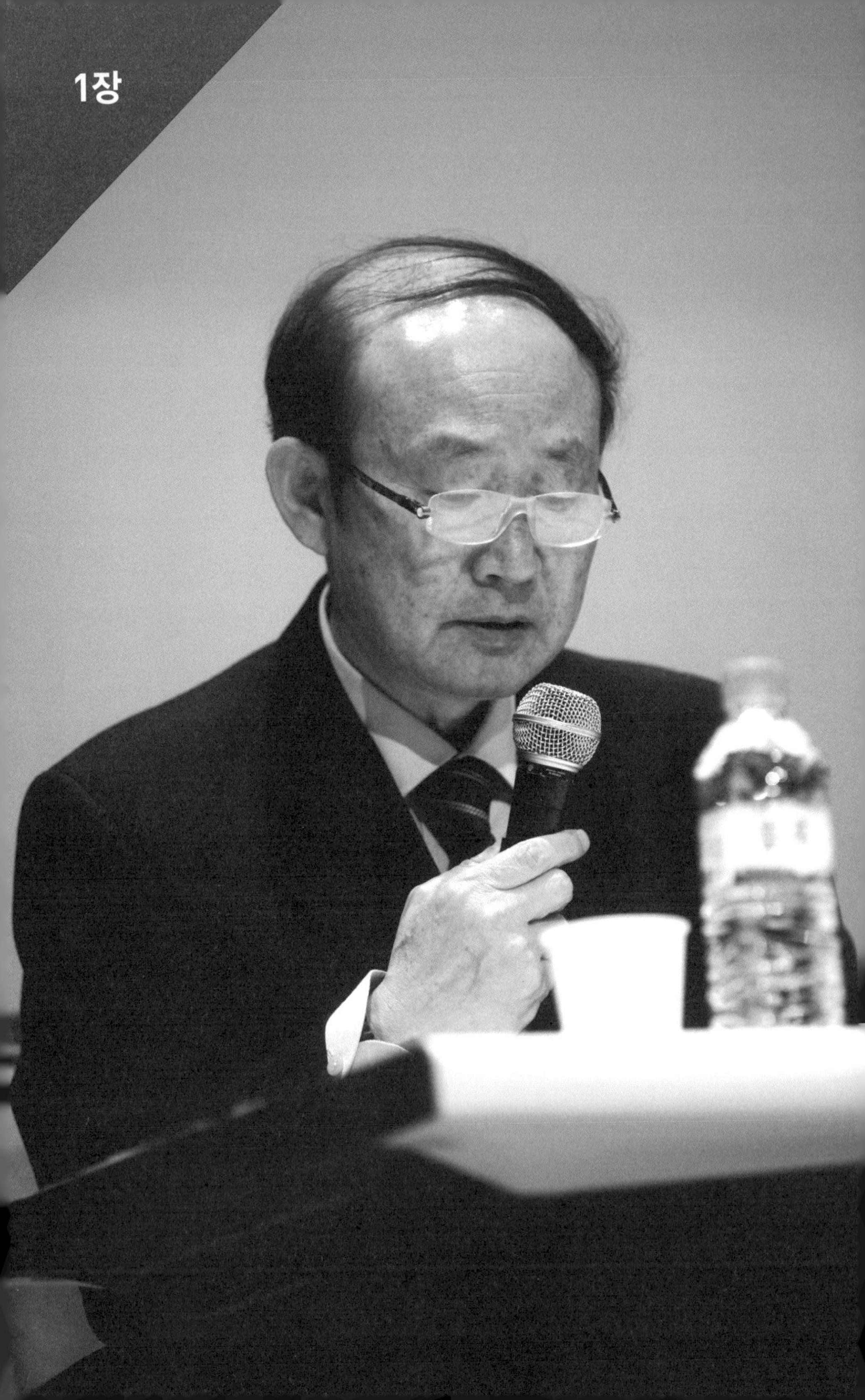

석전과 한암의 문제의식

김광식 _ 동국대학교 특임교수

Ⅰ. 서언

한국 근대불교1876~1945는 중세불교와 현대불교를 이어주는 가교의 시공간이다. 그러나 근대불교는 100년도 안 되는 시기이지만 가교로만 머물 수 없는 독특한 역사와 성격을 갖고 있다. 근대불교의 공간에서 전개된 개신교의 등장 및 도전, 일제의 침략 및 국망, 서양의 문명 및 사조의 유입, 사회주의 및 반종교운동의 도전, 일본불교의 유입 등 그 어느 한 측면도 간단치 않았다. 때문에 그 당시 불교의 현실과 본질을 유의해서 살피면 불교인들의 다양한 의식, 고뇌, 행보, 갈등 등이 처절하게 노정되었음을 알 수 있다. 이와 같은 근대불교의 실상 및 본질을 역사적 맥락에서 이해하고자 할 경우 각 흐름별의 성격과 특징 등을 구체적으로 천착하고 그를 종합하여 살펴야 할 것이다.[1]

그러나 지금까지의 연구 동향 및 성과를 조망하면 연구의 접근과 관점이 너무 단순하였음을 부인하지 못할 것이다.[2] 이런 결과를 초래한 것은 우선 근대불교에 대한 연구가 양적, 질적으로 심화되지 못한 것과 불교에 대한 연구의 초점이 항일, 친일, 근대화, 대중화 등으로 지나치게 단순한 관점에 투영되었던 것에서 찾을 수 있다. 물론

....
[1] 심재룡은 「근대 한국불교의 네가지 유형에 대하여—論 ; 한국 근대 불교의 四大 思想家」(『철학사상』 16호 별책 1권, 2003)의 논고에서 경허(전통주의자), 용성(개혁주의자, 대각교운동), 한영(개혁주의자, 보편불교 교육론), 만해(혁명주의자, 사회참여적인 민중불교)를 근대불교를 대표하는 사상가로 내세웠다. 한편 김광식은 「식민지(1910~1945) 시대의 불교와 국가권력」(『대각사상』 13, 2010)의 고찰에서 조선불교조계종(대처승), 조선불교 선종(선학원, 수좌), 만당(한용운, 진보개혁), 대각교(백용성, 온건개혁)라는 기준으로 종단 및 단체의 성격을 서술하여 일제하 불교의 노선을 대별하였다.
[2] 김광식, 「근·현대 불교, 연구 성과와 과제」, 『한국불교학』 68집(2013).

이와 같은 문제점을 극복하기 위해서는 다각적인 검토가 요청되지만, 내우외환의 격동의 현실을 걸어가야만 되었던 불교인들의 행보와 고뇌를 살피는 것도 의미가 있다. 지금껏 인물 연구에는 '생애와 사상'이라는 고전적인 방법이 활용되었다. 그러나 이제부터는 인물의 행적, 의식, 시대적 흐름, 관련 사건 등에 대한 미시적인 검토, 분석이 정치하게 이루어져야 할 것이다.

본 고찰은 이 같은 배경하에서 근대불교의 고승·선지식으로 명망이 높은 석전石顚과 한암漢岩의 문제의식을 역사적 맥락하에서 살피려는 글이다. 최근에 접어들어 석전과 한암의 연구가 가시화되고 있지만, 학계에 보고된 연구 성과를 보면 석전과 한암이 갖고 있는 개요, 명성, 성격 등에 대한 충분한 이해는 미진하다. 필자는 이전에 한암 연구를 일부 수행한 바가[*3] 있지만, 석전에 대해서는 본격적인 연구의 기회를 갖지 못하여 연구의 역량이 부족하다. 그럼에도 필자는 근대불교의 성격 및 노선에 대한 연구가 절실함을 인식하고[*4] 그런 연구에 동참하겠다는 소박한 마음으로 본 글을 작성하게 되었다. 한편, 이 글은 불교 근대화 노선의 사례 연구의 성격을 갖는다. 불교 근대화 노선은 다양했는데, 본 연구에 나오는 석전은 개량 노선을 걸었다면 한암은 보수적인 노선을 갔다. 이러한 이질적인 노선을 비교해 본다는 자체가 흥미로운 것이다.

....

[*3]　김광식, 「방한암과 조계종단」, 『민족불교의 이상과 현실』 (도피안사, 2007); 김광식, 「한암의 종조관과 도의국사」, 『한국 현대선의 지성사 탐구』 (도피안사, 2010).

[*4]　필자는 한암과 만공의 노선을 비교, 분석한 바가 있다. 김광식, 「한암과 만공의 同異, 그 행적에 나타난 불교관」, 『한암사상』 4집(2011). 한종만은 석전과 만해를 비교하여, 이 분야 연구에 시사를 주었다. 한종만, 「박한영과 한용운의 한국 불교 근대화사상」, 『논문집』 5집(원광대, 1970).

본 고찰은 석전과 한암의 행적을 통하여 이들의 문제의식을 추출하는 방법을 활용하고자 한다. 석전1870~1948; 79세, 법랍 60세과 한암 1876~1951; 76세, 법랍 54세의 연령 차이는 6살에 불과하였다. 때문에 이들은 동시대를 살았던 동년배의 고승이다. 이들은 근대불교 당대에 선지식 및 고승으로 명망이 높았고, 조계종단의 종정을 역임하였다. 그러나 석전은 도회지에서 한암은 오대산에서 자기의 정체성을 극명하게 표출하였고, 그들의 입적 이후에는 각각의 문손들이 선운사 및 월정사에서 추모 및 계승의 활동을 하고 있다.

이와 같은 행적을 갖고 있는 이들의 문제의식을 올곧게 조망하기 위해서는 행적뿐 아니라 남긴 글과 사상적 성격의 분석을 통한 종합적인 분석을 해야 한다. 미진한 측면은 지속적인 연구로써 보완하겠거니와 제방 선지식의 비판을 기다린다.

Ⅱ. 석전과 한암의 행적에 나타난 비교

인간의 의식, 문제의식, 현실의식은 어떤 형태로 표출된다. 그는 언어, 기고 및 편찬, 직임, 활동 등으로 외화된다. 이를 통하여 인간은 자신의 존재성, 지향, 불만 및 대안을 표현한다. 행적이라 함은 이들이 남긴 구체적인 역사라 하겠다. 물론 그 행적에 잘 드러나지 않는 의식, 지성 등이 있을 수 있다. 그러나 행적과 의식은 전혀 별개일 수도 있지만, 행적과 의식은 불가분의 상보적인 관계일 것이다. 이런 성격을 전제하면서 여기에서는 행적을[*5] 중심으로 석전과 한암을 비교하고자 한다.

1. 수행

석전과 한암은 승려였기에 입산, 수행을 거쳤다. 수행은 승려가 입산 직후 제일 먼저 행하는 이력이다. 때문에 이들의 행적과 성격을 이해하기 위해서는 입산 직후 어떤 수행을 하였는가를 제일 긴요하게 파악해야 한다. 이들의 수행과 관련된 것 중에서 중요한 내용을 적출하여 제시하면 다음과 같다.

석전	한암
• 전라북도 완주 출신 • 서당에서 사서삼경 등 수학 • 위봉사 태조암(완주)으로 입산 • 신계사에서 득도(17세) • 백양사 운문암, 幻應에게 수학 • 선암사, 擎雲에게 수학 • 구암사, 雪乳에게 嗣法, 건당(1896년, 26세) • 설유회상에서 염송, 율장, 화엄을 수학 • 三藏 講說(구암사, 대원사, 백양사, 대흥사, 해인사, 법주사, 화엄사, 석왕사, 범어사) 선원에서 수선 정진[*6]	• 강원도 화천 출신 • 부친 한학자, 서당 공부 • 금강산 장안사에서 득도(22세) • 신계사 보운강원에서 수학 • 청암사 수도암에서 정진(경허, 『금강경』 수학) • 해인사 선원, 정진(조실 경허, 1차 悟道) • 통도사 선원, 정진(2차 悟道) • 해인사 선원, 경허로부터 인가 • 『전등록』 열람(3차 悟道) • 묘향산 내원암, 보림 정진 • 맹산 우두암에서 보림(4차 오도, 1912년)

....
*5   석전의 행적은 이병주 외, 『석전 박한영의 생애와 시문학』(백파사상연구소, 2012), pp.179~191에 수록된 「석전 박한영스님 연보」에 의거하였다. 한암의 행적은 한암문도회, 『定本 一鉢錄』 상권 (민족사, 2010), pp.495-513에 수록된 「연보」에 의거하였다.
*6   김효탄은 석전이 15회 안거수행을 하였다고 주장한다. 김효탄, 「석전 박한영의 생애와 불교사상」, 『불교평론』 44호 (2010), p.377.

위와 같이 석전과 한암이 행하였던 출가 이후 수행의 요체를 제시하였다. 위의 내용에 의하면 석전과 한암은 입산 이전에 한학을 수학하였음이 공통적이다. 이런 요인이 이들이 한학, 동양사상에 대한 조예가 깊었음을 이해할 수 있게 한다. 나아가서는 이런 요인이 불교의 교리 및 사상에 대한 습득 및 이해가 투철하였던 여건을 알 수 있다.

석전은 환응幻應, 1847~1929[*7], 경운擎雲, 1852~1936[*8], 설유雪乳, 1858~1903에게 불교의 교학을 수학하였다. 석전에게 경학을 가르쳐 준 인물들은 당대 최고의 강백이었는데, 이 중 환응과 경운은 1929년에 석전과 함께 교정에 추대된 고승이었다.[*9] 이들은 지리산권 및 호남 불교권의 교학전통에서 수학하였고, 백양사[*10] · 선암사 · 구암사 등을 기반으로 후학을 양성하였던 대종장이었다. 석전이 백파 긍선白坡 亘璇, 1767~1852 계열의 학맥을 이은 대강백에게 교학을 배웠다 함은 석전이 조선 후기부터 근대기에 이르렀던 한국의 전통불교사상을 온전히 수용, 응용할 수 있는 자질을 갖추기에 충분하였음을 말해 준다. 요컨대 석전은 강학, 교학, 불교사상이라는 측면에서 투철한 수학을 하였다. 그러면서 석전은 강학을 하면서도 참선수행도 이수하였다. 이는

·····················

[*7] 환응(幻應允 東雲庵)은 1929년 1월에 교정에 추대되었으나, 그 해 7월에 입적한 고승이다. 지금껏 석전, 백학명, 만암 송종헌 등은 주목하고 연구되었으나 환응은 그간 베일에 싸였다. 그러나 환응도 주목, 연구할 필요성이 있다. 환응에 대해서는 다음의 자료가 참고된다. 「圓寂界」, 「불교」 61호 (1929. 7), p.38; 백양사 一記者, 「故 敎正 幻應大禪師의 百日을 臨하야」, 「불교」 64호(1929. 10), pp.28-32; 「故幻應鶴鳴兩大禪伯」, 「불교」 67호 (1930. 1), p.73; 안주봉, 「故敎正 幻應大禪師 哀辭」, 「불교」 68호 (1930. 2), pp.49-50; 「故 敎正 幻應大禪師 追悼辭」, 「불교」 71호 (1930. 5), p.11(당시 종회의 추도식에서 낭독된 것). 그는 백양사 운문암에서 20년간 동구불출, 25년간 후학 양성, 백양사 제1세 주지(1911~1914) 등의 행보를 갖고 있다.

[*8] 김경집, 「근대 경운원기(擎雲元奇)의 교화활동」, 「보조사상」 40집 (2013); 차차석, 「근대 선암사와 그 학풍」, 「보조사상」 40집 (2013).

[*9] 환응, 경운, 석전은 1929년 1월, 승려대회에서 7인의 교정으로 선출되었다. 7명 중 3인이 백양사, 구암사 계열의 고승이었다. 김광식, 「한국 근대불교사 연구」 (민족사, 1996), p.331.

[*10] 김용태, 「조선후기 불교의 강학 전통과 白羊寺 강원의 역사」, 「불교학연구」 25호 (2010), pp.311-320.

그가 선사상도 체득하였음을 알려 주는 것이다. 즉 선에 대한 이해도 간단치 않았을 것이다.

이에 반해 한암은 신계사 보운강원에서 일시적으로 경전을 보았지만 대부분은 참선수행을 하였다. 청암사·해인사·통도사·범어사 등의 선원에서 오롯하게 참선 정진을 하였다. 이 과정에서 오도를 하고, 경허에게 인가를 받기도 하였다.[11] 오도 후에는 보림과정을 거쳤다. 이와 같은 한암의 수행은 선 방면에 치중된 것이었다. 근대 선불교를 대표하는 한암의 명성은[12] 이 같은 수행을 통해 구현된 것이다.

이와 같이 석전은 경학 방면에서, 한암은 선학 방면에서 수행정진을 하였다. 이런 성격은 후일 이들의 활동, 행적을 짐작케 하는 것이다.

2. 교육 활동

석전과 한암이 수행 후에 후학을 위해서 어떤 활동을 하였는가에 주목하고자 한다. 이는 상구보리, 하화중생이라는 전통적인 관점에서 이들이 무엇을 하였는가를 살피는 것이다. 이를 통해 이들이 불교 및 사회에 대한 문제의식이 어떠하였는가를 추출하려고 한다. 석전과 한암은 수행을 거친 직후, 즉시 후학 양성에 나섰다. 이는 일반적인

[11] 한암과 경허에 대한 관계는 아래의 고찰을 참고하기 바란다. 윤창화, 「鏡虛의 지음자(知音者) 漢岩」, 「한암사상」 4집 (2011) ; 김호성, 「사효(師孝)의 윤리와 출가정신의 딜레마」, 「불교연구」 38집 (2013).
[12] 「在京城 各 教會의 본부를 歷訪하고」, 「개벽」 48호 (1924. 6), p.18에는 "근래의 불교에 있어서 禪學 제일 치는 사람은 방한암 선사이라"는 내용이 나온다.

고승들의 행보와 유사하다.

석 전	한 암

• 구암사에서 개강, 학인 교육(1895, 26세)
• 구암사에서 개강
• 대원사(산청)에서 晋山, 講說
• 백양사 · 대흥사 · 해인사 · 법주사 · 화엄사 · 석왕사 · 범어사에서 강의
• 백양사 廣成義塾 塾長(1910)
• 경성 高等講習會 회장 겸 강사(1912)
• 高等佛敎講塾, 塾長(1914)
• 中央學林 강사 · 교사 · 학장
  (1915~1922)
• 朝鮮佛敎會 전무이사(1920~)
• 개운사 · 대원암 불교전문 강원, 강주
  (1926~1945)
• 불교전수학교 교수(1928~)
• 중앙불교전문학교 교장(1933~1938)
• 혜화전문학교 명예교수(1938~1940)
	• 통도사 내원암 선원 조실(1904, 28세)
	• 건봉사 만일선원, 조실(1921~ , 45세)
	• 봉은사 조실(1923~)
	• 오대산 상원사 조실(1926~, 50세)
	• 상원사, 삼본사연합수련소 조실
	  (1936~1944?)
	• 상원사 선원, 조실(洞口不出, 坐脫立亡)

이와 같이 석전과 한암의 교육 활동은 매우 이질적이었다. 석전은 건당 직후에는 구학적인 강원에서 후학을 양성하였다. 그러나 일제의 침략으로 인한 국권상실 이후에는 신구겸학新舊兼學을 하는 교육기관에서 후학을 양성하였다. 이는 불교 근대화의 구도에서 교육 활동을 하였음을 의미한다. 그에 반해서 한암은 오직 전통적인 강원에서 조실로서 후학을 양성하였다. 더욱이 한암은 1926년 봉은사에서 오대산 상원사로 들어간 이후에는 동구불출洞口不出의 자세로서 은둔적인 교육 활동에 임하였다.

또한 석전과 한암이 행한 교육의 내용에서도 이들의 이질성은 나타난다. 즉 석전은 전통적인 강학방법에 의거하여 불교를 가르치는 것에 주력하면서도 유교, 장자, 동양학 등을 망라하였다.[13] 그러나 한암은 오직 선불교에 주력하였는데, 부연하자면 한암은 전통 고수, 유지를 통한 불교 발전에 유의하였다고 볼 수 있다. 그리고 석전이 주관한 개운사 강원에서는 재가자들도 강학에 참여할 수 있었다. 그러나 한암이 주관하는 선원은 오직 승려들만의 전용적인 교육 공간이었다. 이는 그 현장을 목격한 제자들의 증언에서도 찾을 수 있다. 우선 개운사 강원에서 수학한 석전의 전강제자인 운성의 증언을 제시한다.

그리고 3년간 강원을 계속하다가 기사년(1929년) 3월에 대원암으로 옮겼다. 대원암 강원은 불교연구원이라고 하였다. 그래서 『화엄경』을 위주로 하여 『傳燈錄』, 『拈訟』도 강의하였으며 학인들은 대개 일대시교를 마쳤거나 강사를 지내던 분들이 모였다. 말하자면 연구반인 셈인데 거기에는 두 부류의 학인들이 모였던 것으로 기억한다. 하나는 석전 스님의 높은 학력을 사모하고 그 문하에서 배웠다는 긍지를 갖고 싶었던 사람이며 또 한편에는 고등연구반에서 교학을 탁마하기 위해서 모였다. 그런 만큼 학인들은 그 기초 소양이 다양했고 제각기 독특한 전문 분야를 가진 사람이 많았다.
한학에 깊은 조예가 있다든가 시문에 일가견이 있다든가 현대문학에 소

....

[13] 홍신선은 석전이 서구의 신지식과 사회사상, 유교, 도교, 기독교 등 동서의 종교사상에도 막힘이 없다고 주장하였다. 그는 포광 김영수의 「영호화상행적」을 인용하면서 석전이 戒律論의 강설뿐만 아니라 유학과 노장의 학설에도 두루 섭렵 정통하였다고 보았다. 홍신선, 「박한영스님의 인물과 사상」, 『석전 박한영의 생애와 시문학』 (백파사상연구소, 2012), p.72·p.92. 김영수는 석전은 삼장강설을 주로 하는 외에 經史子集과 老莊學說을 無不兼攝하였다고 언급했다.

양이 있는가 하면 법률학·정치학·철학 방면에 제각기 주견을 가진 사람들이 모여 있었던 것이다.

그 당시 대원암과 칠성암으로 나뉘어 거처하면서 한 방에 무릎이 서로 닿을 만큼 좁게 모여 앉아 열렬히 토론하였다. 대개 80~100여 명이 지냈으니 한 방에 10여 명이 함께 지냈던 것이다. 아침 쇳송[鍾誦]하고 예불하면 모두 입선한다. 아침 공양하고 그리고 조실 스님께 문강한다. (……)

그런데 저때에는 스님들 학인 외에도 재가거사들이 강석을 함께하였다. 조실 스님의 학덕을 기려 준수한 청년들이 또한 모여 들었다. 지금 기억에 남는 이름으로는 김형태, 김동리, 이봉구, 서정주, 이종율 등 그 밖에 또 있었는데 이종율 씨는 소식을 모르는 지 오래다. 한때 범어사 승적이 있었고 영어에 능숙하고 중앙불전에 학적을 두고 있었다.[*14]

이렇게 석전에게는 불경을 전문적으로 공부하려는 학인뿐만 아니라 한학, 시문, 문학, 철학 방면에 조예가 깊은 학인들이 모여들었다. 이는 석전의 학문적 성향을 은연중 대변하는 것이다. 인문학적인 소양을 갖고 있는 학인들이 석전의 회상會上에서 수학하였다. 그리고 개운사는 석전에게 불교, 인문학, 동양학을 배우려는 재가 지식인들의 사랑방 역할을 하였음도 중요한 사실이었다.

우리 스님에게는 세속의 명사들이 많이 출입하였고 저들이 스님을 존경하였거니와 스님도 잘 대해 주셨다. 당시 재주 있기로는 3사람이라고 일컬었던 鄭寅普 씨, 崔南善 씨, 李光洙 씨 등은 1주일에도 몇 번씩 찾아올 때도 있었다. 그 밖에도 기억에 남는 분은 安在鴻 씨 洪命熹 씨 등 당당

*14   운성, 「노사의 學人시절 ; 우리 스님 石顚 朴漢永스님/50년 전의 大圓講院」, 『불광』 83호 (1981. 9), pp.58-60.

한 명사들도 있지만 그 밖에 각 분야 사람들이 많이도 찾아 왔다. 언론계, 예술계, 학계는 물론 일본인도 있었다. 일본인 가운데 제일 많이 찾아온 사람은 불교학자 다카하시〔高橋亨〕와 총독부 고등탐정이었던 나까무라〔中村〕가 있다.[*15]

위의 증언에 나오듯이 석전의 회상에는 인문학 분야의 저명한 사회 인사가 다수 있었다. 그들의 출신은 문학, 언론, 예술, 학술, 일본인 등 다양했다. 이와 같은 인물들의 내왕來往은 곧 석전의 학문, 지성, 인품이 광대함을 말해 주거니와 석전이 이들 교류의 중심적인 교량 역할을 하였을 것이라는 점을 알려준다.[*16] 그리고 석전은 승가, 재가를 가리지 않고 지방 여행, 답사를 함께 수차례나 다녔다.[*17] 이는 여행을 통한 인문학적 소양을 후학 및 지식인들에게 함양시켜 주기 위함이었다. 이는 현장교육을 통한 전인교육이었다. 또한 그는 『조선어사전』 편찬회1929 발기인, 진단학회1934 찬조위원 등을 역임하였는데 이런 행적도 그의 학문과 인문사상이 다양함을 말해 준다. 석전이 신구겸학의 교육기관인 중앙학림과 중앙불전에서 행한 것도 위

····················

[*15] 운성, 「노사의 學人시절 ; 우리 스님 石顚 朴漢永스님」, pp.60-61.
[*16] 석전의 문화 및 문학 방면에서 위상은 고재석의 글이 참고된다. 고재석, 「석전 박한영의 시선일규론(詩禪一揆論)과 그 문학사적 의의」, 『석전 박한영의 생애와 시문학』(백파사상연구소, 2012). 서정주도 이 정황을 회고하였는데, 『미당자서전』(민음사, 1994), p.11의 내용이 참고된다.
[*17] 여행에 대해서 운성은 다음과 같은 증언을 남겼다. "또 우리 스님은 방학 때면 곧잘 여행을 다니셨다. 여행에는 당신 혼자가 아니다. 일행이 많았다. 누구든 동행하고 싶은 사람은 얼마든지 함께 갔다. 또한 스님이 여행 떠나실 때는 재속 거사들도 대개 함께했다. 그래서 어떤 때는 일행이 20여 명이 될 때도 있다. 스님과 함께 동행한 거사로는 정인보 씨, 홍명희 씨, 최남선 씨, 안재홍 씨, 그 밖에 예술인 몇 명이 우선 기억에 남는다. 아마도 이분들과는 백두산에도 함께 오른 것으로 기억에 남는다. 지리산에도 가셨고 금강산에도 가셨다. 금강산에는 나도 두 번 모시고 갔다. 여행하는 목적지는 대개가 산이고 절이다. 산에는 으레 절이 있으니 절이 있는 산으로 여행 가는 것이다. (……) 그런데 우리 스님이 여행을 즐기신 이유가 무엇일까? 나는 당신에게 수행의 의미가 있고 배움의 의미가 있고, 동시에 학인들에게 산교육을 시키기 위한 뜻이 숨어 있다고 생각된다." 운성, 「노사의 학인시절 ; 우리스님 석전 박한영스님」, pp.62-63. 그리고 정인보는 여행, 답사에 대하여 "스님을 따라 국내 명승지를 순방하며 산천, 풍토, 인물로부터 농업, 공업, 공업, 상업과 노래며 소설에 이르기까지 모두 평소에 익힌 바처럼 모르는 것이 없으므로 그 고장 사람들도 명하여 말문을 열지 못하였다"고 회고했다. 정인보, 「石顚스님 行略」, 『映湖大宗師語錄』(東國出版社, 1988), p.21.

에서 살핀 내용과 동질적이었다.

이에 반해 한암은 오직 승려교육, 참선교육, 불교전통의 이수에 주력하였다. 그에게 있어서 후학 지도, 인재 양성은 불교에 근거한 것이었다. 당시 오대산 월정사, 상원사의 재정은 열악하였다. 그러나 전국적인 명성을 떨친 한암의 회상에서 한철 나려고 참선 지도를 받으려는 수좌들의 발길은 상당하였다고 한다. 그래서 상원사에서는 잠자리가 부족하여 '칼잠'을 잘 수밖에 없었다는 저간의 이야기가 있다. 한암의 제자인 용명의 회고를 여기에서 살펴보겠다.

> 우리 스님 회상인 오대산 상원사 선원은 오직 禪을 할 뿐, 다른 것이 없는 순수한 禪 도량이었지만, 점심 공양 후 차 마시는 시간은 또한 각별한 가풍이 있었다. 그 시간에는 조실 스님의 법문을 듣는 시간이었다. 대중이 다 함께 큰방에 둘러앉아 그 텁텁한 마가목차를 마셔 가면서 조실 스님의 禪門 강의를 듣는 것이다. 그때만 해도 수좌들이 한문에 능하지 못했다. 따라서 경전이나 어록을 자유로 볼 수 있는 사람이 그리 많지 않았다. 그런 중에 우리 스님은 점심 공양 후, 茶 시간이면 조사어록을 들고 나와 법문을 계속하였다. 나는 이 시간에 정말 많은 것을 배웠다. 오늘날 四集이라고 하는 어록들을 그때 우리 스님에게 모두 배웠으며 四敎과인『법화경』,『금강경』,『기신론』,『원각경』 등은 그 뒤에 중대에서 스님 시봉하고 지내면서 배웠다.
> (……)
> 우리 스님은 그렇게 차 마시는 시간에 조사어록을 강하시고 법을 설하셨지만, 참선하는 수좌들에게 경을 보라고 권하는 일은 없었다. 다만 두 가지를 허락하셨는데 수좌라도 불공의식을 익혀서 마지 올리고 내리는 법은 알아야 한다고 하셨고, 또 하나는 참선은 비록 스스로 공부를 지어가는 것이지만 불조의 어록은 혼자 뜯어볼 정도의 글 힘이 있어야 한다

고 말씀하셨다. 그러기에 수좌들도 놀지 말고 틈틈이 글자를 보아도 좋다고 하셨다.[*18]

　이렇듯이 한암은 오직 선수행만을 지도하였다. 불교 이외의 것은 거론조차 않았던 것이다. 그러나 한암은 고답적인 선禪만을 지향하지 않았다. 한암은 간화선 우위의 선교겸수禪敎兼修의 기조에서 조사어록과 경전의 수학을 하도록 배려하는 것을 정체성으로 내세웠다. 이런 행보는 여타 선원에는 희박한 사례이다.[*19] 이런 성격은 1936년, 강원도의 삼본산유점사, 건봉사, 월정사이 세운 삼본사연합수련소[*20]의 교육과정에도 동일하였다. 한암의 법제자이면서, 그 수련소의 중강 역할을 하였던 탄허의 회고가 주목된다.

　　수련원이 개설이 되던 날은 손 도지사와 당시 중추원 참의 몇 사람이 참석하였고 수련생은 약 30명이 되었다. 오늘의 古庵 스님이나 西翁 스님도 그때의 일원이다. 수련소의 일과는 조석으로 참선을 하였고 낮에는 경을 배우고 외우는 것이었다. 그것 외에도 많은 경전을 배울 수 있었다.
　　나는 四集은 독학하였고, 그 밖의 경전은 스님으로부터 배웠는데『傳燈錄』과『禪門拈頌』까지 완전히 마치기까지는 만 7년이 걸렸다.
　　수련소의 정규과정은『금강경』과『범망경』이었지만 나는 별도의 경을

‥‥‥‥‥‥‥‥‥‥
*18　한암문도회,『定本 一鉢錄』(오대산 월정사, 2010), pp.142-144. 이 글은『불광』1980년 5~9월호에 기고된「老死의 雲水시절 ; 우리스님 한암스님」의 내용이다.
*19　백양사 선원에서는 禪院 規則을 정하고 오전부, 오후부로 나누어 정진하였는데 이는 여타 시간에 노동과 사무처리를 하도록 한 것에서 나왔다.『불교』63호 (1929. 9), p.54. 그리고 백양사가 본사인 내장사(백학명) 선원은 오전 학문, 오후 노동, 야간 좌선으로 한 것도 참고할 소재이다. 요컨대 백양사권의 선원은 학문(경학), 노동이 兼行되었거니와 이에 대한 의미는 별도로 탐구되어야 할 것이다. 김광식,『한국 현대선의 지성사 탐구』(도피안사, 2010), pp.64-65 · pp.514-515.
*20　김광식,「김탄허의 교육과 그 성격」『한국 현대불교사 연구』(불교시대사, 2006), pp.475-489; 월정사 · 김광식 엮음,『방산굴의 무영수』상권 (오대산 월정사, 2013), p.276.

배웠던 것이다. 그런데『화엄경』을 볼 때에 이르러 문제가 일어났다. 그
것은『청량소』를 보느냐, 이통현의『화엄론』을 보느냐가 문제가 되었다.
그 무렵 나는 수련생들의 요청에 의하여 보조 선사의『수심결』과『원돈
성불론』등 普照 선사 어록을 譯辭한 적이 있었다. 그때에『원돈성불론』
에서 화엄과 선의 차이가 분명한 것을 보았던 터라 다들 말하기를 통현
장자의『화엄론』이어야 한다고 주장하였던 것이다. 특히 그때 함께 지
내던 炭翁 스님이 더 역설하였다.*21

한암은 수련소에서도 참선을 위주로 하면서도 경전 수학을 병행
하였다. 즉 선교겸수의 전통을 확고하게 하였다. 이와 같은 한암의
교육 내용은 구학, 불교전통을 철저히 지키는 것이었다. 이에 대해서
그의 제자인 용명은 다음과 같이 회고했다.

> 스님은 고풍은 모두 존중하셨다. 행건 치는 것만 하드라도 그렇다. 아
> 침에 일어나 행건을 치면 잘 때만 풀으셨다. 혹 누가 행건을 매면 각
> 기병(관절병)이 생기니 푸는 것이 좋다고 하면 "이것도 先王之法이다"
> 하였다. 옛 고풍을 좀체 버리지 않는 것이다. 또 예불도 조석으로 각
> 단 예불을 했다. 수좌들은 모두가 큰 방에서 죽비로 3배할 뿐이었지만
> (……) *22

즉 한암은 전통주의자이었던 것이다. 다만 선禪에*23 매몰된 수좌

*21 탄허,「화엄경의 세계」,『방산굴 법어』(오대산 월정사, 2003), pp.75-76.
*22 한암문도회,「정본 일발록」, p.140.
*23 한암의 선사상에 대해서는 다음의 고찰이 참고된다. 종범,「한암의 선사상」,『한암사상연구』1집 (2006);
    신규탁,「南宗禪의 지평에서 본 방한암 선사의 선사상」,『한암사상』2집 (2007); 인경,「한암선사의 간화선」,
    『한암사상』3집 (2009).

는 아니고, 선교겸수와 삼학계·정·혜겸수[24]를 굳건하게 강조하고, 실천하였다. 또한 한암은 「승가오칙」이라고 일컬어지는 참선, 간경, 염불, 의식, 수호가람을 지독스럽게 강조하고, 가르쳤다.[25] 한암은 단순히 참선과 경학을 겸수한 것에 머물지 않았고 이처럼 독창적인 승가교육의 방안을 수립했다. 자신이 제정하여 수립한 승려의 행동 지침을 마련하였던 것이다. 「승가오칙」은 조선 후기 이래 승가에 전 승되어 온 승려가 해야 할 열 가지[十科(십과)] 직분을 당대 현실에 비추 어 긴요한 것 다섯 가지를 추린 것이었다.[26] 여기에서 한암의 탄력 적인 전통의 변용을 찾을 수 있다. 즉 전통을 계승하면서도 현실에 부합하는 승가교육에 방점이 찍혀졌다.[27]

그러나 이들의 공통점은 균형적인 수행을 강조하였고, 계율정 신 수호정신이 남달랐다는 것이다. 특히 한암은 율사로 지칭될 정도 였고,[28] 석전은 무애행을 하는 수좌들의 행태를 강력하게 비판하였 다.[29]

이렇듯이 석전과 한암은 교육 활동에서 이질성이 있었다. 석전이 강학 및 신구겸학의 교육기관을 중심으로 인문학적인 불교교육에 유 의하였다면, 한암은 선에 중심을 두면서 불교전통을 계승하는 승가 교육을 유의하였다. 그러나 계율 수호정신은 동일하였다.

....
[24] 김호성, 「방한암 선사」 (민족사, 1995), pp.40-47.
[25] 김광식, 「도원스님 ; 푸르른 산의 학과 같은 스님」 「보문선사」 (민족사, 2012), p.98; 김광식, 「그리운 스승 한암스님」(민족사, 2006), p.83·p.210·p.271.
[26] 이에 대해서는 김광식, 「한암과 만공의 同異, 그 행적에 나타난 불교관」, p.128의 각주 64 내용 참조.
[27] 신규탁, 「한암선사의 '승가오칙'과 조계종의 신행」 「조계종사 연구논집」 (도서출판 중도, 2013).
[28] 김광식, 「그리운 스승 한암스님」, p.384.
[29] 홍신선, 「박한영스님의 인물과 사상」 p.70.

3. 집필 활동

석전과 한암의 차별성은 집필 활동에서도 나타난다. 기고 및 집필은 서술자의 현실의식을 극명하게 대변하기에 이들의 문제의식의 초점을 파악하기에 용이하다. 석전은 수행 및 승가교육의 초장기에는 산중에 있었지만 국망 직전 서울로 상경하여 불교의 개신, 불교의 포교 및 대중화, 승가교육, 인문학적인 지식인 교육을 담당하기 위해 전력질주를 하였다. 이 같은 행보는 1908년에 시작되어 해방직전까지 지속되었다.^{*30} 그러나 한암은 1926년부터 입적하는 그날까지 오직 오대산 상원사에서 27년간이나 칩거, 은둔을 견지하면서 자신의 사상에서 나온 승려의 길을 후학교육의 길을 갔다.

이와 같은 행보는 집필 활동에서도 찾을 수 있다. 석전은 도회지인 서울에서 불교의 유신 및 대중화를 위한 행보를 갔지만, 한암은 오대산 상원사에 머물면서 전통계승을 구현할 뿐이었다. 그러면 이런 전제하에서 이들의 집필 활동의 개요를 제시하고자 한다.

석전	한암
•「佛教講師와 頂門金針」 기고(1912) •『해동불보』 발간(1913), 발행인 •「知行合一의 實學」(1913) •「佛光圓編은 未來에 當觀」(1913) •「將何布教利生乎아」(1913) •『精選 緇門集說』 발간(1914)	•「一生敗闕」(자전구도기) 저술(1912?) •「선원 規例」(건봉사) 찬술(1921) •「參禪曲」 찬술, 「만일원 禪衆芳啣録序」 　(1922) •「불영사 수선사 방함록서」(1929) 찬술 •「海東初祖에 對하여」 기고(1930) •「一塵話」(『禪苑』 창간호) 기고(1930)

··················

*30 그는 1940년에 구암사로 내려갔고, 1945년경에는 내장사로 내려가 칩거하였다. 1945년 8 · 15 해방 직후에는 교정으로 추대되었으나 주로 내장사에 있었다.

　석전 영호대종사 | 한국불교의 초석을 세우다

- 「불교의 전체와 比丘一衆」기고(1914)
- 「朝鮮佛敎와 史的 尋究」(1914)
- 『因明入正理論會釋』편찬(1916)
- 조선불교회 발기인(1920)
- 「불교와 조선현대」기고(1924)
- 『佛日』편집인(1924)
- 『戒學約詮』편찬(1926)[*31]
- 「승려 肉食 娶妻論에 대하여」(1926)[*32]
- 「知行合一의 實學」(1913)
- 『精選 捻頌及說話』(교재) 편찬(1932)
- 『佛敎史攬要』(교재) 편찬(1930년대?)
- 「근본교육과 명예사업」(1933)
- 「敎養徒弟는 紹隆三寶」(1913)
- 「新語新文은 胡不采聽」(1913)
- 「朝鮮佛敎의 精神問題」(1935)
- 「佛敎文學으로 靑年 諸君」(1935)
- 「敎是」(1937)
- 『石顚詩艸』(최남선 주선) 발간(1940)
- 『石林隨筆』(문집) 탈고(1943)

- 『鏡虛集』편집(1931)
- 「惡氣息」(『禪苑』 2호) 기고(1932)
- 「參禪에 대하여」기고(1932)
- 「경허화상 행장」기고(1932)
- 「揚於家醜」(『禪苑』 2호) 기고(1932)
- 「猫捕鼠」(『금강저』 22호) 기고(1937)
- 「금강경오가해」(현토) 重刊 연기서 (1937)[*33]
- 「보조선사법어」(현토) 編輯 간행서 (1937)[*34]
- 「송라사 칠성계서」찬술(1939)
- 「설악산 五歲寺 禪院 獻畓略記」
- 「경허집」발간, 발기인(1943)
- 『一鉢錄』(문집), 수습 · 편집[*35]
- 「霽山淨圓禪師碑文 · 退雲圓日禪師碑文」 찬술(1943)
- 「吾人修行이 專在於決心性辨」(법어) 기고(1944)

석전과 한암의 집필, 기고 활동의 주요 내용은 위와 같다. 우선
석전의 집필 활동에 나타난 개요 및 성격을 살펴보겠다. 위에 제시한

• • • • • • • • • • • • • • • • • • • •

*31 「석전 박한영스님 연보」에서는 1924년은 서술, 1926년은 편집, 1938년에 배포하였다고 하였다. 김효탄, 「해
      제」, 『계학약전 주해』(동국역경원, 2000) 참조. 그러나 이런 연대의 내용, 중앙불전의 강의용 교재 운운은 신
      중히 검토해야 한다.
*32 《시대일보》, 1926년 6월 20일자. 이 글에서 석전은 승려 육식, 취처론에 대하여 강한 비판을 하였다. 석전
      은 교단 내부에서 제기, 논의할 문제(육식, 취처)를 식민지 일제 당국에 허용을 건의한 자체도 극렬하게 비판
      하였다. 이에 대하여 운성은 "이른바 음주식육(飮酒食肉)이 무방반야(無妨般若)라는 궤변이다. 물론 조실 스
      님이나 원로 학인들이 그것을 용납할 리 없다"고 하였다. 위의 『불광』 83호 (1981. 9), p.62, 또한 『불광』 85호
      (1981. 11), p.59에서 "우리 스님은 그러한 선객을 빙자한 무애행을 신랄하게 비난하고 경계하셨던 것이다."
      라고 하였다. 김광식, 「1926년 불교계의 대처식육론과 백용성의 건백서」, 『한국근대불교의 현실인식』(민족사,
      1998), pp.186-209 ; 참조 김광식, 「용성의 건백서와 대처식육의 재인식」, 『한국 현대선의 지성사 탐구』(도피
      안사, 2010), pp.534-540.
*33 발행은 월정사, 저작 겸 발행자는 원보산이었다. 한암은 발간 연기를 서술하였다.
*34 오대산 상원사판으로 나왔다.
*35 1947년 상원사 화재로 소실되었다.

글은 석전의 성격을 알 수 있는 대표적인 것만 필자의 관점에 의거하여 간추린 것이다. 이를 주제별로 대별하면 그는 우선적으로 강원 강사의 중요성, 불교인의 정신, 학인 자세, 비구승의 정체성, 계율 강조, 교재 편찬 등이다. 여기에 나타난 공통적인 것은 승려 및 불교 지식인의 교육에 대한 강조이다. 이는 당대 불교의 개신改新 · 유신維新과[36] 불교의 발전을 위해서는 자각과 개혁을 하지 않으면 안 된다는 것을 호소한 것이다.[37] 다음으로는 불교 현실을 강력하게 비판하면서도[38] 불교가 조선 · 인류문화에 공헌할 수 있다는 사상적 자부심,[39] 『해동불보』와 『불일』 발간에 투영된 불교의 대중화 및 포교의 강조 등이었다.[40] 그 밖에 불교사 서술, 교재 편찬, 국학 관심 등에 나타난 것은 근대불교학과[41] 인문학에 대한 탐구라 하겠다. 즉 석전을 교육, 포교, 인문학이라는 코드로 설명할 수 있는 것이다.[42] 물론 이는 그가 갖고 있는 불교, 유교, 서양사조, 동양학 등에 대한 박람적博覽的인 실력, 실사구시實事求是의 학문적인 자세에서 배태된 것이다.

이에 반해 한암의 집필 활동은 수행과 교육 활동에서도 나왔지만

....

[36] 이능화, 『朝鮮佛教通史』 하, p.954. 이능화는 석전을 불교의 改良을 자신의 임무로 삼았다고 평하였다.

[37] 노권용, 「석전 박한영의 불교사상과 개혁운동」, 『선문화연구』 8집 (2010), pp.267-272.

[38] 「佛種을 紹隆하라, 佛教學院 講師 朴漢永師談」, 『동명』 제2권 2호 (1923. 1. 7). 이 글에는 박한영이 당시 불교계에 관념, 사상, 감각, 방침, 사상 등이 없다고 보면서 불교의 종자까지 단절되고, 간판만 붙어 있는 상황이라고 개탄한 소감이 나온다.

[39] 김상일, 「석전 박한영의 불교적 문학관」, 『불교학보』 56집 (2012), pp.229-230.

[40] 「포교방법의 개선, 중앙학림강사 박한영씨 談」, 《매일신보》, 1919년 1월 1일자.

[41] 김상일, 「石顚 朴漢永의 著述 성향과 근대불교학적 의의」, 『불교학보』 46집 (2007) 참조.

[42] 이런 석전의 특성에 대하여 운성은 다음과 같이 회고하였다. 그는 "우리 스님은 80년의 생애를 오직 불법과 학문과 전법과 교화로 일관하셨다. 그리고 그 핵심은 믿음과 학문이었는데 그와 같은 탁월한 역량은 스님의 놀라운 지혜와 한결 같은 정진력과 투철한 총기가 함께 하였던 것을 나는 말하고 싶다." 운성, 「노사의 학인시절 ; 우리스님 석전 박한영스님」, p.62.

석전 영호대종사 | 한국불교의 초석을 세우다

오직 선禪 중심적인 사고의 산물이었다. 참선, 선사 비문, 방함록 서문, 법어에 대한 집필은 그를 예증한다. 그가 『금강경』과 『보조국사법어』의 간행에 관여한 것은 그의 삼학 강조 및 선교겸수적인 사고에서 나온 것이다. 근대기에서 보조국사에 대한 중요성을 강조한 것은 특별한 사례이다. 이는 보조국사의 정혜결사를 계승한 정신에서 비롯된 것이라 이해된다.[*43] 그러나 한암은 단순히 선사상 이외에도 그의 법사인 경허 행장 집필에서 계율 강조, 조계종단의 종조인 도의국사를 재인식케 하는 글도 집필하였다. 이처럼 수좌, 도인, 조실, 종정의 성격을 갖는 한암이 경허, 도의에 대한 글을 기고하였다 함은 특별한 행보가 아닐 수 없다. 한국의 근대선, 한국선종에 대한 근원 및 정체성에 대한 고민을 하였다는 것이다. 요컨대 역사의식이 있었거니와 한국 선 및 종단의 정체성을 고민하고 그에 대한 대안을 피력할 정도의 소양을 습득함은 간단한 것이 아니다. 더욱이 일제하의 공간에서 제시한 의견이 지금까지도 수용되고 있음은[*44] 한암의 지성적 면모가 간단하지 않음을 단적으로 드러내는 것이다.

지금까지 살펴본 바와 같이 석전과 한암은 집필 활동에서도 이질성이 드러났다. 석전은 교육, 포교, 인문학에 대한 강조를 통하여 후학 지도, 인재 양성을 의도하였다. 그러나 한암은 치열한 선수행, 선교겸수, 계정혜 삼학의 강조, 한국 선의 정체성 인식을 통한 수좌 및

[*43] 김호성, 「한암선사–보조선 계승한 종문의 선지식」, 『한국불교 인물 사상사』 (민족사, 1990) ; 김호성, 「결사의 근대적 전개양상」, 『보조사상』 8 (1995) 참조. 그리고 한암의 법을 계승한 탄허가 불교정화운동의 성찰 및 인재 양성의 차원에서 1955년 월정사에 세운 오대산 수도원에도 정혜결사의 현대적 변용이라는 성격이 나타난다. 즉 이것도 한암이 보조국사를 중요하게 여긴 역사적 산물이다. 김광식, 「오대산수도원과 김탄허」, 『새불교운동의 전개』 (도피안사, 2000), p.353.

[*44] 한암이 종단의 종조로 주장한 도의국사가 조계종단의 종조로 1950년대 중반에 제기되었다가, 1962년 통합종단 출범 시부터 현재까지 내려져 왔다.

선종의 자각을 의도하였다.

4. 종단 활동 및 민족운동

석전과 한암은 치열한 수행, 개성적인 후학 지도, 불교 현실의 직시를 통한 대안 제시 등 다양한 행보를 갔다. 이는 시대정신에 투철한 승려 및 불교 지성인을 양성하기 위한 다양한 집필활동으로 구현되었음을 말해 준다. 이 같은 행보는 여타 고승에서 찾기 어려운 사례이다. 이제 여기에서는 석전과 한암이 담당한 종단 활동과 민족운동의 내용을 살피면서 그에 나타난 성격을 도출하고자 한다.

석 전	한 암
• 항일불교, 臨濟宗 운동(1911) • 구암사 · 내장사 · 만일사 兼務 주지(1912) • 보우국사 다례제 참가(1914) • 흥국사 수계식, 갈마사(1914) • 한성임시정부, 대표(1919) • 구암사 주지(1919) • 독립 청원, 태평양회의서에 서명(1921) • 朝鮮佛教維新會 의장(1921) • 寺刹令 철폐 건백서, 대표단(1922) • 조선민립대학기성회 발기인(1923) • 승려대회, 敎正(7인)의 일원으로 선출(1929) • 금강산불교회 · 불교시보 고문(1935, 1939) • 개운사 수계식, 전계 아사리(1939) • 불교정화를 위한 遺教法會, 會主(1941) • 대한불교, 敎正(1945) • 己未獨立宣言記念全國大會準備委員會, 부회장(1946)	• 승려대회, 敎正(7인)으로 선출(1929) • 오대산 釋尊頂骨塔讚仰會 회주(1930) • 朝鮮佛教禪宗, 宗正(3인)으로 선출(1935) • 朝鮮佛教 曹溪宗, 宗正(1941) • 대한불교, 敎正(1948)

석전과 한암의 종단 활동을 살펴보았다. 그러면서 석전의 경우 민족운동의 내용도 제시하였다. 석전은 대강백이면서도 종단의 말사 주지까지 하였음이 주목된다. 그리고 그는 종단 최고 책임자인 교정을 두 차례나 역임하였다. 이를 보면 그는 당대에서 최고의 지성, 고승, 선지식으로 인정받았음은 분명하다. 석전의 종단 활동에서 유의할 것은 임제종운동, 조선불교유신회 대표, 사찰령 철폐운동, 유교법회 회주 등 종단 수호 및 불교 개신·정화를 위한 활동의 최일선에도 나섰다는 것이다. 또한 한성임시정부의 설립, 독립청원의 활동 등 민족운동에도 일정하게 관여하였다.[*45] 이 같은 제반 행보를 보면 그는 불교 및 종단의 발전을 위한 역할을 온건하면서도 치열하게, 그러나 일면으로는 적극적으로[*46] 수행하였음을 알 수 있다.

그러나 한암은 석전과 대비되는 행보를 갔다. 한암은 교정·종정을 네 차례나 역임할 정도로 당대의 최고 고승으로 공인받았다. 그러나 그는 1929년에 교정으로, 1935년에는 종정으로 추대되었지만[*47] 공명심과 명예를 경계하면서 실질적인 활동은 하지 않았다. 그리고 1941년, 1948년에도 종정, 교정으로 추대되어, 그를 수용하였지만 동구불출洞口不出, 불출산不出山이라는 명분을 내걸고 서울과 종단 일선에는 단 한 차례도 나오지 않았다.[*48] 1941년 불교정화를 위한 고승

....

*45　오경후, 「영호 박한영의 항일운동」, 『보조사상』 33집 (2010).

*46　석전은 1929년 1월 22일, 개운사에서 교정 취임식을 하였다. 당시 7인이 교정으로 추대되었지만 이렇게 취임식을 한 사례는 석전이 유일하지 않은가 한다. 여타 6인이 취임식을 하였다는 문헌기록을 필자는 확인하지 못하였다.

*47　그를 선종의 종정으로 기재한 것은 「年年更有新條在하야 惱亂春風卒未休라」, 『선원』 4호 (1935. 10. 15)의 필자명이 '종정 방한암'으로 나오는 것이 유일하다.

*48　그는 27년간 오대산을 떠나지 않았는데, 단 3회만 오대산을 나왔다는 전언이 있다.

유교법회 때에도 서울로 하산하여 법문해 줄 것을 요청받았지만 끝내 나오지 않았다.[*49] 이른바 은거, 은신의 행보를 견지하면서도 자신의 소신을 갖고 종정 역할을 하였던 것이다.[*50]

이와 같이 석전은 종단 현실의 일선에서, 한암은 은거의 방편을 활용하면서 종단 활동을 하였다. 그러나 그들은 불교 발전, 종단 수호에는 각자의 정체성을 갖고 치열하게 활동하였다.

Ⅲ. 결어

맺는말은 지금껏 분석, 서술한 내용을 근간으로 하여 석전 및 한암의 문제의식의 동이同異한 측면을 필자의 관점에서 제시하려고 한다. 석전과 한암을 비교의 관점에서 거론하기는 이 글이 처음이 아닌가 한다. 그래서 이에 대한 설명 및 의미 부여에 대한 책임은 전적으로 필자가 부담한다.

석전과 한암은 각기 조선시대 불교가 남긴 유산, 서양의 문명 및 종교의 유입, 국권 침탈이라는 현실에 직면하여 불교를 구해야 한다는 시대인식에서 활동하였다. 이들은 강학과 선원에서 각각 당대의 대강백, 대선승의 회상에서 치열한 수행을 하였다. 그 결과 이들은

....

[*49] 김광식, 「유교법회의 전개과정과 그 성격」, 『한국 현대선의 지성사 탐구』 (도피안사, 2010), pp.254-255.
[*50] 김광식, 「조선불교조계종의 성립과 역사적 의의」, 『새불교운동의 전개』 (도피안사, 2000), pp.80-85 ; 김광식, 「방한암과 조계종단」, 『민족불교의 이상과 현실』 (도피안사, 2007), pp.434-447.

석전 영호대종사 | 한국불교의 초석을 세우다

강원, 선원 분야에서 일가를 이룰 수 있는 자질, 능력을 부여받았다. 석전과 한암은 자신들이 처한 시대가 한치 앞도 가늠할 수 없는 위기의 시대임을 자각하였다. 그래서 그들은 자기의 정체성을 구현할 수 있는 공간에서 후학교육, 인재 양성, 불조혜명의 계승에 나섰던 것이다. 그러면서 그들은 당대의 불교계가 부여받은 역사적 사명을 기꺼이 수용하였다. 그 역사적 사명을 수행하면서도 교정과 종정의 역할을 하였다.

그러나 이들은 이질적인 공간에서의 수행과 교육 활동을 통해 노정된 각자의 정체성을 구현했다. 그래서 처한 공간, 방편, 방법은 달랐다. 석전은 자신의 주된 정체성인 강학을 기본으로 하였다. 그 때문에 강원 및 신구겸학적인 교육기관에서 후학을 치열하게 양성하였다. 그러나 그는 교敎를 중심에 놓으면서도 선禪을 배척하지 않는, 선을 배려하는 관점을 갖고 있었다. 그렇지만 그는 무애행無碍行으로 대변되는 선풍은 엄격하게 배격하였다. 무애선은 정상적인 선수행도 아니고, 경학을 배척하는 것이기에 그는 절대 수용하지 않고, 경계하였다. 그래서 그는 계율 강조, 계행엄정을 철저하게 견지하였다.

석전은 이런 입론에서 자신이 할 일의 대상을 불교의 교육 · 포교 · 개신에 두었다. 그러나 석전이 제일 강조한 것은 시대 흐름에 맞는 교육 및 인재 양성이었다. 그 교육의 노선은 구학인 강학을 기본, 중심으로 삼으면서 인문학文 · 史 · 哲과 현대학문을 융합하는 것에 있었다. 때문에 그는 구학을 배운 제자들에게 현대학문, 신학문, 근대불교학을 배우도록 배려하였다. 이른바 융합적인 교육을 구현하였다.[*51] 이런 가풍과 교육 이념이 실행에 옮겨졌기에 그의 회상에는 인문학적인 공부를 하고 싶은 학인들뿐만 아니라 재가불자, 엘리트, 저명한 사회 인사가 운집하였던 것이다. 그리고 그는 불교, 종단, 사회가 요청하는 일과 직임이 있으면 자기의 정체성에 부합될 경우 그를 수용한 적극적인 행보를 걸어갔다. 즉 지행일치知行一致를 구현한 불교 지성인의 전범典範을 보여 주었다.

한편 한암은 선원에서 수행을 하여 도를 깨쳤다. 그리고 그 연후에는 선원에서 수좌 지도에 나섰다. 그의 수행 및 후학 지도는 선을 중심에 놓는 것이었다. 그러나 그는 선을 중심에 놓으면서도 계정혜, 삼학수행을 철저하게 견지하였다. 그는 이 원칙에 입각하여 수행, 교육 및 종단 활동에 나섰고 이를 후학들에게 매서울 정도로 가르쳤다. 그는 삼학수행이라는 전통을 올곧게 지키고, 이 전통을 후대에 전하는 것을 자신의 임무로 인식하였다.

그러나 한암은 불교전통의 고수에만 매몰되지는 않았다. 그는 삼학 수학의 전통을 고수하면서도 당시에는 소홀하게 인식된 경학 및 조사어록에 대한 공부의 필요성을 환기시켰다. 이는 선을 중심에 놓으면서도 일면으로는 선교겸수를 행하는 노선이었다. 그러나 그는 수행 및 사상에서는 전통적인 노선을 걸어갔지만 후학 양성에 임해서는 현실과 유리된 후학을 길러 내지는 않았다. 전통과 현실을 이어 주고, 불교의 존립 기반인 사찰 운영에 필요한 승려를 배출하고자 하

....

[*51] 노권용은 「석전 박학영의 불교개혁 사상과 개혁운동」, p.273에서 석전사상의 관점을 兼學精神으로 표현하였다. 그는 겸학정신 바탕에서 계정혜 겸수, 무물겸섭의 학문세계, 신구겸학의 교육관, 지행합일 강조 등이 나왔다고 본다.

석전 영호대종사 │ 한국불교의 초석을 세우다

였다. 이런 구도에서 나온 것이 「승가오칙」이었다. 참선, 간경, 염불, 의식, 수호가람을 철저하게 교육시킴은 이런 배경에서 나온 것이었다. 한암은 이런 기조, 이념을 굳건하게 지키면서도 자신의 정체성을 관리하는 관건인 동구불출洞口不出, 불출산不出山의 행보를 갔다. 27년을 오직 오대산에 칩거, 은신하면서도 자신의 정체성, 이념을 지켰거니와 이는 고답적, 고식적, 황폐화된 전통 고수가 아니라 전통의 변용과 응용을 통한 불교 살리기였다. 그는 파란만장한 격변의 시절을 직면하여, 자기가 처한 현실의 문제점을 철저히 판단하고 대안을 제시하면서도, 그가 결정한 자신의 길을 묵묵히 걸어갔던 것이다. 즉 그는 고독하게 자신의 길을 무소의 뿔처럼 걸어간 고승高僧이었다.

지금껏 석전과 한암의 문제의식을 행적에 의거하여 살펴보았다. 그러면서 그들의 행보와 의식에 나타난 같은 점, 다른 점을 살펴보았다. 이는 필자의 시각에서 살핀 것이거니와 석전 및 한암에 대한 다양한 탐구의 대장정에 관련 분야의 연구자의 동참을 기다린다.

2장

석전 박한영 강백의 교학전통

신규탁 _ 연세대학교 철학과 교수

교학(教學) : 필자가 본 논문에서 사용하는 '교학(教學)'은 '수행(修行)'에 상대해서 사용하는 개념이다. 즉 불교에 대한 '이론적 탐구'를 '교학'이라는 용어로 표현한 것이다. 때문에 그 대상이 선(禪) 관계 문헌이건 혹은 교(教) 관계 문헌이건, 문헌을 대상으로 그 의리(義理)와 행상(行相)을 논술하는 것이면 모두 '교학(教學)'의 범주에 담았다. 『고승전』의 분류를 원용한다면 '의해(義解)'가 필자가 이 논문에서 사용하는 '교학'과 일치한다.

I. 머리말

『선원제전집도서禪源諸詮集都序』의 「규봉서圭峰序」를 보면, "선강禪講이 상봉相逢에 오월지격吳越之隔이로다"라는 말이 있다. 이 말을 역사적 사실이라고 액면 그대로 받아들여야 할지는 모르겠지만, 선사와 강사 사이에 갈등이 있었음은 『경덕전등록』의 여러 곳에서도 드러난다. 특히 선사 쪽에서 강사들을 얕잡아 보는 대목이 많이 보인다.

그렇지만 당나라 규봉 종밀圭峰 宗密, 780~841 선사가 보기에는 선강禪講의 '반목反目'은 잘못이었다. 그 잘못을 바로잡기 위해 선禪 관계 문헌들 중에서 '선행禪行'에 관한 문헌보다는 '선리禪理'에 관한 문헌들을 '수집하여 큰 장서를 꾸렸다[집위일장(集爲一藏)].'*1 이렇게 수집한 장서가 약 100여 권에 달하자 그것을 대상으로 전체 서문을 쓰니 이 책이 바로 위에서 거론한 『선원제전집도서』이다.

선사와 강사 사이를 '반목反目'관계로 보아야 하는가 아니면 '화회和會'관계로 보아야 하는가는 지금도 여전히 회자된다. 선사들 쪽은 '반목'에 기울지만, 강사들은 '화회' 쪽으로 일관한다. 필자가 주장하는 이런 사례는 중국과 한국의 불교 역사 속에 많이 나타난다. 이 논문에서 다루는 중심인물 석전 박한영石顚 朴漢永, 1870~1948 강백의 경우도 '화회' 쪽에 서 있다. 필자가 보기에 강사講師들의 이런 '화회' 입장

----

*1　규봉 종밀이 『선원제전집』 100권을 '저술'한 적은 없다. 기존에 있었던 타인의 저술, 그중에서도 '禪行'에 관한 문헌보다는 '禪理'에 관계 문헌을 수집한 것이 100권에 달한 것이다. 이 점에 대한 문헌적 논증은 다음의 책 참조. 圭峰 宗密, 『화엄과 선』, 신규탁 편역 (서울: 정우서적, 2010 초판, 2013 재판), p.214.

　석전 영호대종사 | 한국불교의 초석을 세우다

은 조선 후기 이래 이 지역의 전통으로 자리 잡았다. 이런 강사講師들의 학문적 입장을 현존 최고 강사인 봉선사 월운 해룡月雲 海龍, 1928~생존 강백은 이렇게 정리한다. 즉, "이들 강사講師들은 '성종性宗' 때로는 '법성종(法性宗)'으로도 표기의 이론을 중심으로 여타의 대소승을 안배한다." 이렇게 된 저간의 사정에 대해 월운 강백은 다음과 같이 서술하고 있다.

> 그렇게 말할 수 있는 까닭은 명종 21년(1566) 승과가 폐지된 것도 큰 이유지만, 그 무렵에 西山(1520~1604) 같은 고승들이 繼出하여 선과 교를 單修할 것이 아니라 兼修해야 한다는 주장을 강력히 폈기 때문이다.
> 특히 조선 숙종 연간(1681)에 많은 희귀 經疏를 실은 무인선이 임자도 앞바다에 닿은 것을 栢庵 性聰(1631~1700) 선사가 발굴 조사하고 출판하여 교학 발전의 토대를 만들었으며, 그 뒤를 이은 雪坡 尚彦(1707~1791), 蓮潭 有一(1720~1799), 仁嶽 義沾(1746~1796) 같은 분들이 출현하여 몸소 私記, 隱科 등을 저술하여 履歷體制를 구축한 데서 연유한다고 할 것이다.[*2]

'임자도荏子島 앞바다의 무인선 표착漂着'을 계기로 한층 격발된 교학 발전에 대해 필자는 '화엄르네상스'라는 개념으로 정리 · 보고했는데[*3] 이런 '화엄르네상스'의 전통은 백파 긍선白波 亘璇, 1767~1852을 통해 조선 말기까지도 전승되고, 이런 전통은 다시 구암사龜巖寺 사문沙門 석전 박한영 강백으로 이어진다.

이 논문의 '1차적 목적'은 석전 박한영 강백의 이런 '교학' 전통을

....

*2   김월운, 「講師等呼稱由來小考」, 『世主妙嚴士講五十年紀念論叢』 (수원: 봉녕사승가대학, 2007), pp.102-103.
*3   신규탁, 『한국 근현대 불교사상 탐구』 (서울: 새문사, 2012), p.96 · p.107.

입증하려는 것이다. 이 전통을 입증하기 위하여 필자는 석전이 중심이 되어 운영되던 '개운사開運寺 대원강원大圓講院'에서 등사 출판한 책을 물증物證으로 제시하고자 한다. 물증으로는 두 종이 있는데 하나는 『화엄경華嚴科』권5~권7, 1928년, 등사판이고, 또 다른 하나는 『정선염송급설화精選拈頌及說話』1932년, 등사판이다.

　다음으로 이 논문의 '2차적 목적'은 교종敎宗을 자임하는 학인學人은 물론 선종禪宗을 자임하는 수좌首座들도 본 논문의 제목 밑에 각주를 달아 정의定義한 소위 '교학敎學'이 필요함을 주장하려는 것이다. 특히 간화선看話禪이 제대로 되려면 『선문염송집禪門拈頌集』을 독파하여 선사들 스스로가 자신의 선수행을 점검하는 지침으로 삼아야 한다는 말이다. 물론 본 논문에서는 '2차 목적'을 위한 구체적인 진술이나 논증은 하지 않는다. 그렇게 하지 않는 이유는 '1차 목적'이 밝혀지면, '2차 목적'의 당위성은 자명해지기 때문이다.

Ⅱ. 화엄 강학과 병행된 선서의 문헌 연구

'화엄르네상스'로 격발된 조선 후기의 불교계는 선교겸수禪敎兼修의 전통이 확산되었다. 이 과정에서 교敎와 선禪에 관한 각종 문서들을 문헌적으로 해석하는 전통도 만들어져 간다. 특히 교敎로는 『화엄경』이 그렇고 선禪으로는 『선문염송』이 그랬다. 이하에서는 이런 전통이 만

들어진 경위를 간략하게 살펴보기로 한다.[*4]

'80권본 『화엄경』'을 대본으로 한 청량 징관淸凉 澄觀, 738~839의 화엄 교학이 한국불교에 확산된 것은 조선시대에 들어서였다. 조선시대 초에 불교가 선교禪敎 양종兩宗으로 축소되면서 '교종'에서는 『화엄경』으로 인재를 선발하게 되었다. 『경국대전』의 「도승度僧」 조항에서 이렇게 명시하고 있다. "'선종'과 '교종' 양종에서는 매 3년마다 승과 선발 시험을 관장한다. '선종'은 『경덕전등록』과 『선문염송』을 시험과목으로, '교종'은 『화엄경』과 『십지론』을 시험과목으로 시행하되 각각 30명씩 뽑는다"[*5] 이 조항으로 보아서도 알 수 있듯이, 『화엄경』은 '교종'의 중심 교과목이었음을 알 수 있다.

'80권본 『화엄경』'이 조선에 널리 퍼지게 된 것은 역시 숙종 7년 1681: 신유(辛酉) 임자도荏子島의 대장선大藏船 표착漂着 사건 이후이다. 당시 순천 선암사 창파각에서 개강한 백암 성총栢巖 性聰, 1631~1700 선사는 5,000여 판에 달하는 화엄 교학 계통의 서적을 판각한다. 이때 청량의 『대방광불화엄경수소연의초大方廣佛華嚴經隨疏演義鈔』가 판각되어 낙안樂安의 징광사澄光寺에 소장되었지만 81년이 지난 1770년 소실된다. 그 후로 두 차례 판각되어 오늘에 전한다.[*6] 1689년 징광사판을 봉안한 지 3년이 지난 1692년에 백암 성총은 화엄 대법회를 연다. 백암

<hr />

[*4] 이하 「2. 화엄 강학과 병행된 선서의 문헌 연구」는 필자가 기왕에 발표한 신규탁, 「한국불교에서 『화엄경』의 위상과 한글 번역 – 백용성과 이운허의 번역 중 『이세간품』을 중심으로」, 『大覺思想』 18집 (서울: 대각사상연구원, 2012), pp.110-117에서 발췌한 것이다.

[*5] 신규탁, 『한국 근현대 불교사상 탐구』 (서울: 새문사, 2012), pp.478-479.

[*6] 징광사판은 숙종 15년(1689)에 낙안 징광사에 개판되나, 영조 45년(1770) 화재로 전소된다. 영조 50년(1774) 雪坡 尙彦 선사가 다시 판각하여 지금의 경상남도 함양군 서상면 상남리 南德裕山 자락에 있는 靈覺寺에 장판했으나 이 또한 1907년 화재로 소실되었다. 그 후 호남의 永壽 선사가 철종 7년(1856)에 영각사판 판본을 복각하여 현재 서울 강남의 봉은사의 판전에 봉안한다. 해방 후 남한의 강원에 유통되는 것은 봉은사판 '청량소초'이다.

성총의 전통은 제자 무용 수연無用 秀演, 1651~1719[*7]에게 이어져 화엄과 선 문헌의 강의가 점점 확산되어 갔다.

한편 편양 언기鞭羊 彦機, 1581~1644의 문하에 화엄 학승들이 많이 배출된다. 편양의 문하에서 풍담 의심風潭 義諶, 1592~1655이 나왔고, 다시 풍담 문하에 월담 설제月潭 雪霽, 월저 도안月渚 道安, 1633~1715[*8], 상봉 정원霜峰 淨源 등이 배출되어 화엄의 강학講學이 계승된다.

다시 월담 설제의 문하에는 환성 지안喚醒 志安, 1664~1729이 출현하여 영조 원년1725 금산사에서 화엄 대법회를 열고, 다시 환성의 문하에 '화엄십지이구지보살'로 칭송되는 설파 상언雪坡 尙彦, 1701~1769[*9] 강백이 출세한다. 한편 월저 도안의 문하에 설암 추붕雪巖 秋鵬, 1651~1706이 나와 해남 대둔사에서 강학을 했고, 설암 추붕의 문하에 회암 정혜晦菴 定慧, 1685~1741[*10]가 출세하여 순천 선암사에서 화엄을 강한다. 한편 상월 새봉霜月 璽篈은 영조 30년1754 순천 선암사에서 화엄 강회講會를 연다. 상월 새봉의 강석에는 묵암 최눌默庵 最訥, 1717~1790, 연담 유일蓮潭 有一, 1720~1799, 사암 채영獅巖 采永[*11], 용담 조관龍潭 慥冠, 1700~1762 등도 참석한다.

이 중 묵암 최눌의『화엄과도華嚴科圖』, 즉『화엄품목회요華嚴品目會

<hr />

*7   1700년 백암 성총이 지리산 신흥사에서 입적하자, 그의 강석을 이어서 화엄과 선문을 강의한다.
*8   月渚 道安(1633~1715) :『화엄경』을 열람하고 오탈자를 교정하고『音釋』을 했다고 하지만,『음석』의 내용은 전하지 않는다. 그리고 보면 고려시대에 대각국사 의천 대사가『화엄경』을 번역했다는 것과 더불어, 이『음석』은 역사 기록에 보이는 두 번째의『화엄경』번역으로 볼 수 있다.
*9   법계상으로 보면, '편양 언기 → 풍담 의심 → 월담 설제 → 환성 지안 → 호암 체정'으로 이어지고, 호암 체정의 문하에 설파 상언과 연담 유일로 이어진다. 설파의 화엄 관계 저술로는『鉤玄記』와『華嚴隱科』및『十地品私記』등이 있다.
*10   晦菴 定慧(1685~1741) : 회암의『華嚴經疏隱科』는 지금도 화엄 학승들에게 활용되고 있다.
*11   獅巖 采永의 생몰년은 자세하지 않으나, 월저 도안의 5세손으로 1762년(영조 38년)부터 선문의 각종 門譜를 수집하여 1764년(영조 40년) 전주 송광사에서『서역중화해동불조원류』를 간행한다.

要』는 지금도 화엄 강사들의 손을 떠나지를 않는다. 『화엄품목회요』
는 청량의 『대방광불화엄경수소연의초』황자권(荒字卷)에 나오는 '화엄십
종분과華嚴十種分科'를 정리 소개하면서 한편으로는 미진한 부분을 보
충한 것으로 간경看經의 지남指南이 되어 왔다. 이 과도의 형태는 아래
의 〈사진 1〉 '화엄품목'에서 그 단면을 볼 수 있다.

〈사진 1〉 화엄품목

묵암 최눌과 쌍벽을 이루는 화엄 종장은 연담 유일인데, 연담을
길러 낸 화엄 종장이 바로 설파 상언雪坡 尙彦, 1701~1769이다.[12] 설파
상언은 호암 체정虎巖 體淨, 1687~1784과 회암 정혜 회상에서 화엄과 선
을 배운 당대 최고의 학승으로 경상도 안의에 있는 영각사에서 『화엄
경수소연의초』를 판각하기도 했다. 연담이 비록 법계상으로는 설파
와 사형 사제 간이지만 실제로는 설파의 문하에서 30여 년간 화엄을
배운 제자이다.

....
[12]   설파 상언과 연담 유일은 법맥상으로는 형제간이지만, 강맥의 전수 면에서는 스승 제자의 관계이다.

한편 영남 출신이나 설파 상언을 흠모한 인악 의첨仁嶽 義沾, 1746~1796이 설파의 화엄 교학을 계승한다.[*13] 인악 의첨은 설파의『화엄은과華嚴隱科』를 바탕으로『청량소초』에 대한 사기私記를 내기도 했다.

한편 설파의 은법恩法 제자로 백파 긍선白坡 亘璇, 1767~1852이 출세하여 화엄과 선문禪文의 '설화說話' 전통을 이어간다.[*14] 백파의 학문은 다시 세월이 한참 지나 구한말의 석전石顚 박한영1870~1948 강백에게 이어진다. 석전 강백 문하에서 운기 성원雲起 性元, 1900~1983 강백이 배출되었고, 그 강학은 중앙승가대 교수를 역임하고 현재 양산 통도사 율원에 주석하는 노혜남盧慧南, 1943~생존 강백으로 이어진다. 또 석전의 문하에 운허 용하耘虚 龍夏, 1892~1980 강백이 배출되고 그 문하에 김월운金月雲, 1928~생존 강백이 나왔으니, 두 강백은 모두 양주 봉선사 다경실茶經室에 주석하면서 동국역경원장 직을 맡아 '한글대장경 번역불사'[*15]를 시작하고 완수한다.

한편 위에서도 언급했지만 설파와 연담은 법계상으로는 형제이지만 학문적으로 연담 유일은 설파의 강석에서 30여 년간 수학한다. 설파의 학문을 계승한 연담은 묵암과 더불어 심성心性을 비롯한 각종 논쟁을 벌이기도 한다. 이러한 연담의 6세 문손이 바로 근현대불교의 고승 백양사 만암 종헌蔓庵 宗憲, 1876~1957 교정敎正[*16]이다. 이런 인

....

[*13] 화엄을 비롯한 講學의 풍토는 법계와 지역을 넘나들면서 탁마한다. 강학에 '부휴계'와 '편양계'를 나누는 것은 큰 의미가 없다.
[*14] 白坡 亘璇의 학맥과 활동 및 저술에 대해서는 다음의 번역서에 실린「선문수경 해제」참조, 白坡 亘璇 集說, 『선문수경』, 신규탁 옮김 (서울: 동국대 출판부, 2012), pp.13-31.
[*15] 운허와 월운 강백의 번역 사업에 대해서는 다음의 책 참조, 신규탁, 「제3장. 불경의 한글 번역을 통해본 한국불교의 정체성」, 『한국 근현대 불교사상 탐구』(서울: 새문사, 2012).
[*16] 蔓庵 宗憲 : 대한민국 현대불교사의 중심인물의 한 분이다. 해방된 이듬해인 1946년 '조선불교 교헌'이 공포되자, 초대 교정에 박한영(재임; 1946~1948), 제2대 교정에 방한암(재임; 1948~1951), 3대 교정에 송만암(재임; 1951~1957)이 추대된다.

석전 영호대종사 ┃ 한국불교의 초석을 세우다

연으로 만암 선사의 제자인 묵담 선사에게 각종 '사기私記'가 전해지고, 그것은 다시 담양 용화사에 주석하는 수진 스님에게 '유품'으로 전해져서 오늘에 이른다.

화엄 교학에 대한 새바람은 백암 성총의 판각에 의해 일어났고 18세기를 전후로 유명한 화엄 종장들의 '사기'가 쏟아진다. 그리고 전강傳講의 신표信標로 '사기 내림'이 유행하면서 '사기'가 필사되어 학인들의 손에서 손으로 전해 내려갔다. 일제강점기에도 비록 미미하기는 하지만 '사기'가 절 집안에서 돌았는데 그런 정황을 보여 주는 물증이 바로 1928년에 등사된 『화엄과華嚴科』권5~권7, 경기도(京畿道) 고양군(高揚郡): 개운사강원(開運寺講院), 불기 이구오오년(佛紀 二九五五年) 무진(戊辰) 유월(六月) 일(日) 등사(謄寫)이다. 이 유인본의 형태는 〈사진 2〉 『화엄경』 「십지품」 과도'에서 그 단면을 볼 수 있다.

해방 후에는 1950년대의 '한국전쟁'과 1960년대의 소위 '비구대처 분규'를 거치면서 전통 강원은 '휴면상태休眠狀態'에 빠지고 말았다. 고찰이면 흔히 볼 수 있던 각종 '사기'들도 인연 따라 흩어져서 지금은 희귀물이 되고 말았다.

그런데 강학講學에 있어 '사기'의 중요성을 인식하고 이것을 후대에 물려줄 생각으로 몸소 '사기'를 정서淨書하고 간행刊行한 학승이 출세했으니, 그가 바로 현재 양주 봉선사 다경실에 주석하는 월운 강백이다. 필자의 현재까지의 조사에 따르면 1957년월운 강백 30세에 등사본으로 나온 『능엄경환해산보기楞嚴經幻解刪補記』가 그 첫 작품이다. 이 책은 2005년에 『현토 교감 능엄경환해산보기懸吐 校勘 楞嚴經幻解刪補記』김월운, 서울: 동국역경원라는 서명으로 활자 인쇄된다. 이 책의 「간행서」를 통해, 그 전후의 사정을 알 수 있기 때문에 이하에 인용 소개한다.

> 『楞嚴經幻解刪補記』는 略稱 『幻解』라 한다. 고려 閑庵 普幻 스님이 『戒環解』의 오류를 시정하기 위해 지은 私記이다. 내가 통도사에서 『楞嚴經』을 볼 적에 도무지 무슨 말인지 모르겠어서 "私記를 보면"으레 『幻解』를 보라 해놓고는 넘어가니, 『幻解』를 만나야만 살 것 같았다.
>
> 그러던 어느 날 寺下村, 新坪엘 다녀오는 길에 뜻밖에도 엿장수의 고물짐에 이 古本이 있는 것이 아닌가? 너무나 반가워서 얼마인가를 주고 물려받았다. 돌아와서 師傅(운허 노사)님께 보여드렸더니, 역시 퍽이나 좋아하셨다. 그 후 얼마를 지난 서기 1957년, 지금은 고인이 된 道還 학인에게 筆耕을 시켜 프린트판으로 간행한 것이 그간 아쉬운 대로 유통되었는데 잘 보이지 않는 흠이 있어 淨書版을 내면 좋겠다고 생각했다.

여기서 필자의 눈길을 끄는 대목 중의 하나는 위의 인용문에 밑줄을 치고 굵게 표시한 '사기私記를 보면'이다. 이때의 사기私記란 무엇인가? 그것은 다음의 본문 인용문에서 드러나듯이 연담 유일과 인악 의첨, 두 강백이 낸 소위 『능엄경사기楞嚴經私記』이다. 월운 강백은 33세 되던 해인 1960년에 통도사[*17] 강사로 재직하면서 '인악 스님의 사기'를 『능엄사족楞嚴蛇足』이라는 서명을 붙여 프린트본으로 간행한다. 『능엄사족』의 뒤편에 실린 「사교사기四敎私記 인행후印行後 사辭」를 보면 '사기' 간행에 즈음한 월운 강백의 전후 사정을 알 수 있다. 괄호 안의 한글 병음은 필자가 첨가한 것이다.

....

*17   1960년의 통도사 : 이 책 끝에 강원 방함록이 붙어 있다. 산중노덕 九河, 주지 碧眼, 조실 耘虛, 강사 月雲, 선덕 月下 · 謙谷 · 一菴 · 幻月 등이다. 현대 한국불교 역사의 중요한 한 장면이기에 附記한다.

석전 영호대종사 | 한국불교의 초석을 세우다

偶然(우연)한 動機(동기)로 『四敎私記(사교사기)』를 印行(인행)해서 刊 經同志(간경동지)들을 便利(편리)케 하였으면 좋겠다! 한 것이 於焉(어 언) 三年前(3년 전)인 戊戌歲初(무술세초)였다. 그것이 말빛이 되어 至 難(지난)하지만 般若(반야) 起信(기신) 圓覺(원각) 등의 차례로 겨우 프린트版(판)으로써 이제 그 끝을 보게 되니 시원섭섭하다. 시원타기보 다도 悚懼(송구)함이 앞선다. 그 까닭은 이 알량한 솜씨가 仁老(인로)의 본뜻을 얼마나 그르쳐놓았겠나! 그리고 後日(후일)에 보시는 이 얼마나 이맛살을 찌푸리겠나! 함을 잘 아는 때문이다. 그러나 첫째는 나 힘없고 둘째는 보고 쓰는 台本(대본)들이 거의 誤書(오서) 투성이니 어찌하랴. 보시는 이 이 点(점) 깊이 양해하시기를 바란다.

(……)

끝으로 변변치 못한 이 冊子(책자)들이 小分(소분)이나마 經學同志(경 학동지)들의 伴侶(반려)가 될 수 있다면 多幸(다행)일 뿐이요 머지않아 대가 있어 完本(완본)을 내어주실 줄 懇心姑待(간심고대)하는 바이다.

佛記(불기) 2504年(년) 庚子(경자) 結冬日(결동일)

이 인용문을 통해서 우리는 통도사 강원에서 1958년 봄부터 1960 년 겨울에 이르는 약 3년에 걸쳐 『금강경金剛經』, 『대승기신론大乘起信 論』, 『원각경圓覺經』, 『능엄경楞嚴經』의 강본講本들에 대한 '사기私記'가 월 운 강백에 의해 프린트판으로 정서淨書 간행되었음을 알 수 있다. 위 의 인용문에 나오는 '인노'는 인악 의첨 강백이다. 위 인용문에서 "머 지않아 대가 있어 완본完本을 내어주실 줄 간심고대懇心姑待하는 바이 다"라고 했는데 월운 강백의 간절한 소망은 끝내 이루어지지 않았 다. 결국은 강백 자신의 '업業'으로 남아 반세기가 지나 월운 회상의

능엄학림楞嚴學林에서 다시 정서된다.[*18]

Ⅲ. 석전 강백에 의한 화엄과 선의 선양

석전 박한영 강백의 활동과 사상에 대해서는 그동안 적잖은 연구들이 나왔다. 그중에서 2007년 『불교학보』 46집에 발표된 동국대 국문학과 김상일 교수의 논문은[*19] 그 제목이 말해 주듯이 석전 스님의 저술에 대해서 소상하게 밝히고 있다. 이 논문은 이듬해 『근대 동아시아의 불교학』에 다시 상재된다. 이상과 같은 김상일 교수의 연구 중에서 필자의 본 논문과 관계된 부분을 인용하면 다음과 같다.

> 석전은 전통적인 시문집 성격의 『石顚詩鈔』와 『石顚文鈔』를 비롯한 단행본 형식의 역서와 저술을 포함한 9책의 단행본류 전서와, 각종 신문과 잡지에 발표한 것으로 100여 건이 넘는 논설과 수필을 남겼다. 위의 단행본류는 인쇄하여 출판한 것도 있지만 대부분 油印本이다. 한편 잡

....

[*18] 『懸吐 校勘 楞嚴經幻解刪補記』(통도사, 1957년 프린트/동국역경원, 2005년) ; 『金剛經 私記』(통도사, 1958년 프린트) ; 『楞嚴經 私記』(통도사, 1960년 프린트) ; 『圓覺經 私記』(통도사, 1960년 프린트) ; 『諸敎行相』(통도사, 1960년 프린트) ; 『緇門蟬蟆記』(봉선사, 1980년 프린트) ; 『華嚴經疏鈔 科圖集』(대한불교조계종 교육원, 1998) ; 『華嚴淸凉疏鈔 懸談記 遺忘記(天字券~荒字卷)/鉢柄(天字券~荒字卷)、懸談記(天字券~洪字卷)』전2책 (동국역경원, 2004) ; 『華嚴淸凉疏鈔 三賢 遺忘記(日字券~生字卷)/ 雜記(日字券~生字卷)』전2책 (동국역경원, 2006) ; 『華嚴淸凉疏鈔 十地品 三家本 私記・遺忘記/雜華記・雜華腐』전2책 (대한불교조계종 교육원, 2002) ; 『華嚴淸凉疏鈔 十地品・後三會・遺忘記(麗字券~師字卷)・雜華記(麗字券~官師卷)・雜華腐(劍字券~光字卷)』(도서출판 佛泉, 2008) ; 『起信論 私記』전2책 (능엄학림, 2005 프린트) ; 『楞嚴經 蓮潭記・仁岳記(봉선사, 2013) ; 『金剛經 鉢柄記(白坡說)』(능엄학림, 2008년 프린트) ; 『金剛經 仁岳記』(능엄학림, 2008년 프린트) ; 『金剛記』(능엄학림, 2008년 프린트) ; 『書狀 私記』(대한불교조계종 교육원, 2008) ; 『禪要 私記』(대한불교조계종 교육원, 2008) ; 『圓覺經 光明餘暉・光明記』(봉선사, 2013) 등을 들 수 있다.

[*19] 김상일, 「박한영의 저술 성향과 근대 불교학적 의의」, 『불교학보』 46집 (서울: 동국대 불교문화연구원, 2007).

지에 발표한 일부 번역과 譯述 중에서는 단행본으로 출간할 것을 산정한 것 같으나 여의치 못해 중도에 그친 것으로 보이는 저술이 적지 않다.[20]

김 교수의 위의 논문을 보면, 석전이 초록한『정선염송급설화精選拈頌及說話』의 서지적 정보를 알 수 있다. 이 등사본의 원본은 전동국대 도서관 실장을 지낸 이철교 선생이 보관하고 있고, 이 등사본의 복사본이 동국대에 소장되어 있다.[21]

한편 김 교수의 위 논문에는 언급이 없지만 필자가 소장하고 있는 1928년에 등사된『화엄과華嚴科』권5~권7. 경기도(京畿道) 고양군(高揚郡): 개운사강원(開運寺講院), 불기이구오오년(佛紀二九五五年) 무진(戊辰) 유월(六月) 일(日) 등사(謄寫)를 소개하고자 한다. 필자가 소장한 이 책은 철운 조종현鐵雲 趙宗泫, 1906~1989[22] 강백의 수기手記가 있는데, 필자는 이 등사본을 물증으로 삼아 화엄에 대한 석전의 입장을 엿볼 수 있다고 생각한다. 그리하여 결과적으로 석전은 화엄과 선에 있어 조선 후기 선교 병행의 전통을 계승하고 있음을 확인할 수 있었다. 이하에서는 이 두 책에 대해서, 특히 이 책들이 만들어지게 된 '전통'에 대해서 규명하기로 한다.

1.『화엄경』「십지품」과목의 계승과 유포

위에서 언급했다시피, 석전은 화엄에도 비상한 관심을 보인다. 그 관

* 20 김상일, 「박한영의 저술 성향과 근대 불교학적 의의」,『근대 동아시아의 불교학』(서울: 동국대 출판부, 2008).
* 21 동국대학교 도서관의 도서청구번호는 다음과 같다. [b 218.8 혜 59 ㅈ 복].
* 22 鐵雲 趙宗泫 : 시인이자 승려인 철운 강백은 조선 말기 최고 강백이었던 擎雲 元奇(1852~1936)의 손제자로서 순천 선암사의 강사였다. 철운은 젊은 시절 대원강원에서 석전에게 화엄 십지를 수학한 적이 있다.

심을 입증하는 자료가 바로『화엄과華嚴科』권5~권7의 등사 출판이다. 그리고 이런 관심은 조선 후기 강학전통의 연장선에서 평가할 수 있다. 당나라 청량 징관淸凉 澄觀, 738~839의『대방광불화엄경수소연의초大方廣佛華嚴經隨疏演義鈔』가 조선에 전래된 내력과 그에 관한 문헌적 연구에 대해서는 본 논문의 제2장에서 이미 소개했다. 그리고 이 책의 인각印刻에 대해서도 소개했다.

위의 대목 중에서 주목할 인물이 있으니 그가 바로 설파 상언이다. 조선시대 두 번째 판각인 '영각사판'을 주선했던 설파 상언은『화엄은과華嚴隱科』를 찬술한다. 그 후 제방의 강당에서는 이것을 필사하여 후학들에게 물려주게 되었다. 여기에 그 사본에 대해서는 일일이 다 거론할 수 없고[*23], 1928년 개운사 대원강원에서 유인본으로 간행한『화엄과華嚴科』권5~권7의 저본에 대해서만 소개한다. 이 유인본의 출판사항에 해당하는「소고小考」에 따르면, 이 유인본은 송광사 강백을 지내셨던 해은 화상海隱和尙 소장본이며, 또 해은 화상이 소장한 이 '은과隱科'는 원래 전체 10권인데 세 권의 책으로 분책하여 엮은 것이라고 한다.

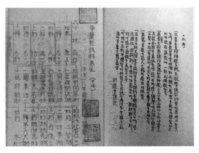

〈사진 2〉『화엄경』「십지품」과도

*23   자세한 것은 다음의 논문 참조. 이종수,「조선후기 불교 私記 집성의 현황과 과제」,『佛敎學報』61집 (서울: 동국대 불교문화연구원, 2012).

『화엄경청량소초』는 예전부터 〈현담〉, 〈삼현〉, 〈십지〉, 〈후삼분〉으로 나누어 부분적으로 강의하기도 하고 사기도 내었었다. 그런데 '개운사 대원강원'에서 유인·배포한 『화엄과華嚴科』권5~권7는 〈십지〉에 한정해서 등사했다. 이렇게 한정한 이유는 〈십지〉의 행상行相이 제일 어렵기 때문이라고 한다. 이런 심정은 『화엄경청량수소연의초』를 읽어 본 사람이면 동감할 것이다. 당시 '개운사 대원강원'의 조실이었던 석전 영호 화상이 '친히 두터운 자비를 베풀어' 등사본으로 인쇄·출간하여 당시 운영되던 각 지방의 강원에 1부씩 보급했다.[*24] '친히 두터운 자비를 베풀어'가 비용 제공을 뜻하는지, 아니면 이 책의 출간 지시를 뜻하는지는 조금 더 조사해야겠지만 분명한 것은 당시 이 강원의 최고 책임자인 석전 강백이 이 책에 각별한 관심을 가지고 있었다는 사실이다.

그러면 『화엄과華嚴科』권5~권7의 내용을 살펴보자. 이 과목은 『청량화엄소초』의 〈려麗자권〉에서 〈광光자권〉에 이르는 총 14권을 대상으로 그에 관계된 과목을 정리한 것이다. 본 논문은 과목 자체가 연구의 주제가 아니기 때문에 과목의 분류에 대해서는 아래에 간단하게만 살펴보기로 한다.

『화엄경』 전문을 분류하는 한 방법으로 소위 '문답상속과問答相續科'가 있는데, 즉 (1) 거과권락생신분擧果勸樂生信分[*25], (2) 수인계과생해분

....

[*24] 『華嚴科』「小考」 "本書는 支那撰述로 我大敎學徒에게 珍貴한 參考가 될것일쎄 本院籌室映湖和尙 親히 厚慈를 施하샤 謄寫印出하야 現存講院에 一部式均配함."

[*25] 擧果勸樂生信分 : 一會初의 所起四十間은 或當會答盡하시니라 中에 有諸問이나 非是大位라.

修因契果生解分[*26], (3) 탁법진수성행분托法進修成行分[*27], (4) 의인증입성덕분依人證入成德分[*28]이 그것이다. 『화엄경』 전체를 신信, 해解, 행行, 증證의 4과科로 이해하는 틀을 제시하고 있어 많이 애용되었다.

이 중에서 본 논문에 다루는 「십지품」은 두 번째의 (2)수인계과생해분에 포함된다. '수인계과생해분'은 크게 (1) 서분序分, (2) 청분請分, (3) 설분說分으로 나뉜다. 이 중에서 세 번째의 '설분'은 다시 ㉠ 처음의 총 3품여래명호품, 사성제품, 광명각품은 '답소의과문答所依果問'에 배속되고, ㉡ 다음의 총 23품문명품에서 제보살주처품은 '답소수인문答所修因問'에 배속되고, ㉢ 끝으로 총 5품불부사의법품, 여래십신상해품, 여래수호광명공덕품, 보현행품, 여래출현품은 '답소성과문答所成果問'에 배속된다.

이상의 세 과목 중에서 「십지품」은 ㉡ '답소수인문'에 배속된다. 그런데 ㉡ '답소수인문'은 다시 총 6개의 과목으로 나뉜다. 6개의 과목이란 ① 명미신령신明未信令信, 제2회의 후반 3품, ② 명이신령해明已信令解, 제3회의 6개품, ③ 명이해령행明已解令行, 제4회의 4개품, ④ 명이행령기원明已行令起願, 제5회의 3개품, ⑤ 명이기원령증입明已起願令證入, 제6회 1개품, ⑥ 명이증입령등불明已證入令等佛, 제7회의 전반부 6개품이다.

이상의 여섯 과목 중에서 「십지품」은 ⑤ '명이기원령증입'에 해당한다. 본 논문에서 다루는 개운사 대원강원에서 등사 간행한 『화엄과華嚴科』권5~권7는 바로 ⑤ '명이기원령증입'에 해당하는 「십지품」에 대한 청량 국사의 소초에 대한 과목을 모아 놓은 것이다.

···················

*26 修因契果生解分 : 第二會初에 有四十問하니 奇六會하여 而四十問하시니라.

*27 托法進修成行分 : 第八會初에 雲興二百問하니 瓶瀉二千答하시니라.

*28 依人證入成德分 : 第九會初에 起六十問하니 如來入獅子嚬呻三昧하사 現相答하심은 名頓證分이요 善財南巡求法하여 別問別答하심은 名漸證分이라.

이제 이 과목을 간략하게 도표로 만들어 보면 다음과 같다.

＊『華嚴科』十地의 分卷 상태 ▶ 제5권; 총17張, 제6권; 총40張, 제7권; 총17張

1. 來意(『華嚴科』卷5, 1상～)
2. 釋名(『華嚴科』卷5, 1상～)
3. 宗趣(『華嚴科』卷5, 1하～)
4. 釋文 ┬ 1. 總科判(『華嚴科』卷5, 2상～)
      └ 2. 隨文釋 ┬ 1. 序　分(『華嚴科』卷5, 2하～)
              ├ 2. 三昧分(『華嚴科』卷5, 2하～)
              ├ 3. 加　分(『華嚴科』卷5, 3하～)
              ├ 4. 起　分(『華嚴科』卷5, 6상～)
              ├ 5. 本　分(『華嚴科』卷5, 6상～)
              ├ 6. 請　分(『華嚴科』卷5, 7하～27하)
              ├ 7. 說　分(『華嚴科』卷6, 1상～); ①환희지, ②이구지,
              │ ③발광지, ④염혜지, ⑤난승지, ⑥현전지, ⑦원행지,
              │ ⑧부동지, ⑨선혜지, ⑩법운지
              ├ 8. 地影像分(『華嚴科』卷7, 26상～)
              ├ 9. 地利益分(『華嚴科』卷7, 26하～)
              └ 10. 地重頌分(『華嚴科』卷7, 27상～27하)

돌이켜 보면, 청량 국사는『화엄경소』60권을 찬술했고, 다시『화엄경수소연의초』를 90권 찬술했다. 이와 더불어『과문科文』10권도 배정排正했다. 중국 땅에는 그중『과문』은 원元・명明 시대에도 전해졌지만 겨우 '첫권[수권(首卷)]'에 그쳤다. 그리하여 결국 명明・청淸 시대에 간행된 대장경에도 '첫 권[수권(首卷)]'만 실려 있다. 그런데 조선 땅에서는 설파 강백에 의해『과문』10권이 복원되었고, 그것이 다시 필사되어 제방의 강원에 유통되었던 것이다. 그리하여 그 유통이 개운사 대

원강원에까지 미쳐 마침내 석전 강백의 회상에서 5권, 6권, 7권이 등사되었던 것이다.

여기서 첨부하여 2차 세계 대전 이후 소위 현대에 이『과문』이 유통되는 정황을 간단하게 소개하기로 한다. 청량소초에 대한 열정이 대만臺灣에는 그 영향이 남아 있어서 중화민국 87년1998에『대방광불화엄경소초과문표해大方廣佛華嚴經疏鈔科文表解』라는 제목으로 출판된다. 이 책 출판의 저간 사정은 이 책의「창인서倡印序」와「서울여거사유찰徐寮如居士遺札」*29에 상세하게 기록되어 있다. 한편 대한민국의 경우는 봉선사 월운 강백에 의해『화엄경소초과도집華嚴經疏鈔科圖集』이 1998년 출간된다. 저간의 사정은 역시「월운서月雲序」에 미룬다. 그 형식의 단면을 다음의〈사진 3〉에서 볼 수 있다.

불교사가 말해 주듯이 강경講經과 석경釋經에 있어 과목을 붙이는 전통은 인도에서부터 발생하여 중국에서도 확산 · 보급되었다. 중국의 불교계에서는 미천 도안彌天 道安, 312~385에서 효시가 되었다. 다시 이런 전통은 조선 땅에도 전래되어 전통 강원의 강사들에 의해 전승되었고 그런 유풍은 석전 강백의 회상에도 전해졌다. 그 물증이〈사진 2〉『화엄경』「십지품」과도'이다.

해방 후 국내 사정의 어수선함 속에서 그런 유통도 유야무야 사라져 갔다. 다행히도 그런 유풍이 석전에서 운허로, 운허에서 월운으로 전해져*30, 지금은 '낙뢰목落雷木의 여심餘心'처럼 돋아나 새 기운을

*29 慧律法師 重校鑑定,『大方廣佛華嚴經疏鈔科文表解』(高雄: 鴻順彩色製版有限股份公司, 民國87年).
*30 월운 강백은 과거의 유풍을 정리함은 물론, 이런 전통에 입각하여 몸소 科目을 새로 내어 경전을 주해하기도 했다. 다음의 책이 그것이다. 道安 註,『인본욕생경 주해』, 월운 역주 (서울: 동국대 출판부, 2011).

석전 영호대종사 | 한국불교의 초석을 세우다

기다리고 있다.

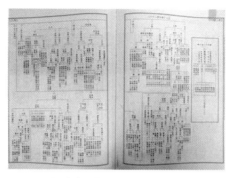

『大方廣佛華嚴經疏鈔科文表解』

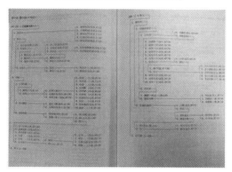

〈사진 3〉『華嚴經疏鈔科圖集』

2. 『선문염송』의 현토 및 강의

숙종 7년1681 서해 영광 앞 바다 임자도荏子島의 대장선大藏船 표착으로 190여 권에 달하는 불교 서적이 들어와 '화엄르네상스'를 맞이한다. 백암 성총柏庵 性聰, 1631~1700의 주선으로 당 청량 징관淸凉 澄觀, 738~839 의 『화엄경수소연의초華嚴經隨疏演義鈔』, 송 장수 자선長水 子璿, 965~1038의 『금강경간정기金剛經刊定記』와 『대승기신론필삭기大乘起信論筆削記』 등 화엄종사들의 주소注疏들이 경문經文과 함께 회편會編·개판開版되었다. 거기에다 고려 중기 이후부터 널리 읽혀진 규봉 종밀의 『원각경약소초圓覺經略疏鈔』와 온릉 계환의 『능엄경요해楞嚴經了解』가 보태진다.

급기야는 설파 상언雪坡 尙彦, 1707~1791, 연담 유일蓮潭 有一, 1720~1799, 인악 의첨仁岳 義沾, 1746~1796 등 절세의 화엄종장들이 각종 사기私記와 은과隱科 등을 저술하였고, 여기에 백파 긍선白坡 亘璇, 1767~1852이 『선문염송집』 및 『고봉원묘선요高峰原妙禪要』 등에 사기를 보탠다. 이렇게 하여 4집集, 4교敎, 대교大敎 등 소위 공문空門의 이력과정履歷課程*31이 정비된다. 이로 인하여 교문敎門에서는 『능엄경』, 『대승기신론』, 『금강경』, 『원각경』, 『화엄경』 그리고 선문禪門에서는 4집, 『경덕전등록』, 『선문염송집』 등이 그 주석서 및 사기와 함께 전승되었다.

이상의 '사기' 출현 중에서 필자가 주목하는 것은 〈사진 4〉에 소개하는 백파의 『선문염송집사기』이다. 백파의 이 '사기'가 제방의 강원에 유행하면서 『선문염송집』은 더욱 널리 보급되었다. 백파의 문손인 석전이 개운사 대원암에서 『정선염송급설화精選拈頌及說話』를 초출抄出한 것도 이런 역사적인 배경 속에서 나온 것이다. 당시 승려들 중에 독서인讀書人 출신이 아닌 고승은 없었다. 선문禪文을 염롱拈弄하지 못하고 교학敎學의 행상行相을 간람揀濫하지 못하는 '큰스님'은 없었다

....

*31 이력과정 : 우리나라에서는 승려가 강당에서 경론을 공부하는 것을 '이력을 본다'고 함. 과정은 ① 사미과(1~2년) : 조석송주·『사미율의』·『반야심경』·『예참』·『초발심자경문』·『치문경훈』, ② 사집과(2년) : 『서장』·『도서』·『선요』·『절요』, ③ 사교과(4년) : 『능엄경』·『기신론』·『금강경』·『원각경』, ④ 대교과(3년) : 『화엄경수소연의초』·『선문염송집』·『경덕전등록』. 이러한 과정이 언제부터 비롯하였는지는 확실치 않으나 벽계 정심(1400년경)으로부터, 백암 성총(1700년경)까지 300년 동안에 점차로 완비된 듯하다.

는 말이다. 일제 말 해방 초에 그런 '큰스님'의 대표가 석전 노사老師
이다.

〈사진 4〉 백파의 「선문염송집사기」

석전 강백은 구舊 불기佛紀 2959년서기 1932년 대원암에서 『정선염송
급설화精選拈頌及說話』를 탈고하여 그것을 유인본으로 출간한다. 이 책
은 『선문염송집』30권과 『선문염송설화』30권을 '회편'하여 그중에서 중
요한 대목을 초출抄出하여 간행한 것이다. 물론 당시 '개운사 대원강
원'의 학인들을 대상으로 한 강의 교재였다. 석전이 이렇게 『정선염
송급설화』를 출판하고, 그것을 강의한 것은 역시 조선시대 불교전통
의 연장선에서 한 것이다.

이하에서는 진각 혜심眞覺 慧諶, 1178~1234 국사의 『선문염송집』에 대
한 '주석서'의 출현을 통해 조선시대에 이 책이 어떻게 전승되었는지
살펴보기로 한다. 『선문염송집』은 고려 고종 13년1226 조계산 수선사
에서 진각국사가 제자 진훈眞訓과 함께 선문禪門의 화두 총 1,225칙에
대한 각종 코멘트를 모아서 총 30권으로 집필한 것이다. 이 원고가

언제 판본으로 간행되었는지 현재로서는 알 수 없지만 초판본은 몽고와의 전쟁 중에 불타고 고종 31년에서 35년1244~1248 사이에 남해의 분사 대장도감에서 재판되어 그 판목이 현재는 해인사 장경각에 보관되어 있다. 조선조에 들어서도 여러 차례 판각되었을[32]만큼 이 책은 조선의 승려들에게 주목을 받았다.

이렇게『선문염송집』의 출현 및 유통과 더불어 이 책에 대해 제일 먼저 '주석서'를 낸 사람은 각운覺雲 선사이다. 서명은『염송설화拈頌 說話』이다. 이 책의 저자인 각운이 누구인가에 대해서는 예부터 여러 설이 있었지만, 현재로서는 '진각 혜심의 제자'임이 유력하다. 즉, '환암 혼수의 제자'인 구곡 각운이 아니다. 그렇기는 하지만 이 문제는 좀 더 연구를 해야 할 부분이다.

이『염송설화』도 조선조에 여러 번 판각되었다. 가장 최근에 판각된 곳은 경기도 남양주시 천마산 봉인사奉印寺인데 때는 광서 15년 고종 26년1889이다. 당시 이 절 주지는 환옹 환진幻翁 喚眞, 1824~1904 선사이다. 환옹 선사는 백파 긍선의 손자 상좌이며 운허 강백의 옹사翁師이다. 여기에서 필자가 주목하고자 하는 인물은 백파 긍선이다.

백파는 선서에 대한 각종 사기私記를 찬술하는데 그중의 하나가『선문염송집사기禪門拈頌集私記』이다. '화엄르네상스'의 확산 속에서 일어난『선문염송집』에 대한 당시 사람들의 관심이 얼마나 컸는지를 보여 주는 단적인 물증이다. 백파는 순조 22년1822, 56세에는 백양사 운문암으로 돌아와 '수선결사'를 조직하고 19조에 달하는『수선결사문

····················
*32 김영태,「선문염송·염송설화 해제」, 혜심·각운 지음,『선문염송·염송설화 1』, 김월운 옮김 (서울: 동국대 출판부, 2005년 초판), p.14.

修禪結社文』을 짓는다. 2년 뒤인 순조 24년1824, 58세에는『선문염송집사기禪門拈頌集私記』를 찬술한다.

『선문염송집』에 대한 백파의 열정은 그의 손자 제자인 환웅 환진 선사에게 전승된다. 당시 봉인사奉印寺에 주석한 환웅 환진 선사는 백파의『수선결사문修禪結社文』을 철종 11년1860 판각한다. 더불어 환웅 환진은 각운의『염송설화』도 판각하고, 구암사龜巖寺의 설두雪竇 유형有炯, 1824~1889 선사를 초빙하여 봉인사에서 선문강회禪門講會를 연다.

여기에서 우리는 이들 문도들의 계보에 주목할 필요가 있다. 이 문도의 법계는 백파 긍선 → 혜암 보혜 → 환웅 환진1824~1904 → 월초 거연1858~1934 → 경송 은천 → 운허 용하1892~1980 → 월운 해룡1928~생존으로 이어진다.

이상으로 조선조에도『선문염송집』에 대한 당시 승려들의 관심이 계속되었음을 확인할 수 있다. 물론 대표적인 인물이 백파 긍선이었다. 백파의 문도로 해방 전후에 활동하던 대표적인 인물이 두 분이 계신다. 한 분은 이 논문의 중심 인물인 석전 영호1870~1948 강백이고, 또 한 분은 만암 종헌曼庵 宗憲, 1876~1956 선사이다. 한 분은 구암사에서, 또 한 분은 백양사에서 각각 석장錫杖을 거셨다. 1946년에 제정 공포된「조선불교교헌朝鮮佛敎敎憲」에 의해 석전이 초대 교정敎正으로, 만암이 제3대 교정으로 추대된다. 제2대 교정은 한암 중원漢岩 重遠, 1876~1951이다. 이 당시의 자세한 불교교단 현황은 필자의『한국 근현대 불교사상 탐구』*33에서 보고한 바 있다. 그리고 추사 김정희

....

*33　신규탁,「종단의 출현을 통해 본 한국불교의 정체성」,『한국 근현대 불교사상 탐구』(서울: 새문사, 2012), pp.23-58.

1786~1856가 백파에게 써 준 '석전石顚'과 '만암曼庵'이라는 두 폭의 글씨가 위의 두 스님에게 붙여진 내력에 대해서는 필자가 역주한 『선문수경』에 자세하게 소개했다.[34]

그러고 보면 석전 강백이 『정선염송급설화精選拈頌及說話』를 초선抄選하고, 이 책을 '개운사 대원강원'의 학인들에게 강의하고, 또 이 강석講席에 운허가 참여했고, 운허의 전강 제자 월운이 『선문염송·설화』전 10책를 번역 출간했으니, 이 책을 둘러싼 인연의 역사가 유장流長함을 알 수 있다. 이와 더불어 운허의 옹사翁師인 월초 거연月初 巨淵, 1858~1934 화상이 개운사 대원강원에 큰 시주를 한 것도 다 인적 관계가 있었음을 알 수 있다.[35]

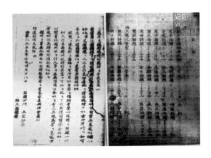

〈사진 5〉 석전의 『精選拈頌及說話』

이하에서는 석전이 초선抄選한 『정선염송급설화精選拈頌及說話』의 편제를 살펴보기로 한다. 『정선염송급설화』의 원본은 이철교 선생님이 소장하고 있고, 그 복사본이 동국대학교 도서관에 소장되어 있다. 그

*34   白坡亘璇 集說, 「선문수경(禪文手鏡) 해제」, 『선문수경』, 신규탁 옮김 (서울: 동국대 출판부, 2012), pp.13-14.
*35   지금도 서울시 성북구 안암동 개운사 경내에는 대원강원을 후원한 월초 화상의 공덕이 기리는 공덕비가 서 있다.

것을 대본동국대 도서관으로 그 편제를 살펴보기로 한다. 위에 이 복사본의 첫 장과 마지막 장의 모습을 〈사진 5〉로 올려놓았다.

이 책의 제목에 '정선精選'이라는 한정어가 달려 있듯이, 이 책은 『선문염송집』 중에서 강의할 '화두'고래로 조선의 강원에서는 이 화두를 '화제(話題)'라 한다. 이하 본 논문에서는 '화제'로 표기하기 함만 가려 뽑은 것이다. 『선문염송집』에는 이런 '화제'가 모두 1,463개 등장한다. 그리고 이 '화제'는 다시 크게 세 범주로 분류된다. 첫째는 「대각세존석가문불大覺世尊釋迦文佛」1. 도솔(忉率)~61. 청정(淸淨). 총 61개의 '화제'이고, 둘째는 「서천응화현성西天應化賢聖」62. 묵연(默然)~1423. 일구(一句). 총 1,362개의 '화제'이고, 셋째는 「동토응화현성東土應化賢聖」1424. 고공(敲空)~1463. 고목(枯木). 총 40개의 '화제'이다. 그런데 이 분류에는 약간의 착간이 있는 듯하다. 그래서 그런지 석전의 『정선염송급설화』에는 「대각세존석가모니불大覺世尊釋迦牟尼佛」, 「서천응화현성西天應化賢聖」, 「종문조사宗門祖師」로 편명編名를 달리했다.

석전은 『선문염송집』 중 「대각세존석가문불大覺世尊釋迦文佛」에 나오는 총 61개의 '화제' 중에서 총 16칙을 가려 뽑아 「대각세존석가모니불大覺世尊釋迦牟尼佛」이라는 편명을 붙인다. 이어서 『선문염송집』 중 「서천응화현성西天應化賢聖」에 나오는 총 1,362개의 '화제' 중에서 총 35칙을 가려 뽑아 「서천응화현성西天應化賢聖」이라는 편명하에 총 7칙을 배당하고, 「종문조사宗門祖師」라는 편명하에 총 28칙을 배당한다. 그리고 『선문염송집』의 「동토응화현성東土應化賢聖」은 모두 생략한다.

이하에서는 석전의 정선精選 '방법'에 대해서 살펴보기로 한다. 석전은 먼저 혜심의 『선문염송집』 본문을 정선하고, 그 사이사이에 각운의 『선문염설화』를 해당 본문 사이에 삽입하는 형식을 취했다. 그 결과 본문 이해가 효과적이게 되어 있다. 이것을 보더라도 석전의 이 책은 강의용 교재임을 알 수 있다. 이 점을 이해하기 위해서는 먼저 『선문염송집』의 체제를 이해할 필요가 있다. 본 논문에서는 제1칙을 사례로 삼아 소개하기로 한다.

우선 제1칙의 '화제'는 도솔_{兜率}이다. 그 내용은 "세존_{世尊}이 미리 도솔_{未離兜率}에 이강왕궁_{已降王宮}하시고 미출모태_{未出母胎}에 도인이필_{度人已畢}하시다"이다. 이 '화제'에 대하여 (1) 곤산 원_{崑山 元}이 송_頌을 붙이고, (2) 원오 극근이 송_頌을 붙이고, (3) 대혜 종고가 송_頌을 붙이고, (4) 죽암 규가 송_頌을 붙이고, (5) 천의 회가 상당하여 거_擧하고, (6) 취암 열이 상당하여 거_擧하고, (7) 해인 신이 상당하여 거_擧하고, (8) 승천 회가 상당하여 거_擧하고, (9) 장령 탁이 상당하여 운_云하고, (10) 송원이 상당하여 거_擧한다.

이상의 송_頌과 거_擧와 운_云 중에서[*36] 석전은 (2) 원오 극근의 송_頌, (4) 죽암 규의 송_頌, (9) 장령 탁의 상당법어, (10) 송원이 상당하여 거_擧한 것만을 정선한다. 그런데 이 대목에서 우리는 각운 선사의 『염송설화』가 석전의 손에 들려 있음을 상기해야 한다. 석전은 위에서 정선한 네 명의 평가에 대하여 『염송설화』의 해당 부분을 가려 뽑아 그 평가 뒤에 나란히 편집·삽입한다. 독자나 청강자의 이해를 돕기

....

*36 話題에 코멘트를 붙이는 방식으로 拈, 頌, 擧, 評 등등을 비롯하여, 代語, 別語 등등이 있는데, 이에 대한 설명과 구체적인 사례 소개는 신규탁, 『선문답의 일지미』(서울: 정우서적, 2014), pp.426-434 참조.

석전 영호대종사 | 한국불교의 초석을 세우다

위한 석전의 배려로 보인다.[37]

　다음으로 석전이 이렇게 『염송』과 『설화』를 편집하여 정선한 '화제'의 분포를 보자. 『염송』의 제1권에는 모두 30개의 '화제'가 나오는데 석전은 13개를 추린다. 다음으로 제2권에는 모두 41개의 '화제'가 나오는데 석전은 6개를 추린다. 제3권에는 모두 38개의 '화제'가 나오는데 석전은 9개를 추린다. 다음으로 제4권에는 모두 36개의 '화제'가 나오는데 석전은 5개를 추린다. 다음으로 제5권에는 모두 34개의 '화제'가 나오는데 석전은 8개를 추린다. 다음으로 제6권에는 모두 26개의 '화제'가 나오는데 석전은 3개를 추린다. 다음으로 제7권에는 모두 27개의 '화제'가 나오는데 석전은 3개를 추린다. 다음으로 제8권에는 모두 65개의 '화제'가 나오는데 석전은 전혀 뽑지 않는다. 다음으로 제9권에는 모두 44개의 '화제'가 나오는데 석전은 역시 전혀 추리지 않는다. 다음으로 제10권에는 모두 45개의 '화제'가 나오는데 석전은 전혀 추리지 않는다. 다음으로 제11권에는 모두 20개의 '화제'가 나오는데 석전은 단 3개만 추린다. 이하 제12권부터 제30까지는 전혀 추리지 않는다.

　이상을 보면 석전이 『정선염송급설화』의 말미에 '석전사문石顚沙門 미정초선未定抄選 어대원난야於大圓蘭若'라고 쓴 이유도 알 수 있다. 즉

----

[37] 그런데 월운 강백의 번역서는 이와 달리 편집한다. 월운 강백은 각 '화제' 단위로, 먼저 『염송』을 번역하고, 그 뒤에 『설화』를 번역해서 붙인다. 필자는 왜 그리하셨냐고 여쭌 적이 있다. 많은 말씀을 하셨는데, 본 논문에 해당하는 부분만을 이하에 소개한다. 월운 강백께서 『염송』을 이해하는 당신 고유의 '견해'이고, 이 '견해'는 향후 『염송』을 읽는 우리들에게 하나의 지침이 되기 때문이다. 말씀은 대략 이렇다. '화제' 하나하나에 대하여 여러 선승들이 코멘트를 붙였는데, "이 코멘트는 결국은 하나의 '화제'를 여러 선승들이 저마다의 입장에서 조명해 들어 간 것이다."라는 말씀이다. 선승들의 다양한 코멘트를 수집하여 나열한 '진각 혜심 선사의 의도'를 이렇게 이해한다면, 『설화』를 붙인 '각운 선사의 의도'도 이런 연장선에서 이해해야 할 것이다. 그렇기 때문에 석전 강백께서 취한 편제를 따르지 않고, 『염송』 뒤에 『설화』 전체를 편집하는 방식을 취한 것이다.

'미정초선'에서 '미정未定'은 '미완성'이라는 뜻이다. 즉 '초선抄選'을 아직 다 마치지 못했다는 것이다. 일제의 만주 침공 등으로 젊은 학인들이 징용에 징발될 염려가 있어 더 이상 대원강원을 유지할 수 없었던 것이고, 그리하여 결국은 '미정'하고 만 것이다.

이렇게 본문『염송』의 해당 대목에 주석『설화』을 조목별로 삽입·편집하는 것을 서지학 용어로 '회편會編'이라 하는데 누가 『염송』과 『설화』을 회편했는지는 알 수 없다. 간행 연대를 알 수 없는 『회편선문염송집설화會編禪門拈頌集說話』가 대한민국 국립도서관에 1권~3권이 소장되어 있다고 하나,[*38] 아직 필자는 원본을 확인하지는 못한 상태이다.

한편 동국대학교 도서관도서청구번호; B 218. 8 각 670 영에 붓으로 '송화선頌話選 상上'이라는 표지가 붙은 유인본 1책이 전한다. 표지에는 '부附 선문수경禪文手鏡'이라고 병기되어 있다. 내용을 보면 전반부에 백파의 『선문수경』 일부를 배치하고, 후반부에 '염송급설화선편제일拈頌及說話選編第一'이라는 소제목이 붙은 소위 『염송』과 『설화』을 회편해 놓았다. 내용을 살펴보면 제1 '화제'인 도솔兜率부터 제37 '화제'인 쌍부雙趺까지에 해당하는 『염송』과 『설화』가 '회편'되어 있다. 간기가 없어서 언제 어디에서 되었는지는 알 수 없다. 향후 연구의 과제이다. 아래 〈그림 6〉에 그 일부를 소개한다.

참고로 김상일 교수는 이 책을 백파가 '편선'한 것으로 보고 있는데[*39] 무엇을 근거로 그렇게 비정했는지는 모르겠다. 김 교수는 "석

....

*38 한불전 제5책, p.1. 하단의 각주 참조.
*39 김상일, 「박한영의 저술 성향과 근대 불교학적 의의」, 『근대 동아시아의 불교학』 (서울: 동국대 출판부, 2008), p.68의 각주.

석전 영호대종사 | 한국불교의 초석을 세우다

전은 백파의 『선문염송급설화선』 중에서도 선문의 맥을 잇는 요점만을 추리고 그 설화 또한 중복성이 있거나 번거로운 곳은 과감하게 산삭하여 편성했다"[*40]고 설명을 붙였는데, 이 설명 또한 어디에 근거했는지 궁금하다.

〈사진 6〉『頌話選』

Ⅳ. 맺음말–선 · 교에 대한 석전 강백의 입장

강사들의 선 · 교관계에 대한 입장이 '반목'보다는 '화회' 쪽으로 나타나고 있음은 조선 후기의 불교 역사가 증명한다. 위에서 검토했듯이 석전 강백의 경우도 교敎로는 『화엄경』을, 선禪으로 『선문염송』을 겸학兼學했음을 알 수 있다. 이상에서 필자는 선교 겸학적 태도를 석전

....
*40   위의 책, p.69.

자신이 몸소 강의한 교재를 중심으로 입증했는데, 이하에서는 사상적 측면에서 그의 겸학 이념을 논증하려고 한다.

석전에게는 『석림수필石林隨筆』이라는 작품이 있는데 이는 훗날 『석전문초石顚文鈔』라는 서명으로 문인들의 손에 의해 간행되었다.[*41] 『석림수필』에는 총 21개의 수필이 수록되었는데, 선교화회禪敎和會와 관련하여 필자가 주목하는 수필은 「칠七. 개구개증하애원각皆具皆證何碍圓覺」[*42]이다. 이 수필을 보면, 석전 평소의 독서는 선·교에 관통했고, 논증은 정치精緻했음을 알 수 있다. 이하의 〈그림 7〉은 「칠. 개구개증하애원각」의 첫 부분이다.

이 수필의 이야기 소재에는 전고典故가 있는데 대혜 종고大慧 宗杲, 1089~1163의 『서장書狀』에 실린 편지 「답손지현答孫知縣」[*43]이 그것이다. 이 편지는 대혜 종고 선사가 소흥紹興 28년1158 경산사徑山寺에 주석하면서 당시의 절강성 항주부 여항현餘杭縣의 현감에게 보낸 편지다.

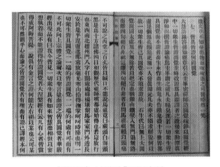

〈사진 7〉 석전의 『石顚文鈔』

· ·

[*41] 석전 박한영, 『石顚文鈔』 (정읍 내장사: 법보원, 1962).
[*42] 석전 박한영, 『石顚文鈔』 (정읍 내장사: 법보원, 1962), pp.11상-13상.
[*43] 大慧宗杲, 「大慧皆覺禪師書」(卷第三十), "圭峯密禪師, 造圓覺疏鈔, 密於圓覺有證悟處, 方敢下筆, 以圓覺經中一切衆生皆證圓覺, 主峯改證爲具, 謂證者之訛, 而不見梵本, 亦只如此論在疏中, 不敢便改正經也, 後來渤潭眞淨和尙, 撰皆證論, 論內痛罵圭峯, 謂之破凡夫臊臭漢. 若一切衆生皆具圓覺, 而不證者, 畜生永作畜生, 餓鬼永作餓鬼, 盡十方世界, 都盧是箇無孔鐵鎚, 更無一人發眞歸元, 凡夫亦不須求解脫. 何以故, 一切衆生皆已具圓覺, 亦不須求證故." (T47), pp.940c-941a.

석전 영호대종사 | 한국불교의 초석을 세우다

이 편지에서 대혜는 경전의 본문을 간삭刊削하는 손孫 지현知縣의 잘못을 반박하고 있다. 이 반박 과정에서 대혜는 청량 징관과 규봉 종밀의 사례를 들어 이 두 대가들도 경전 본문의 자구를 임의로 간삭하지 않았던 문증文證을 들어 현감을 나무라고 있다. 즉 옛 대가들도 혹 경문經文에 의심나는 점이 있으면 주석서에서 그 의심을 드러내어 논의를 할 뿐 결코 간삭하지 않았다는 것이다.

이와 더불어 석전은 대혜가 문증의 사례로 든『원각경』본문에 대한 규봉의 '의심'과 그 '의심'을 반박하는 늑담 극문泐潭 克文, 1025~1102 선사의 설을 인용한다. 그리고는 자신의 철학에 입각하여 이 둘종밀과 늑담의 입장은 물론 나아가 대혜의 처신에 대해서도 '다른 입장으로 논평[대활(代曰)]'을 제시한다.

『원각경』'경문의 번역 오류[역경와(譯經訛)]'를 제기한 종밀의 입장은 다음과 같다.『원각경』「미륵장」에서 부처님은 대중들에게 이렇게 말씀하신다. "선남자여 일체 중생들이 모두 원각을 깨닫는다[선남자(善男子)야 일체 중생(一切衆生)이 개증원각(皆證圓覺)하노니]대정장 17, 916b". 그런데 규봉은『원각경』의 여러 주석들 속에서 번역자가 범본을 잘못 읽어 '구具' 자로 번역해야 할 것을 '증證' 자로 한 것이 아닌가 하는 '의심'을 제기한다. 종밀의 의도는 '모든 중생이 원각을 간직하고 있다'함은 가능하나, '모든 중생이 원각을 깨닫는다' 함은 옳지 않다는 것이다. 이런 종밀의 견해에 대해 필자는 이 대목의 장항長行에 상응하여 세존께서 몸소 붙인 게송偈頌을 근거로 종밀의 입장을 두둔한 바 있다.[*44] 아무

....
*44   圭峰 宗密 懸談,『원각경·현담』, 신규탁 번역 (서울: 정우서적, 2013), pp.89-90.

튼 종밀은 '의심'만 했지 간삭하지는 않았다. 다만 자신의 견해를 주석을 통해서 사적인 의견을 제시했을 뿐이다.

대혜는 종밀이 이렇게 경문을 고치지 않은 점을 높이 평가했다. 그러면서 아울러 대혜는 늑담 극문이 찬술했다고 하는 「개증론皆證論」의 내용도 소개한다. 늑담 극문의 입장을 간략하게 정리하면 다음과 같다. 즉, 모든 중생이 원각을 '가지고만[구(具)]' 있고 '증득하지[증(證)]' 못한다면 축생을 비롯하여 아귀와 나아가 범부들은 영원히 깨달을 수 없지 않느냐는 것이다. 그러나 필자가 보기에 늑담 극문의 반박은 종밀의 의도를 잘못 이해한 것이다. 왜냐하면 『원각경』「미륵장」은 5성性의 차별을 논하는 것이 핵심 주제이기 때문이다.[*45] 아무튼 이런 내용은 조선의 독서계에도 널리 퍼져 있었다. 당시 조선의 강당에는 위에서 사례로 든 『서장』 그리고 『치문경훈』과 종밀의 『원각경대소』 등이 정독되고 있었다. 그리고 이런 전통이 석전 강백에게도 이어진 것이다.

그러면 석전 강백은 이 문제에 대하여 어떻게 '다른 입장으로 논평[대왈(代曰)]'했는가? 석전 강백은 두 측면에서 자신의 입장을 전개하고 있다. 하나는 '향상종체向上宗體'의 입장이고, 다른 하나는 '성언량聖言量'의 입장이다. 전자는 선禪의 논리이고, 후자는 교敎의 논리이다.

먼저 '향상종체向上宗體'의 입장을 보자.

'향상종체'란 향상일규向上一竅를 논하는 선문禪門의 입장이다. 선문

....
*45 윤회의 본질을 묻는 미륵보살의 질문에 대해 세존은 '−理障−'과 '−事障−'이 윤회의 본질이라고 말씀하신다. 그리고 이 두 장애 때문에 5성의 차별이 있다고 한다. 종밀이 보기에 일체 중생이 모두 원각을 '갖추고 있지만 [具有]', 위의 두 장애의 차별 때문에 5성의 차별이 생긴다는 것이다. 종밀은 5성의 차별을 설명하려는 입장에서 일체 중생이 모두 원각을 '깨닫는다[證]'는 경전의 원문을 오역이 아니냐고 '의심'하는 것이다.

에서는 어떤 주제를 논의할 때에 두 측면에서 접근한다. 그중의 하나
는 '파정把定'이고 또 하나는 '방행放行'이다. '파정-방행'을 두 짝으로
화두를 강설하는 것은 선가의 오랜 전통이고, 이 전통은 백파 긍선에
도 전해졌고*⁴⁶, 석전도 역시 이 집안사람이라 이 전통을 백분 활용
하고 있다. 석전이 보기에 '파정'의 입장에서 보면 어느 누구도 이 '원
각'의 경지는 언어나 사유로 접근할 수 없다는 것이다. 그러나 '방행'
에서 보면 모든 중생이 이미 '원각'을 증證했다는 것이다.

다음은 '성언량聖言量'의 입장을 보자.

'성언량'이란 '성인의 말씀'도 논증의 근거가 된다는 것이다. '현량
現量'과 '비량比量'과 함께 '성언량'을 논증의 근거로 삼는 것은 인도에
서부터 중국에 이르는 불교의 전통적인 논증 방법이다. 석전은 '성언
량'을 논증의 근거로 채택하여 『화엄경』 「여래출현품」의 "일체중생一
切衆生이 구유여래지혜덕상具有如來智慧德相이언만"을 논증의 근거로 삼
아 '구具'의 입장을 옹호하기도 하며, 한편으로 『열반경』의 "범유심자
凡有心者는 개당득성아뇩보리皆當得成阿耨菩提하니라"를 논증의 근거로 삼
아 '증證'의 입장을 옹호하기도 한다. 이런 양 방면의 입장에서 규봉
과 늑담의 입장을 모두 비판한다. 나아가 이치가 이러한데 대혜는 늑
담의 입장만을 옹호하니 이 또한 잘못이 적지 않다고 비판한다.

이렇게 보면 석전 강백은 교教의 입장에서는 '성언량'을 논거로 논

<hr />

*46 백파는 『선문수경』에서 고려 말 이후 선가에서 전래하는 '照-用', '機-用', '殺-活', '心-境', '權-實', '迷-悟',
途中事-家裏事', '偏-正', '古-今', '證-化', '把-放' 등의 논법으로 禪文를 해설하고 있다. 자세한 설명은 白坡
亘璇 集說, 『선문수경』, 신규탁 역주 (서울: 동국대 출판부, 2012), pp.61-62으로 미루고, 여기서는 '把定-放
行'에 대해서만 간략하게 소개하여 본 논문의 논의를 돕고자 한다. 선문답에서 상대방의 의견에 따라주는 것을
'放行; 놓아줌'이라 하고, 반대로 상대방의 입장을 부정하고 고쳐 주는 것을 '把定; 잡아들임'이라고 한다.

증을 해 나아가고, 선禪의 입장에서는 '향상종체向上宗體'의 논리로 사량분별의 자취를 지워 간다. 이것이 바로 조선 중기 이래로 이 지역에 정착한 선교겸수禪敎兼修의 가풍이다. 장기판으로 비유하여 말하자면 '선교禪敎 양수겹장'인 셈이다.

선교겸수의 입장에 서 있는 석전 강백으로서는 석전 당시 일부 선승들이 불조를 마구잡이로 욕하는 잘못된 폐단을 염려한다. 당시의 이런 세태를 '광선狂禪'이라고 표현한 사람도 있었다. 사문으로서의 율의를 무시하고, 또 그것을 무반성적으로 흉내 내는 풍조에 대한 석전 나름의 염려가 있었던 것이다. 석전은 당시의 이런 폐단을 '매리지구폐罵詈之口弊, 욕설의 폐단'라고 지적한다.

석전이 보기에 이런 폐단은 일찍이 중국의 덕산 선감德山 宣鑑, 782~865 선사와 운문 문언雲門 文偃, 864~949 선사에서 시작되었다고 한다. 늑담 극문이 종밀을 '욕'한 것도 그런 폐습의 탓이라는 것이다. 그러면서 석전은 종밀이 일찍이 『법집별행록』[*47]에서 홍주종과 하택종의 차별을 논한 점을 재론하여 홍주종 무리들은 '자성의 본용'을 모르고 그저 '수연의 작용'을 가지고 그것이 '참마음의 본 바탕[진심본체(眞心·本體)]에 있는 작용'이라고 잘못 주장하고 있다는 것이다.[*48] 그럼에도 불구하고 종밀의 참뜻을 이해하지 못한 혜홍 각범慧洪 覺範, 1071~1128은 『임간록』 속에서 도리어 종밀을 비난했다는 것이다. 그리

....

[*47] 당시 석전 강백은 『中華傳心地禪門師資承襲圖』를 직접 열람한 것은 아니고, 보조 지눌의 『법집별행록절요병입사기』에 인용된 내용을 대본으로 삼았기 때문에, 출전을 『법집별행록』이라 했던 것이다.

[*48] 『中華傳心地禪門師資承襲圖』, "참마음[眞心]의 본바탕[體]에는 두 종류의 작용이 있는데, 하나는 '자성 본래의 작용'이고, 또 하나는 '인연에 따라 반응하는 작용'입니다. (……) 그런데 지금 홍주종은 능히 말하고 움직이는 것 등을 가리켜 (그것이 '자성의 작용'이라고 하지만), 저들이 말하는 것은 단지 '인연에 따라 반응하는 작용'만 말했을 뿐, '자성의 작용'에 대해서는 말하지 못했습니다." 圭峰 宗密, 『화엄과 선』, 신규탁 역주 (서울: 정우서적, 2013 재판), pp.186-189.

고 이런 잘못된 비난을 이어받은 황룡 사심黃龍 死心, 생몰연대 미상은 '지지일자知之一字는 중화지문衆禍之門'이라고 하택 신회의 설을 비아냥거렸다는 것이다. 늑담 극문이 종밀을 비아냥한 것도 그 역시 황룡 문하의 선사였기 때문에 그 폐단에 물들었다는 것이다.

강사들을 마구잡이로 비난하는 당시의 세태에 대한 석전의 염려와, 선교겸수를 주장하는 종밀의 입장을 옹호하려는 석전의 충정은 『석림수필』의 여러 곳에서 보인다. 그 대표적인 수필이 「석실본출세하택입지명정石室本出世荷澤立地明正」[*49]이다.

조선 후기에 형성되어 석전에게로 전승되는 선교겸수의 전통은 비록 미미하지만 현대에도 계속되었다. 이런 전통에 서 있는 강사들은 교종 텍스트의 꽃인 『화엄청량소초』와 선종 텍스트의 꽃인 『염송』 어느 한쪽도 소홀히 하지 않는다. 그 대표적인 도량이 봉선사 능엄학림이고, 그곳의 핵심인물이 위에서도 언급한 월운 강백이다. 그 도량에서 월운 강백은 일찍이 『화엄청량소』를 비롯한 전통 강원의 이력과목에서 다루던 각종 경소에 관한 사기私記와 과목科目을 정리했고, 또 『기신론필삭기』, 『금강경간정기』, 『원각경규봉소』, 『능엄경계환해』 등을 강독·번역했다. 이와 더불어 선종의 핵심교재인 『조당집』2책, 『경덕전등록』2책, 『선문염송·설화』10책를 번역·출간했다.

· · · · · · · · · · · · · · · · · · ·
[*49]   석전 박한영, 『石顚文鈔』 (정읍 내장사: 법보원, 1962), pp.13상–15하.

3장

발표 고영섭

영호 정호와 중앙불교전문학교

– 한국의 '윌리엄스 칼리지' 혹은 '엠허스트 칼리지'

고영섭 _ 동국대학교 불교학부 교수

Ⅰ. 문제와 구상

한국의 대표적 사학인 동국대학교_{1906~2014}^{*1}의 전신 중앙불교전문학교_{1930~1940}는 한국 인문학의 본산이었다. 중앙불전은 원흥사의 명진학교-불교사범학교-불교고등강숙에 이어 옛 북궐 왕묘가 있던 숭일동_{혜화동} 1번지에 자리했던 불교중앙학림과 이를 계승한 태고사_{조계사 전신} 총무원의 불교학원을 계승한 불교전수학교에서 승격한 문과 중심의 단과대학이었다. 당시 중앙불전은 오늘날 대학평가에서 세계 최고의 대학들로 평가받는 하버드-예일-프린스턴 대학을 제치거나 필적하는 미국의 북동부 메사추세츠주에 자리한 작은 대학인 윌리엄스 칼리지_{Williams College, 1793~}^{*2}와 엠허스트 칼리지_{Amherst College, 1812~}

....

*1   高榮燮, 「東大 '全人敎育' 백 년과 '佛敎연구' 백 년」, 『불교학보』 제45집 (동국대 불교문화연구원, 2006); 高榮燮, 『한국불교사연구』 (한국학술정보, 2012), p.357. 서울 남산에 자리하고 있는 동국대학은 明進학교(1906~1909)-불교사범학교(1909~1910)-불교고등강숙(1910~1914)-불교중앙학림(1915~1922)-불교학원(1922. 9~1928. 2)-불교전수학교(1928~1930)-중앙불교전문학교(1930~1940)-혜화전문학교(1940~1946)-동국대학(1946~1953)-동국대학교(1953~2014)로 10번이나 그 이름을 변경해 왔다. 교명 '明進'은 「大學」의 제1장 "大學之道, 在明明德, 在親民, 在至於至善"에서 '明'을 따고 佛典의 '精進'의 뜻에서 '進'을 따서 신문화를 명진 또는 개명케 하는 교육기관이어야 한다는 의미에서 붙인 것이다.

*2   미국의 『포브스』지(誌)가 평가하고 있는 세계대학 랭킹에서 윌리엄스 칼리지는 하버드대-예일대-프린스턴대를 제치고 세계 최고의 대학(2010)으로 평가받았다. 『포브스』지의 평가 기준은 '학자금', '졸업생들의 연봉', '평균부채', '4년 내 졸업비율', '학생들의 만족도' 등 '학생들이 실제로 얻는 혜택과 치르는 비용 등 아주 실용적인 기준을 평가에 적용'하고 있다. 보스턴에서 서쪽으로 240킬로미터 떨어진 한적한 마을인 윌리엄스타운에 자리한 윌리엄스 칼리지는 학부과정의 교양교육에 중점을 두는 인문교양대학(Liberal Arts College)으로 미국 식민지군의 대령이었던 이프라임 윌리엄스(Ephraim Williams)의 遺贈으로 설립되었다. 학부학생 2,070명, 총 24개 학과 33개 전공으로 학생 대 교수 비율이 7:1이며, 학생 2명에 전 세계 최고 수준의 교수 1명이 지도하는 개인수업인 튜토리얼(Tutorial)은 교수 앞에서 매주 다른 주제를 놓고 자신의 의견을 발표하고 동료의 글쓰기를 심사하는 것으로 잘 알려져 있다.

[*3]에 상응하는 학부대학[*4]이었다.

당시부터 불교계의 중앙불전은 기독교계의 연희전문과 천도교계의 보성전문과 함께 한국의 3대 사학으로 널리 알려졌고 이후 혜화전문학교로 거쳐 동국대학-동국대학교로 이어지고 있다. 당시 중앙불전의 다섯 명의 교장 중 가장 오랫동안 재직하였던 영호당 정호映湖堂 鼎鎬, 1870~1948, 즉 석전[*5] 한영石顚 漢永은 불도유佛道儒의 삼교三敎와 선교율禪教律의 삼학三學 및 공유空有의 교학과 이사理事의 종학에 막힘이 없었던 석학이었다. 그는 불교중앙학림의 학장을 역임한 이래 이 대학의 교장과 교수로서 오랫동안 재직하며 중전학풍을 주도하였다.

식민지를 경험한 한국의 교육역사에서 새로운 교육제도의 도입과 정착은 일제의 지속적인 고등교육 저지 획책과 탄압에 맞물려 저항과 확충의 노력을 요청받았다. 때문에 당시 국내 대학들은 일본의 식민지 고등교육정책 아래에서 근대 고등교육기관의 위상을 유지하기가 쉽지 않았다. 이와 달리 국내 기독교계는 선교회와 기독교 독

*3 미국의『포브스』지(誌)가 평가하고 있는 세계대학 랭킹에서 하버드대-예일대-프린스턴대와 경쟁하고 있는 엠허스트 칼리지는 윌리엄스 칼리지와 랭킹을 다투면서 2009년과 2011년에는 세계 최고의 대학으로 평가를 받았다. 보스턴에서 서쪽으로 약 90마일쯤 가면 '파이어니어 밸리'라고 불리는 경치 좋은 지역 중 인구가 3만 5천 명쯤 되는 엠허스트라는 작은 마을에 있다. 이 대학은 인문, 사회, 예술, 과학 등의 기초 학문만을 강조하는 리버럴 아츠 칼리지(Liberal Arts College) 중에서 가장 많이 알려져 있고 또한 입학 경쟁률이 가장 높은 대학으로서 하버드-예일-프린스턴 대학의 인문학 교수들 다수가 이 대학 출신이다. 학부 학생 1,744명, 총 36개 전공과목이 있으며 대표전공은 경제학, 영문학, 생물학, 정치학, 심리학이며 학생들의 25%가 복수전공을 하며 대학원 과정은 없다.

*4 '리버럴 아츠 칼리지(Liberal Arts College)'는 주로 인문학, 사회과학, 어학 등 교양과목에 중점을 둔 학부 중심의 4년제 대학을 말한다. 이들 칼리지는 학부에서 인성을 갈고 닦은 뒤 대학원에 도전할 학생들이 주로 찾는다.

*5 '石顚' 혹은 '石顚山人'이란 詩號는 일찍이 秋史 金正喜(1786~1856)가 白坡 亘璇(1767~1852)에게 '石顚·曼庵·龜淵'이란 글을 써 주면서 "후일 법손 가운데에서 도리를 아는 자가 있거든 이 호를 품수하는 것이 좋을 것"이라고 부탁한 것에서 비롯되었다. 결국 '石顚'은 추사-백파-雪竇 有炯(1824~1889)-雪乳 處明(1858~1903)을 거쳐 영호(석전) 정호(漢永)에게 전달되었고, '曼庵'은 장성 백양사의 翠雲 道珍에게 출가하고 영호 정호 등에게서 경전을 공부한 宗憲(1876~1957)에게 전달되었다. '龜淵'은 누구에게 전해졌는지 알 수 없다. 慧慈, 「漢永鼎鎬」, 『영원한 대자유 1』(서울: 밀알, 2005), p.9. 여기서 漢永은 戶籍名이니 곧 本名이다. 이 글에서는 그가 평생을 비구로서 살았으므로 法號와 法名을 병기하여 映湖 鼎鎬로 표기하되 필요한 경우에는 詩號인 石顚과 本名인 漢永을 괄호로 처리하여 '영호(석전) 정호(한영)'로 쓸 것이다.

지가들의 경제적 원조에 힘입어 재정적 기반을 확충한 세브란스연합의학전문학교1917, 연희전문학교1917, 숭실전문학교1925, 이화여전1925 등을 유지해 왔다. 또 천도교는 보성전문학교1922를 운영하였다. 반면 불교계는 명진학교1906로부터 불교전수학교1928에 이르기까지 갖은 차별과 반대를 물리치고 뒤늦게 중앙불교전문학교1930로 승격 인가를 받아 관학官學의 경성제대1926에 대응하는 사학私學의 '전문학교' 대열에 합류하였다.

일찍이 영호 정호는 장성 백양사 운문암의 환응 탄영歡應 坦泳, 1847~1929[6]에게서 사교四敎를 배웠다. 이어 그는 순천 선암사의 경운 원기擎雲 元奇, 1852~1936[7]에게서 대교大敎를 수학하였다. 그 뒤 영호는 순창 구암사의 설유 처명雪乳 處明, 1858~1903[8]으로부터 법을 전해 받았다. 지방에서 강론을 하던 그는 39세에 유신維新의 뜻을 품고 서울로 올라와 불교개혁운동에 참여하였다. 이후 영호는 중앙학림이 휴교하자 총무원의 불교학원과는 별도로 개운사開運寺와 대원암大圓庵에서 불교전문강원1926~1945을 열어 수많은 선승 학승들과 재가선생들에게 불교학과 동양문학의 본질을 머금고 있는 인문학 전반에 대해 강론하였다.[9] 그 때문에 그가 머물던 대원암에는 사계의 대표적인 인물들이 모여 인문학, 동양학, 한국학 연구를 위한 열린 대학이 만들어

....

[6] 幻應 坦泳은 1929년 조선불교중앙회에서 徐海曇, 方漢巖, 金擎雲, 朴漢永, 李龍虛, 金東宣 등 7인과 함께 敎正으로 추대되었다. 金光植, 「방한암과 조계종단」, 「한암사상」 제1집, 한암사상연구회, 2006, p.160; 金光植, 「조계종단 종정의 역사상」, 「대각사상」 제19집, 대각사상연구원, 2013, p.134.

[7] 擎雲 元奇는 1911년에 변질된 晦光 師璿의 친일적 圓宗에 대항하여 臨濟宗이 창종되었을 때(1911) 임시館長으로 추대되었으며, 1917년 조선불교선교양종교무원이 창립되었을 때는 敎正으로 추대되었다.

[8] 雪乳 處明은 스승 雪竇 有炯이 입적한 뒤 講席을 이어받아 20여 년 동안 수백여 명의 후학을 지도한 뒤 강석을 문인인 映湖 鼎鎬에게 맡겼다.

[9] 映湖는 평생 4~5만 여권의 장서를 확보하여 탐독했으며 불교학을 기반으로 한 인문학을 통해 4,000여 편의 韻文의 漢詩(禪詩)와 散文의 隨筆 및 著譯書를 다수 남겼다.

졌다. 이곳에서 형성된 '석전학통石顚學統'[10]은 영호 정호의 '박학博學'과 '통재通才'에서 기원한 것이었지만 보다 더 근본적인 시원은 대한불교의 유신을 위해 교육에 집중해 온 그의 간절한 원력에서 비롯된 것으로 짐작된다.

영호가 심혈을 기울여 온 교육에 대한 원력과 열정은 백양사 광성의숙廣成義塾 숙장을 역임하면서 시작되었다. 그의 교육은 불교계의 중심 교육기관인 명진학교[11]—불교사범학교를 이은 불교고등강숙이 개설되면서 보다 구체화되었다. 영호는 명진학교 강사로부터 30본산 주지회의원 안에 설립한 불교고등강숙의 숙사塾師, 숙장(塾長)에 이어 불교중앙학림[12]의 학장으로 취임하였다. 중앙학림 휴교 이후 총무원의 불교학원1922~1928을 거쳐 복원된 불교전수학교가 중앙불교전문학교로 승격되자 그는 제4대 교장을 도맡아 학풍 수립에 남다른 정열을 쏟아 부었다. 이후 영호는 중전의 교장과 혜화전문학교1940~1946의 명예교수를 사임한 뒤에는 구암사와 내장사로 내려가 만년을 보냈다.

····················

[10] 映湖의 문하에는 石農(明涅, 1901~1968), 靑潭(淳浩, 1902~1971), 耘虛(龍夏, 1892~1980), 高峰(泰秀, 1905~1968), 性能(福文), 鐵雲(宗玄, 1906~1989), 雲惺(昇熙, 1910~1995), 雲起(性元, 1898~1982), 聽雨(景雲, 1912~1975), 남곡(윤명, 1913~1983), 京保(1914~1996) 등의 출가제자와 夕汀(釋靜·石汀) 辛錫正(1907~1974), 末堂 徐廷柱(1915~2000) 등의 재가제자가 있다. 이외에도 碧初 洪命憙(1888~1968), 白華(菊如) 梁建植(1889~1944), 山康 卞榮晩(1889~1954), 六堂 崔南善(1890~1957), 嘉藍 李秉岐(1891~1968), 春園 李光洙(1892~1950), 爲堂 鄭寅普(1893~1950), 凡夫 金正卨(1897~1966), 芝薰 趙東卓(1920~1968) 등이 그의 가르침을 받은 것으로 알려져 있다.

[11] 남도영, 「구한말의 명진학교」, 「역사학보」 제90집 (한국역사학회, 1981); 김순석, 「통감부 시기 불교계의 명진학교 설립과 운영」, 「한국독립운동사연구」 제21집 (독립기념관, 2003).

[12] 김광식, 「중앙학림과 식민지불교의 근대성」, 「사학연구」 제71호 (사학연구회, 2003).

이 글에서는 영호 정호의 행장[*13]과 논저들[*14] 및 그에 대한 선행 연구[*15]를 검토하면서 그의 수학과정과 교육 이념 및 그가 교장으로 재직한 중앙불교전문학교 시절의 살림살이와 사고방식을 살펴보고자한다. 아울러 그가 모색했던 불교교육자로서의 정체성과 학승으로서의 인식틀에 대해 탐구해 보기로 한다.

Ⅱ. 영호 정호의 살림살이

영호 정호는 전북 완주군 초포면 조사리에서 태어났다. 어려서부터

---

*13 映湖, 「稀朝自述 九章」(「石顚詩鈔」); 鄭寅普, 「石顚上人小傳」; 金映遂, 「故太古禪宗敎正映湖和尙行蹟」(「石顚文鈔」); 成樂薰, 「石顚堂映湖大宗師碑文」, 智冠 編, 「韓國高僧總集」(가산문화원, 2000); 김종관, 「石顚 朴漢永先生行略」, 「전라문화연구」 제3집, 전북향토문화연구회, 1988 등이 있다.

*14 映湖는 「戒學約詮」, 「佛敎史攬要」, 「石顚詩鈔」, 「石顚文鈔」(石林隨筆, 石林草) 등의 저술과 「精選緇門集設」(編, 懸吐, 釋), 「大乘百法 · 印明規矩」, 「因明入正理論」(解, 懸吐, 會釋), 「精選拈頌說話」(編, 懸吐, 釋) 등의 역술, 「法寶壇經海水一滴講義」 등 잡지 연재 講述, 「精選四山碑銘」, 「李朝實錄佛敎抄存及索引」(18권 19책), 「譯註大東禪敎考」, 고승들의 행장 정리 글 및 불교계 각성과 개혁 촉구에 관한 시사 논설 등을 남겼다.

*15 映湖(石顚) 鼎鎬(漢永)에 대한 선행 연구로는 다음과 논저들이 있다. 이병주, 「持戒 · 講說 · 詩作에 뛰어났던 俊峰」; 이종찬, 「石顚 시의 두 갈래」; 홍신선, 「朴漢永스님의 인물과 사상」; 고재석, 「석전 박한영의 詩選一揆論과 그 문학사적 의의」; 김상일, 「석전 박한영의 이중적 글쓰기와 불교적 문학관」, 이상 5편 「石顚 박한영의 생애와 시문학」(백파사상연구소, 2012); 이종찬, 「石顚의 天籟的 詩論과 紀行詩」, 「한국문학연구」 제12집 (동국대 한국문학연구소, 1989); 김광식, 「二九五八會考」, 「한국민족운동사연구」(간송 조동걸선생 정년논총간행위원회, 1997); 김광식, 「한국근대불교의 현실인식」(민족사, 1998); 金昌淑(曉呑), 「석전 박한영의 戒學約詮과 歷史的 性格」, 「한국사연구」 제107집 (한국사연구회, 1999); 황인규, 「중앙불교전문학교의 개교와 학풍」, 「불교 근대화의 전개와 성격」(조계종출판부, 2006); 高榮燮, 「동대 '전인교육' 백년 '불교연구' 백년」; 김혜련, 「식민지 고등교육정책과 불교계 근대고등교육기관의 위상: 중앙불교전문학교를 중심으로」; 김광식, 「명진학교의 건학이념과 근대 민족불교관의 형성」, 이상 3편 「불교학보」 제45집 (동국대 불교문화연구원, 2006); 김상일, 「石顚 朴漢永의 저술 성향과 근대불교학적 의의」, 「불교학보」 제46집 (동국대 불교문화연구원, 2007); 高榮燮, 「한국불교학 연구의 어제와 그 이후: 이능화 · 박정호 · 권상로 · 김영수 불교학의 탐색」, 「문학 사학 철학」, 2007년 여름 통권 8호 (대발해동양학한국학연구원 한국불교사연구소); 김상일, 「근대 불교지성과 불교잡지: 석전 박한영과 만해 한용운을 중심으로」, 「한국어문연구」 제52집 (한국어문연구학회, 2009); 김상일, 「石顚 朴漢永의 불교적 문학관」, 「불교학보」 제56집 (동국대 불교문화연구원, 2010); 노권용, 「석전 박한영의 불교사상과 개혁운동」, 「선문화연구」 제8집 (한국선리연구원, 2010. 6); 高榮燮, 「東大 법당 '正覺院'의 역사와 位相」, 「한국불교학」 제65집 (한국불교학회, 2013); 황인규, 「숭정전의 불교사적 의의」, 「한국불교학」 제65집 (한국불교학회, 2013).

그는 향리의 서당에서 『통사』와 사서삼경을 수학한 뒤 서당에서 접장接長을 하였다. 17세 되는 해에 영호는 어머니가 전주 위봉사에서 듣고 온 생사법문을 전해 들은 뒤부터 크게 발심하여 출가할 뜻을 품었다. 19세가 되는 해에 그는 강원도 고성 신계사에서 전주 태조산의 금산錦山 화상을 은사로 하여 수계 득도하고 유점사에서 도첩度牒 수여식을 거행하였다. 이어 영호는 장성 백양사로 가서 운문암의 환응 탄영 대사에게서 사교과를 수학하였다. 다시 그는 선암사의 경운 원기 대사에게서 대교과를 수학하고 그곳에서 대선大選 법계를 품수하였다. 또 영호는 벽하 조주승碧下 趙周昇에게 서예를 배우고, 고환 강위古懽 姜瑋의 시풍詩風을 닮으려고 공부를 하였다.

은사 금산의 입적 이후 영호는 석왕사, 신계사, 건봉사, 명주사 등지에서 경학을 연찬하면서 틈틈이 참선에 몰두하였다. 이어 그는 안변 석왕사와 신계사 및 건봉사에 머물며 안거에 들었다. 뒤이어 영호는 선암사에서 중덕中德 법계를 품수 받고 조선 후기 불교 선문을 중흥시킨 백파 긍선白坡 亘璇, 1767~1852의 문파를 이은 설두 유형雪竇 有炯, 1824~1889, 설유 처명雪乳 處明, 1858~1903에게 '염향사법拈香嗣法'을 하였다. 백양사에서 그는 대덕大德 법계를 품수 받은 뒤 순창 구암사에서 『염송』과 『율장』 및 『화엄』을 수학하고 설유로부터 법통을 이어받아 개강하였다.

이때 영호는 추사가 쓴 '석전石顚'이란 시호詩號를 4대에 걸쳐 전해 받았다. 그 뒤 그는 1896년부터 구암사, 대흥사, 법주사, 화엄사, 범어사 등에서 불법을 강의하여 이름을 떨쳤다. 이어 영호는 산청 대원사의 강청을 받고 진산晉山한 뒤 학인 수백 명에게 경학을 강설하였다. 그 뒤 그는 백양사, 대흥사, 해인사, 법주사, 화엄사, 안변 석왕사, 범어사에서 강설삼장의 대법회를 성황리에 시설하였다. 이어 영호는 2차 금강산행을 다녀온 직후인 39세1908 때에 대한불교를 유신하려는 뜻을 품고 서울로 올라와 용운 봉완龍雲 奉玩, 1879~1944과 금파 경호琴巴/波 竟胡, 1868~1915 등과 함께 불교의 개혁에 대해 토론하며 불교인의 자각을 촉구하였다.

일제의 경술병탄庚戌倂呑, 1910. 8. 28이 이루어진 직후인 10월 무렵에 당시 해인사 주지이자 대한불교계 원종圓宗, 1908의 종정이던 회광 사선晦光 師璿, 1862~1933이 일본 조동종의 관장 이시카와 쇼오도石川 素童를 만나 단독으로 7개항의 연합조약을 맺었다. 이에 영호는 1911년 1월에 진응 혜찬震應 慧燦, 1873~1941, 용운 봉완, 성월 일전性月 一全, 1866~1943, 종래鍾來, ?~?, 구하 천보九河 天輔, 1872~1965 등과 함께 전라도와 경상도의 승려들을 순천 송광사에 모아 승려대회를 주도하여 한일불교의 연합을 부정하고 한국불교의 전통이 임제종임을 밝히며 이를 저지하였다. 이어 그는 동지들과 함께 임제종을 세운1911 뒤 한국불교의 독자성을 견지하려고 심혈을 기울였다.

영호는 1913년에 『조선불교월보』를 인수하여 불교 월간지인 『해동불보』로 제호를 바꾸고 발행인사장이 되어 『해동불보』 1호를 간행하였다. 그는 이 잡지에다 불교의 포교방법에 대한 논설을 기고하면서 불교유신을 제창하고 불교인의 성찰을 독려하였다. 영호는 1914년 4월 30일에는 본산연합주지회의소에서 사교과와 대교과의 학인을 모집하였고, 7월에는 고등불교강숙의 교육을 총괄하였다. 그리고 10월에는 경성 불교고등강습회 회장 겸 강사를 맡았다.

석전 영호대종사 | 한국불교의 초석을 세우다

같은 해에 명진학교를 이은 불교고등강숙이 설립되자 영호는 숙사塾師를 맡으며 본격적인 교육불사에 투신하였다. 그는 불교고등강숙을 이은 불교중앙학림의 불학강사로 청빙請聘, 1915 받은 뒤 학장으로 선출1919되었다. 영호는 1921년에 발기된 불교유신회 창립총회에서 '의장'으로 선출되었다. 이듬해 동아일보사가 저명인사들에게 '조선에서 가장 급한 일이 무엇인가'를 질문하자 그는 '부자들의 각성을 촉구'하였다. 이것은 당시 조선 부자들의 졸부 근성에 대한 통렬한 질타였다.

이어 영호는 당시 조선불교의 병인을 다섯 가지로 진단하였다. 첫째는 공고貢高이니 당시 승려들이 새로운 문명에 대한 지식 쌓기를 등한시하고 스스로 자족에 빠져 있음을 들었다. 둘째는 나산懶散이니 나태한 습관에 물들고 산만한 일에 흥미를 두는 병을 들었다. 셋째는 위아爲我, 즉 망아이생忘我利生을 모르는 자아중심주의이니 독단과 편견에 잘못 빠져드는 것을 경계하였다. 넷째는 간인慳吝이니 수도자의 실천이 없는 체득의 허구성을 비판하였다. 다섯째는 장졸藏拙이니 이는 자기 단점을 숨기고 장점만 내세우는 것이라고 지적하였다.[*16] 영호의 이러한 지적은 당시 조선불교의 병증에 대한 세밀한 진단서라고 할 수 있다. 그에게 불교의 개혁은 바로 이 병증을 치유하는 것에서 출발해야만 하였다.

1919년 4월 2일에 석전石顚은 지암 종욱智庵 鍾郁, 1884~1969 등과 함께 인천 만국공원에서 개최된 국민대회에 불교계의 대표로 한성임시

....
[*16]　林漢永, 「佛敎講師와 頂門一針」, 『朝鮮佛敎月報』 제9호 (조선불교월보사, 1912. 10).

정부 발족에 참여했다. 이어 그는 15명과 함께 대표로 참여하여 불교유신을 위한 건백서를 총독부에 제출 건백서를 불교유신회 15명과 함께 대표로 참여하여 제출하였다. 1922년 5월 29일에 중앙학림이 휴교하면서 영호는 학장에서 물러났다. 1923년에 불교유신회에서 영호 등 7명의 위원에게 사찰령 철폐에 대해 총독부에 질의하기로 결정하였다. 1924년에 그는 백용성과 함께 『불일佛日』지 편집인이 되어 통권 2호를 발간하였다. 1925년에 영호는 조선불교회로부터 조선불서간행회의 대교사大敎師로 위촉을 받았다.

1929년에 그는 조선불교선교양종에서 7인의 교정[*17] 중 한 사람으로 추대되었다. 1933년 4월 29일에 열린 일본 왕 히로히토[裕仁] 생일을 축하하는 천장절天長節 경축식에서 영호는 "아 아 그란디… 오늘이 바로 일본 천황 생일이래여, 그러니 잘들 쉬여"라고 단 10초만의 경축사를 하였다. 이후 그는 중앙불교전문학교 교장1932. 11. 1~1938. 11. 24을 맡아 헌신한 뒤 69세 때1938에 사임하고, 71세 때1940에는 혜화전문학교 명예교수조차 사임하고 구암사로 내려갔다. 1945년에 영호는 징병과 징용으로 대원암 불교전문강원을 유지할 수 없게 되자 운허 용하와 운성 승희에게 전강傳講을 하고 폐쇄하였다. 1945년 초에 그는 정읍에서 만년을 보내고자 내장사로 자리를 옮겨 상좌 매곡梅谷에게 "여기서 세상을 뜨려고 왔네"라고 말하였다.

이 해 8월 15일에 해방이 되자 영호는 조선불교의 첫 교정으로 추대를 받았다. 그리고 그는 내장사에다 '내장사 역경원'을 설립하고

....
*17   1929년 1월 5일에 열린 조선불교승려대회에서 幻應, 映湖, 漢巖 등 7인의 교정이 추대되었다.

석전 영호대종사 | 한국불교의 초석을 세우다

포광 김영수에게 『불교요의경』을 번역해 간행하게 했다. 1946년 1월 29일에 영호는 해방 직후 첫 삼일절을 맞아 구성된 '기미독립선언기념전국대회준비위원회己未獨立宣言記念全國大會準備委員會'의 부회장직을 맡아 삼일절의 민족정신을 되살리고 계승繼承하는 데 진력을 다했다. 그 뒤 그는 1948년 4월 8일 내장사 벽련암碧蓮庵에서 세수 79세, 법랍 61세로 원적하였다. 이처럼 그는 대한시대1897~ 의 한복판에서 종교계와 교육계 및 정치계와 문화계 등의 주역으로서 평생을 살았다.

Ⅲ. 개운사와 대원암의 불교전문강원 개원과 불전

서울시 성북구 안암동 안암산 기슭에 자리한 개운사는 조선 태조 5년1396에 지금의 자리 옆에 영도사永導寺로 창건되었다. 정조 3년1779에 왕의 후궁인 홍빈洪嬪의 명인원明仁園이 절 옆에 들어서자 인파 축현仁坡 竺鉉이 지금의 자리로 옮기고 개운사開運寺라고 이름을 붙였다. 반면 범해 각안梵海 覺岸이 편찬한 『동사열전東師列傳』1894[18]에는 어린 시절에 이 절의 벽담 도문碧潭 道文의 처소에서 주로 양육되었던 고종이 개운사로 이름을 고쳤다고 하였다. 헌종 11년1845에 인파 축현의 제자인 지봉 우기智峰 祐祈가 산내 암자인 대원암과 칠성암을 창건하였다.[19]

··················
[18] 梵海覺岸, 「東師列傳」(「韓佛傳」 제10책).
[19] 權相老, 「韓國寺刹全書」(동국대 출판부, 1979).

대한시대에 이르러 영호가 주석하면서 개운사와 대원암은 동양문화 집담의 '살롱'이자 새로운 '학교'특히 고등연구반였다. 그는 박람강기의 대표적 학승으로서 서구의 신지식 내지 사회사상의 이해와 유교, 도교, 기독교 등 동서사상에도 막힘이 없었다.[20] 영호는 불교계 혁신과 교육에 대한 열정으로 중앙학림의 휴교 이후 총무원에서 운영하던 불교학원1922. 9~1928. 2과는 별도로 도성 인근에 전통강원의 형식을 재현하고자 하였다. 1926년 10월 26일에 영호는 도성 가까운 이곳 안암동 개운사와 대원암大圓庵에서 치문-사집-사교-대교반으로 이루어진 불교전문강원을 개설하고 강주로서 주석하면서 불교계 안팎의 수많은 후학들을 길러 냈다.

당시 개운사 강원에서 수학한 영호의 전강제자인 운성은 다음과 같이 증언하고 있다.

> 3년 간 강원을 계속하다가 기사년(1929) 3월에 대원암으로 옮겼다. 대원암 강원은 불교연구원이라고 하였다. 그래서 『화엄경』을 위주로 하여 『전등록』과 『염송』도 강의하였으며, 학인들은 대개 일대시교를 마쳤거나 강사를 지내던 분들이 모였다. 말하자면 연구반이 셈인데 거기에는 두 부류의 학인들이 모였던 것으로 기억한다. 하나는 석전스님의 높은 학력을 사모하고 그 문하에서 배웠다는 긍지를 갖고 싶었던 사람이며, 또 한편에는 고등연구반에서 교학을 탁마하기 위해서 모였다.
>
> 그런 만큼 학인들은 그 기초 소양이 다양했고 제각기 독특한 전문 분야를 가진 사람이 많았다. 한학에 깊은 조예가 있다든가 시문에 일가견이 있다든가 현대문학에 소양이 있는가 하면 법률학 · 정치학 · 철학

* * * * * * * * * * * * * * * * * * *
*20   朴漢永, 「佛光圓編은 未來에 當觀」, 『조선불교월보』.

석전 영호대종사 | 한국불교의 초석을 세우다

방면에 제각기 주견을 가진 사람들이 모여 있었던 것이다. 그 당시 대원
암과 칠성암으로 나뉘어 거처하면서 한 방에 무릎이 서로 닿을 만큼 좁
게 모여 앉아 열렬히 토론하였다. 대개 80~100여 명이 지냈으니 한 방
에 10여명이 함께 지냈던 것이다. 아침 쇳송鍾誦하고 예불하면 모두 입
선한다. 아침 공양하고 그리고 조실스님께 문강한다. (……)

그런데 저때에는 스님들 학인 외에도 재가거사들이 강석을 함께 하
였다. 조실스님의 학덕을 기려 준수한 청년들이 또한 모여들었다. 지금
기억에 남는 이름으로는 김형태, 김동리, 이봉구, 서정주, 이종율 등 그
밖에 또 있었는데 이종율씨는 소식을 모르는지 오래다. 한때 범어서 승
적이 있었고 영어에 능숙하고 중앙불전에 학적을 두고 있었다.[*21]

운성은 처음 개운사 강원에서 시작하여 3년 뒤에 대원암으로 옮
긴 것, 대원암 불교강원의 교과과정과 참가인원, 거처숙소와 재가거
사들의 면면까지 다양한 사실을 알려주고 있다. 당시 이곳은 인문학,
동양학, 불교학에 기반한 불도유 삼교, 문사철 삼학 방면에 관심이
깊은 이들이 모여 영호서전를 구심으로 하여 하나의 학통을 이루었음
을 알 수 있다. 특히 이곳에 모여들었던 재가거사들의 면모는 당시
개운사 대원암 불교강원이 중앙학림의 휴교 이후 총무원의 불교학원
과 별도로 이루어진 또 하나의 불교학교였음을 시사해 주고 있다.

우리 스님에게는 세속의 명사들이 많이 출입하였고 저들이 스님을
존경하였거니와 스님도 잘 대해 주셨다. 당시 재주 있기로는 3사람이라
고 일컬었던 정인보(鄭寅普)씨, 최남선(崔南善)씨, 이광수(李光洙)씨
등은 1주일(에)도 몇 번씩 찾아올 때도 있었다. 그밖에도 기억에 남는

....
*21 雲聖, 「노사의 學人 시절: 우리 스님 石顚 朴漢永스님 - 50년 전의 大圓講院」, 『불광』 제83호, 1981. 9, pp.
      58~60.

분은 안재홍(安在鴻)씨, 홍명희(洪命憙)씨 등 당당한 명사들도 있지만 그 밖에 각 분야 사람들이 많이도 찾아왔다. 언론계, 예술계, 학계는 물론 일본인도 있었다. 일본인 가운데 제일 많이 찾아온 사람은 불교학자 다까하시 도오루[高橋亨]와 총독부 고등탐정이었던 나까무라[中村]가 있다. [*22]

또 운성의 증언은 영호를 존경하여 대원암에 모여들었던 당시 각 분야 저명인사들의 면모들을 알려 주고 있다. 여기에 모인 이들은 당시 3명의 재사로 알려진 정인보鄭寅普, 최남선崔南善, 이광수李光洙등과 안재홍安在鴻, 홍명희洪命憙 등 언론계, 학술계, 학계, 문화계, 불교학자 고교형高橋亨 등의 일본학자와 총독부 고등탐정이었던 나카무라[中村] 등 관료에 이르기까지 광폭의 인물들이었음을 알 수 있다. 영호는 일찍부터 출가자와 재가자를 가리지 않고 함께 지방 여행과 현장답사를 자주 다녔다. 그의 여행은 산천의 탐승에 국한한 것이 아닌, 불도량佛道場 역참을 비롯한 '조선정신朝鮮精神' 탐구의 일환이었던 사실 때문에 그의 선지식을 유감없이 발휘했다. [*23]

우리 스님은 방학 때면 곧잘 여행을 다니셨다. 여행에는 당신 혼자가 아니다. 일행이 많았다. 누구든가 동행하고 싶은 사람은 얼마든지 함께 갔다. 또한 스님이 여행 떠나실 때는 재속 거사들도 대개 함께 했다. 그래서 어떤 때는 일행이 20명 될 때도 있다. 스님과 함께 동행한 거사로는 정인보씨, 홍명희씨, 최남선씨, 안재홍씨 그밖에 예술인 몇 명이

....

[*22] 雲惺, 「노사의 學人 시절: 우리 스님 石顚 朴漢永스님」, 『불광』 제84호(1981. 10), pp.60-61.
[*23] 홍신선, 「朴漢永스님의 인물과 사상」, pp.82-83.

우선 기억에 남는다. 지리산에도 가셨고 금강산에도 가셨다. 금강산에는 나도 두 번 모시고 갔었다. 여행하는 목적지는 대개 산이고 절이다. 산에는 으레 절이 있으니 절이 있는 산으로 여행가는 것이다. (……) 그런데 우리 스님의 여행을 즐기신 이유가 무엇일까? 나는 당신에게 수행의 의미가 있고 배움의 의미가 있고, 동시에 학인들에게 산 교육을 시키기 위한 뜻이 숨어 있다고 생각된다.[*24]

영호의 기행에 합류한 정인보는 방학 때마다 동참한 금강산, 백두산 등의 여행과 답사에 대해 이렇게 회고하였다. "스님을 따라 명승지를 순방하며 산천, 풍토, 인물로부터 농업 · 공업 · 상업과 노래며 소설에 이르기까지 모두 평소에 익힌 바처럼 모르는 것이 없음으로 그 고장 사람들도 말문을 열지 못한다".[*25] 이들의 증언에서 알 수 있는 것처럼 영호가 방학 때면 주변의 인사들 20여 명과 떠난 국토기행은 단순한 유람이나 관광이 아니었다. 그것은 현장의 경험을 통해 식민지 백성들의 간난과 고통을 온몸으로 체험하는 것이었다.

나아가 그것은 '조선심', 혹은 '민족적 자아를 찾고자 한 운동'의 일환이기도 했다. 1920년대 민족주의 문학의 전개와 함께 이들 문사들은 민족의 혼이 과연 무엇인가를 탐구하고자 했다. 그 탐구는 주로 우리의 신화, 전설, 민속, 역사 등 과거 우리 것들을 통해 이뤄졌다. 우리 국토에 대한 순례 역시 이 같은 노력의 일환이며 국망에 대한 응전의 성격도 있었다. 곧 몸인 국가가 없어진 터에 그 영혼정신만이라도 온전히 지켜내야 한다는 신채호 · 박은식 류의 민족주의 사학

....
[*24] 雲惺,「노사의 學人 시절: 우리 스님 石顚 朴漢永스님」,『불광』제85호(1981. 11), pp.62-63.
[*25] 鄭寅普,「石顚스님 行略」,『映湖堂大宗師語錄』(동국출판사, 1988), p.21.

의 논리와도 궤를 같이했기 때문이었다.[*26]

우리 역사에서 신라의 화랑과 고려의 거사들 그리고 조선의 유자들이 이어왔던 명산대찰과 명승지를 순례하던 전통[*27]은 국망國亡이 되면서 한동안 단절되었다. 그러다가 선말 한초에 입국한 외국인 선교사들의 조선 기행문이 간행된 이래 종래의 정신사적 민족사적 기반을 깔고 떠난 국토순례는 영호에 의해 복원되어 널리 확장되었다. 그리하여 그에 의해 주도된 국토순례는 근대 기행수필이란 우리 문학의 한 갈래를 낳았다. 영호의『석림수필』을 비롯하여 육당의『백두산근참기』, 춘원의『금강산유기』등은 이러한 그의 국토순례의 영향 속에서 탄생한 기행문학의 절창이라고 할 수 있다.

1927년 10월 15일에 영호는 개운사 강원 개강 1주년 기념식을 열어 경력보고와 강사 제시提示 안내 및 수업증서를 수여하였다. 1928년 11월 1일에 그는 개운사 불교전문강원 수료식을, 다음날에는 개운사 대원암 강원 낙성식을 거행하였다. 1929년 1월 22일에 영호는 개운사에서 교정 7명 중 유일하게 교정 취임식을 하였다. 이 해 10월 22일에 그는 개운사 강원 제2회 졸업식을 거행하였다.[*28] 영호는 이곳에서 운허 용하耘虛 龍夏, 1892~1980, 운기 성원雲起 性元, 1898~1981, 청담 순호靑潭 淳浩, 1902~1971, 운성 승희雲惺 昇熙, 1908~1995, 일붕 서경보一鵬 徐京保, 1914~1996, 철기 조종현鐵驥 趙宗玄, 1906~1989, 석정 신석정夕汀 辛錫正, 1907~1974, 미당 서정주未堂 徐廷柱, 1915~2000 등 이 나라 동양학계의 석학

....

[*26] 홍신선,「朴漢永스님의 인물과 사상」, p.87.
[*27] 高榮燮,「금강산의 불교신앙과 수행전통」,『보조사상』제34호 (보조사상연구원, 2010).
[*28] 『弘法友』제1집(1938. 3), p.73. 1937년 정축년에는 사미과 3명, 사교과 16명, 수의과 7명이 있었다고 적고 있다.

석전 영호대종사 | 한국불교의 초석을 세우다

들을 길러 내거나 큰 영향을 주었다.[*29]

> 이즈음 만 열아홉 살(1933)이었던 미당은 중학 선배이자 친구인 裵想基
> 의 주선으로 당시 조선불교 敎正이었던 石顚 朴漢永(1870~1948)을 동
> 대문 밖 開運寺 大圓庵에서 만나 머리를 깎고 한동안 '소년거사'로서 그
> 곳에 머물며 『능엄경』 한 질을 배웠다.[*30] 그가 배운 『능엄경』은 '여래의
> 밀인'과 '보살의 만행'을 설하는 경전이었다. 그의 추천에 의해 이루어진
> 중앙불전 입학 이후 미당은 일학년 일학기를 비교적 열심히 다녔으나
> 이후 '시의 조직의 세계에 몰입해 가면서 학교를 아주 나가지 않고'[*31]
> 불교의 인연설과 연기설에 깊이 훈습되었다. 이후 그는 윤회전생설과
> 삼세인과론의 그물로 자신의 시적 세계를 구축하기 시작하였다.[*32]

미당 서정주는 영호의 추천에 의해 중앙불전과 인연을 맺어 훗날
동대 교수와 명예교수 및 종신교수가 되어 임종까지 문명文名을 드날
렸다. 그는 여기에서 불교의 주요 경론을 섭렵하였고 그의 작품에 나
타난 불교적 상상력은 대부분 젊은 시절 개운사 대원암에 드나들며
배운 것이었다. 그런데 영호石顚에게 큰 영향을 받은 이는 서정주만
이 아니었다. 시인이었던 조종현은 원효종 종정을 역임하였고, 신석

....
[*29] 爲堂 鄭寅普, 六堂 崔南善, 春園 李光洙, 碧園 洪命憙, 包光 金映遂(1884~1967), 放隱 成樂熏(1911~1977)
      등도 映湖堂의 가르침을 받은 것으로 알려져 있다.
[*30] 徐廷柱, 「단발령」; 「내 뼈를 덥혀준 석전스님」, 『미당자서전』 2 (민음사, 1994), pp.9-42. 미당은 開運寺 大圓庵
      에 머물며 "문필만 가지고만은 먹고 살 수 없는 내게 대학훈장의 급료를 보내 살게 하는 길을 미리 준비해 놓
      아준 것이다"라며 '그가 직시하고 있는 永遠經營'에 '뼛속이 따스함을 느낀다'고 표현할 정도로 석전에게 깊은
      영향을 받았다. 미당은 "철에서 石顚 스님이 좋아 불경을 읽고 있기는 했지만 한 불교신도가 되기에는 나는 아
      직도 〈정리하지 못한 여러 가지 것과 도달하지 못한 여러 가지 것〉을 가지고 있었다"며 '고난에 대한 번민'이
      있었다. 그가 "이미 소년시절의 그 무작정한 번민심 때문에 한때 사회주의에도 감염되었다가 탈피해서 니체와
      그리스 신화의 神性의 분위기에도 상당히 또 젖어 있었던 나로서는 그리스 신화적 그 육감과 혈기라는 것은
      여간한 매력이 아니었다. 그리고 나는 아직도 이것을 불교의 그 넓은 세계 속에 내포하여 安閑할 만한 실력도
      되지 못했고, 또 그 나이도 아니었던 것이다"라고 고백하고 있는 대목에도 잘 나타나 있다.
[*31] 徐廷柱, 『미당자서전』 2, p.45.
[*32] 高榮燮, 「서정주시의 불교 훈습」, 『불교학보』 제63집 (불교문화연구원, 2012. 12).

정은 전북대 국문과 교수로서 호남문단을 주도하였다.

지훈 조동탁은 영호가 확립해 놓은 중앙불전의 학풍을 이은 혜화전문을 졸업하고 정지용의 『문장』지 추천으로 문단에 등단하였다. 혜화전문과 불교계와의 인연으로 당시 그는 약관을 갓 넘긴 나이에도 불구하고 월정사의 외래강사를 역임하기도 하였다. 그 뒤 지훈은 고려대학교 국문학과 교수로서 민족문화연구소를 개소하여 국학 연구와 4·19 이후 국내 지성계를 주도하였다. 이처럼 영호가 주도한 개운사 불교전문강원[*33]은 불교중앙학림의 휴교 이후 총무원의 불교학원과는 별도로 유지된 불교학교였다.

당시 개운사와 대원암 불교전문강원은 영호당을 중심으로 하는 새로운 불교학교였다.[*34] 하지만 총무원의 불교학원이 불교전수학교로 복원된 뒤 중앙불교전문학교로 승격된 이후에 대원암 불교전문강원은 중앙불전과 긴밀하게 연계되고 있었다.

Ⅳ. 중앙불교전문학교의 승격과 학풍

명진학교의 가장 큰 특색은 승려에게 속학俗學, 즉 신학문을 교육하

....

[*33] 개운사 대원암의 강학전통은 후대에 呑虛 宅成(1913~1983)이 주석하면서 이어갔으며 중앙승가대학교 (1979~)가 개운사에 터전을 마련하는 계기가 되었다.

[*34] 조선불교학인연맹, 『回光』 제2호, 국회전자도서관 보존. 개운사 불교강원을 중심으로 전국 8개 강원이 참여하여 결성한 조선불교학인연맹은 영호당의 영향을 받은 청담 등 젊은 승려들이 '조선의 구제'를 위해 학인들이 마땅히 나서야 한다며 『回光』이란 잡지를 창간(1928)하였고 2호까지 간행(1932)하였다.

는 데에 역점을 둔 것이었다. 반면 중앙불전의 가장 큰 특색은 재가자에게 입학을 허가하여 출·재가자가 함께 공부하는 전기를 연 것이었다. 그런데 명진학교의 개교 이래 식민지 시절의 중앙불교전문학교는 몇 차례의 동맹휴학과 휴교 및 폐교의 역사를 밟아 왔다.

첫 번째는 명진학교 당시1910 전국 72개 사찰의 위임장을 가지고 원종 종무원을 대표하는 (이)회광(사선)이 일본 조동종과의 연합체결을 승낙한 사건에 대한 조선불교계 내의 저항과 반발로 인한 자주적 중흥운동으로 빚어진 불가피한 휴교였다. 두 번째는 불교고등강숙 당시 조선총독부의 대한불교 침투정책에 굴복한 기성 보수승려들의 직권으로 인한 강제 폐교였다. 세 번째는 중앙학림 당시 '전문학교 승격'에 대한 요구를 조건으로 한 동맹휴학이었다. 네 번째는 조선총독부의 강제폐쇄 조치로 자행된 중앙학림의 장기휴교였다. 다섯 번째는 불교전수학교 당시 전문학교로의 승격 요구를 위한 동맹휴학이었다. 이러한 동맹휴학과 휴교 및 폐교를 거듭하면서 '중앙불전' 즉 '중전'은 '전문학교' 승격이 늦어졌다.

당시 중앙학림의 강제휴교는 오히려 전문학교 승격에 대한 불교계 전체의 열망을 고조시키는 촉매가 되었다. 재단은 법인을 설립하고1922, 불교전문학교 설립 원칙을 제정1925하였으며, 교지를 확보하고1925, 교사 신축을 완공1927하는 등 총독부의 전문학교 설립 요건을 완비한 뒤 전문학교 인가 요구안을 다시 제출하였다. 하지만 총독부는 또다시 전문학교의 승격 청원을 기각하고 '전수학교'라는 중등과정 수준의 인가만을 허용했다. 총독부는 "중앙학림이 3·1운동을 전후해서 항일투사의 온상이었던 점"과 "불교계에 필요한 인재 즉 포교사의 양성이 목적이므로 구태여 전문학교로 할 필요가 없다"는 이유를 내세워 불허 방침을 고수하였다.

그런데 일본 군국주의는 식민지국 통치에 입각한 '국민'의 재구성 과정에서 '종교'와 '교육'의 양대 축을 절절히 활용하였다. 일본 군국주의는 반도 침투의 도구로서 일본불교를 활용했기에 조선<small>대한</small>불교는 다른 종교에 견주어 매우 불리한 상황에 직면해 있었다. 제국의 입장에서 불교는 식민논리의 유연한 주입을 위한 효과적인 방책으로, 조선의 입장에서 불교는 호국정신을 정신적 기조로 하여 식민논리의 부정성을 반증하는 대항기제라는 민족종교로서, 제국·식민의 길항 관계망을 가르고 있었다. 식민통치 내내 조선총독부가 다른 종교계 교육기관에 비해 유독 불교계 고등교육기관의 승인을 유보하고 저지한 이면에는 조선의 전 역사를 통해 민족종교로서 불교계가 보여 준 주체적이고도 적극적인 행보와 조선인들의 사유와 실천의 정신적 근거로서의 위상에 대한 정치적인 계산이 전제되었기 때문이다.[35]

하지만 그들이 제시한 두 번째 이유는 1902년에 불교계의 고급 인재 양성을 목적으로 설립한 일본 교토의 용곡龍谷대학이 이미 전문학교로 승격되어 운영되고 있었다는 사실에 준하면 거부를 위한 명분에 불과하다[36]는 사실을 반추해 볼 수 있다. 문제는 첫 번째 이유 즉 '중앙학림이 항일투사의 온상'이라는 점에 있었다. 하지만 불전 학생들의 승격운동이 거듭되고, 당시 언론들 역시 불전 학생들의 동맹휴학을 대대적으로 보도하자 불교계 사학에 대한 총독부 당국

....

[35]   김혜련, 「식민지 고등교육정책과 불교계 근대고등교육기관의 위상: 중앙불교전문학교를 중심으로」, p.254.
[36]   김혜련, 「식민지 고등교육정책과 불교계 근대고등교육기관의 위상: 중앙불교전문학교를 중심으로」, p.254.

석전 영호대종사 | 한국불교의 초석을 세우다

의 부당한 차별을 비판하는 여론이 비등하였다. 총독부 역시 더 이상 '전문학교' 승격을 거부할 명분이 없었다. 결국 중앙불교전문학교는 1930년 4월 7일에 조선총독부로부터 승격 인가를 받았다.

교명에 대해서는 처음에는 지리적으로 서울 도성의 동대문興仁之門과 북대문炤/弘智門 즉 숙정문肅淸/靖門 사이에 있는 弘化門東小門인 혜화문惠化門을 따서 '혜화惠化전문학교'로 하자는 의견도 있었다. 하지만 총독부는 '불교' 두 글자를 넣어야 된다고 강요하였다. 결국 교단은 '혜화전문학교'의 교명을 보류하고 '불교전수학교'를 계승하여 '불교전문학교'로 하였다. 그러나 일본에 '경도京都불교전문학교'가 이미 있었기 때문에 그것과 구별하기 위하여 앞에 '중앙' 두 글자를 붙여 '중앙불교전문학교'로 부르게 되었다. 약칭으로는 '중전' 혹은 '불전'으로 불렸으며 학생 모자에 붙인 교표에는 '중전中專'이라고 표기하였다. 이처럼 중전은 수많은 우여곡절을 겪으며 어렵게 전문학교로 승격될 수 있었다.

명진학교明進學校로부터 중앙학림中央學林이 조선불교朝鮮佛敎의 중앙교육기관中央敎育機關으로서 이십 년간二十年間의 신교육新敎育을 행행하여 온 것이 그것이다. 이 행위行爲의 근저根柢에는 적드라도 "은둔적隱遁的 산중불교山中佛敎로부터 시대時代와 민중民衆을 인식하는 현대적現代的 능화能化의 인재人材를 양성養成하야 자아적自我的 입각立脚을 도두고 나아가 동국불교東國佛敎의 세계적世界的 진전進展으로서 인간문화人間文化에 의의意義있는 공헌貢獻을 수행修行하자"는 인간의 법이적法爾的 충동과 동국승가東國僧伽로서의 의무심義務心이

잠복潛伏하였다 아니할 수 없다.[*37]

　　당시 백산학인白山學人은 명진학교 개교 이래 지난 20여 년의 과정 끝에 탄생한 중앙불전에 대해 '은둔적 산중불교로부터 시대와 민중을 인식하는 현대적 능화의 인재를 양성'하여 '자아적 입각을 돋우고 나아가 동국불교의 세계적 진전으로서 인간문화에 의의 있는 공헌을 수행하자'고 그 의미와 역할을 환기하고 있다. 이러한 '법이적 충동'과 '동국승가로서의 의무심 잠복'이라는 그의 선언은 중앙불교전문학교의 승격을 '조선불교의 신서광新瑞光의 일수一數'로 보면서 '조선에서 민간대학이 생기는 날에는 중전이 제일착으로 승격되어', '동양문화를 대표하는 종합대학'이 되기를 갈망하는 김태흡대은(大隱)의 의식 속에서도 확인할 수 있다. 결국 중앙불전은 그의 말처럼 혜화전문을 거쳐 동국대학과 동국대학교로 나아가면서 조선 제일착의 민간대학과 종합대학이 되었다.

　　거去 4월 7일 부附로 총독부 당국으로부터 중앙불교전문학교의 인가認可 사령장辭令狀이 도당국道當局을 경유經由하여 나왔다. 조선 전토全土의 일만一萬 법려法侶가 갈망하고 보성고보普成高普의 칠백 웅도雄徒가 요청하여 불교전수佛敎專修의 삼백 학도가 갈구하던 불전佛傳의 승격문제昇格問題가 해결되었다. 차此에 대하여 필자는 수무족답手舞足踏의 그 흔희欣喜한 바를 이길 길이 없다. 그러나 일면一面으로는 감개感慨가 무량하다. (……) 시대가 시대이므로 조선불교가 없다면 이己어니와 그

* * * * * * * * * * * * * * * * * * * *
*37　白山學人, 「東國僧伽의 文化史的 任務」, 『佛敎』 제57호 (불교사, 1929), p.6.

석전 영호대종사 ｜ 한국불교의 초석을 세우다

래도 만법려萬法侶가 조선 불교라는 간판을 배부한 이상에 대학은 장차 세운다 하더라도 위선 급한 문제로 불교전문학교佛敎專門學校 일개一個라도 설치하지 아니한다면 도저히 조선불교朝鮮佛敎의 체면을 유지할 수 없다. (……) 그런데 이에 대하여 파천황破天荒의 호성적好成績으로 불기일간不幾日間에 몽상夢想도 하지 못한 중앙불교전문학교中央佛敎專門學校라는 명의名義로 인가가 나린 기상천외奇想天外의 소식을 전傳케 됨은 전혀 불타佛陀의 가호加護와 학교 당국과 교무원敎務院 당국의 수뇌간부首腦幹部의 민첩敏捷한 활동活動과 명철明哲한 이지理智의 사물賜物이라고 볼 수밖에 없다. 필자는 불전佛傳의 승격을 축하하는 동시에 학교측과 교무원측의 제씨諸氏의 노력을 찬하讚賀하여 마지 아니한다. 조선불교朝鮮佛敎 교육의 최고기관最高機關은 이것으로서 첫걸음의 해결을 지은지라 필자筆者는 조선불교의 신서광新曙光의 일수一數로 보려 하거니와 다시 제씨諸氏에게 빌고저 하는 바는 조선에서 민간대학民間大學이 생기는 날에는 우리 중앙불교전문학교가 솔선率先하여 제일착第一着으로 승격되어 동양문화東洋文化를 대표代表하는 종합대학綜合大學이 되도록 노력하여 주기를 갈망하여 마지 아니한다.[*38]

이처럼 김태흡은 중앙불교전문학교의 승격이 "조선불교의 신서광新瑞光의 일수一數"로 보면서 "조선에서 민간대학이 생기는 날에는 중전이 제일착으로 승격되어" "동양문화를 대표하는 종합대학"이 되기를 갈망하고 있다. 그의 말처럼 중앙불전은 혜화전문을 거쳐 동국

....

[*38]　金泰洽, 「朝鮮佛敎의 新曙光」, 「불교」 제71호, 불교사, 1930. 5.

대학과 동국대학교로 나아가면서 조선 제일착의 민간대학과 종합대
학이 되었다.

이러한 인식들은 '불교학 및 동양문학에 관한 전문교육을 실시함
을 목적으로 함'이라는 중앙불교전문학교의 교육목적과도 상통하고
있다. 따라서 동국대학교는 한국의 일개 대학의 의미를 넘어 한국불
교계 나아가 한국의 정신문화와 민족문화를 담지하는 상징성을 지닌
대학으로서 존재해 오고 있다. 그러면 중앙불교전문학교의 상징성을
과시하는 학교의 지휘자 즉 교장은 어떤 이들이었을까?

〈표 1〉 중앙불전 교장 및 학감 등 일람표[*39]

학장	교장	학감	서무주임
초대	宋宗憲 (1930. 4~1931. 5. 2)	金映遂 (包光~1931. 5. 2)	
2대	金映遂 (1931. 5. 2~ , 5, 6~) 교장 및 사무취급	金海隱 (~ 1931. 4. 22)	
	白性郁 (학생들 추대, 5. 12. 동맹휴학)	金敬注 (1931. 6. 1~)	
3대	朴東一 (1932. 4. 19~) 교장 및 사무취급	許永鎬 (1932. 9. 10~)	
	韓龍雲 (신임교장 채용신청서 제출)	許 允 (永鎬, ~1933. 5. 4)	
4대	朴漢永 (1932. 11. 1~1938. 11. 24)	金敬注 (1933. 5. 5~1938. 6. 8)	金敬注
5대	金敬注 (1939. 11. 24~) 교장 및 사무취급	金敬注 학감 및 사무취급	

〈표 1〉에서 볼 수 있는 것처럼 중앙불교전문학교의 교장은 송종
헌, 김영수, 박동일, 박한영, 김경주 등 5명이었다. 이들 중 김영수

••••••••••••••••••••
[*39] 황인규, 「숭정전의 불교사적 의의」, p.212 참조.

석전 영호대종사 | 한국불교의 초석을 세우다

와 박동일은 '임시교장' 혹은 '교장대우'라 할 '사무취급'을 하다가 교장을 역임하였다. 학감사무취급 포함 역시 김영수, 김해은, 김경주, 허영호허윤, 김경주 등 5명이었다. 허윤, 즉 허영호는 학감을 연임하였다. 김경주는 서무주임과 학감 및 사무취급을 겸하다가 교장 및 사무취급으로 취임하였다.

이처럼 한국 불자들의 중전에 대한 기대와 염원에도 불구하고 교장의 잦은 교체와 학감사무취급 포함 및 서무주임 등의 잦은 전직이 이루어졌다. 초대 교장이었던 송종헌宋宗憲, 만암(曼庵)은 1년을 채우자마자 그만두었고 그를 이은 김영수포광(包光)는 임시교장인 사무취급으로 임명되었다가 보름 뒤에 교장으로 취임하였다. 학생들의 추대를 받은 백성욱白性郁은 동맹휴학을 맞아 곧바로 물러났고, 박동일은 중앙불전이자 교우회 종교부장으로 활동하다가 교장 사무취급에 임명되었다. 한용운은 신임교장 채용신청서를 제출했으나 임명되지 못하였다. 이어 영호박한영(朴漢永)가 4대 교장으로 취임하여 학교 발전을 위해 헌신했으나 이듬해에 이르자 학교는 경영난으로 어수선했다. 1933년 1월 16일에 이르러 재단법인 조선불교 중앙교무원 이사회에서 중앙불전의 폐지안이 제출되어 의결키로 하였다. [40]

당시 재단법인 조선불교 중앙교무원이 경영하던 교육기관은 1923년 6월에 인수한 보성고등학교와 중앙불전 두 학교였다. 그런데 교무원 재정 형편상 양교 운영을 도저히 계속할 수가 없어 양자택일의 기로에 서게 되었다. 보성고보에는 재단으로부터 년 1만 원의 보조

....
[40] 동대칠십년사편집위원회, 『동대칠십년사』 (동국대 출판부, 1976), p.45.

가 필요한 데 비하여 중앙불전은 연간 근 2만 원의 보조가 있어야 유지해 나갈 수 있었다. 때문에 보조금이 적은 보성고보는 계속 교무원에서 경영하고 중앙불전은 정리하여 버리자는 것이었다. 그 대신 불교전문강당 하나를 설치하면 경비는 절약되고도 불교교육은 더욱 잘될 것이라는 것이었다.[41]

이에 주객이 전도되고 본말이 뒤바뀐 이 폐지안에 대해 재경 졸업생들[42]의 긴급 심야회의를 비롯하여 교수, 직원, 연석회의 그리고 긴급 학생총회가 잇달아 열려 반대의 포문을 열었다. 이들은 지상에 글[43]을 발표[44]하여 여론을 만들거나 혹은 이사나 평의원을 찾아가 반박과 설득으로 반대운동을 줄기차게 하였다.

첫째, 교무원에서 보성고보를 경영하는 것은 사회사업이지 엄밀한 의미에서의 불교교육사업은 아니지만 중앙불전은 흥학 포교를 내세우고 있는 한국불교의 생명체나 다름없으며 둘째, 교계는 바야흐로 신시대에 맞는 신교육을 받은 동량을 필요로 하는데 재래식 교육인 전문강원 운운은 시대착오도 이만저만이 아니라는 점을 들었다. 당시 교장이었던 영호박한영는 교지인 『일광』에다 「근본교육과 명예사업」이란 글을 발표하여 근본정신을 꾸짖고 있다.[45]

....

[41] 동대칠십년사편집위원회, 『동대칠십년사』, pp.45-46.
[42] 張乙龍, 「二九五八會」 檄文, 『佛敎』 제4호 (불교사, 1933). '이구오팔회'는 중앙불전 1회 졸업생들이 조선불교의 전위가 될 것임을 선서하면서 1931년에 결성한 모임이며 그 해가 불기 2958년이었기에 이름을 그렇게 붙인 것이다.
[43] 權相老, 「菩薩行乎아」, 『一光』 제4호. 朴允進, 朴奉石, 趙明基, 朴易夏 등이 글을 발표하였다.
[44] 江田俊雄, 「佛傳에 대한 非難에 答함」, 『일광』 4호. "中央佛專은 조선 불교 興廢를 決할만한 唯一의 기관"이라며 현 불교 교무원 이사회의 결의에 대해 "驚愕할 일이며 奇怪한 일"이고, "얼마나 冷笑할 일이며, 自殺的 行爲이냐"고 痛駁하고 있다.
[45] 朴漢永, 「根本敎育과 名譽事業」, 『一光』 제4호 (중앙불교전문학교 학생회, 1933).

(전략) 연즉然則 중앙교무원 재단법인은 우리 불교내佛敎內에 흥학興學 포교布敎로 주안主案되는 중에 진실眞實의 중심은 불전교佛專敎를 완성完成 차확장且擴張하라는 것이다. 무엇 때문에 천백년 이래에 조선에 구백사찰九百寺刹 소유재산所有財産을 반분半分하여 근본교육인 불전교佛專敎를 힘쓰지 않는고. 다른 명예를 모의模議 주장한다함은 무삼 필연의 내용이 복재伏在인지는 부지不知로되 석전사문石顚沙門도 중앙학림中央學林 이래로 중앙교무원 재단법인의 발기자發起者의 1인으로서 그 재단을 주장할 시에 중앙학림을 아못쪼록 승격昇格하야 불완전하나마 지금까지 중앙교무원이 성립되어 오는 것이다. 만일 불전교佛專敎의 근본교육에 휴이携異한다하면 근본정신根本精神을 망각忘却하는 동시에 조선불교까지를 배탈背脫하는 것이다.[*46]

이처럼 영호는 "전국의 9백여 사찰의 소유재산을 반분하여 근본교육인 불전교에 힘쓰지 않고 중전의 근본교육을 훼손하는 것은 근본정신을 망각하는 것일 뿐만 아니라 조선불교까지를 벗어나는 것"이라 일갈하고 있다. 결국 중앙불전은 1934년 3월에 열린 폐지 반대 여론과 비난의 화살이 퍼부어지자 그 해 3월에 열린 정기 평의원 회의에서는 보성고보의 양도를 결정하고[*47] 중앙불전은 교단이 계속 운영하기로 하였다. 이후 중앙불전은 교장으로 취임한 영호박한영에 이르러 어느 정도 안정되었다. 그는 임기 6년 동안 중앙불전의 학풍을 마련하고 비약을 할 수 있는 토대를 마련하였다.

대학의 학풍은 건학이념과 지도정신 즉 교훈에서 살펴볼 수 있

....

*46   朴漢永,「根本敎育과 名譽事業」,「一光」제4호 중앙불교전문학교 학생회, 1933.
*47   보성고보는 1935년 9월 1일에 후임 경영자로 高啓學院(이사장 澗松 全鍪弼)이 결정되자 그곳으로 인계하였다.

다. 중앙불전의 지도정신 즉 교훈은 영호의 교장시절에 확정되었다. 중앙불전의 지도정신은 본교의 설립취지와 정신을 잘 알고 있는 원로급 교수들이 교수회에 내놓은 안 중에서 취택되어 1934년에 결택되었다. 그 안은 박한영 교장안과 권상로 교수안 및 김영수 교수안과 김영담 선생안 그리고 강전준웅 교수안이 제시되었다(〈표 2〉).

〈표 2〉 중앙불교전문학교 지도정신(교훈) 제시안

提示者 案	指導精神(校訓)	비 고
朴漢永校長 案	① 安心立命 (安斯覺性 立斯慧命) ② 遵敎力學 (恪遵敎導 力究素學) ③ 樂易慈和 (正容樂易 應物慈和) ④ 超凡向上 (入俗以超 正路以上)	
權相老先生 案	① 信仰 (奧理玄道 非信難入) ② 善行 (對境接物 擇善而行) ③ 慈悲 (社會民衆 拔苦與樂) ④ 節儉 (防絕奢濫 身爲象範) ⑤ 力學 (宇宙萬有 非學莫知)	
金映遂先生 案	① 信實 (勤勇信心 去浮就實) ② 慈愛 (慈悲善心 互相友愛) ③ 攝心 (攝心修善 以悟爲則) ④ 度世 (救度迷世 非我而誰)	최종 채택안
金映潭先生 案	① 誠信 (至誠發信) ② 力學 (力究慧學) ③ 超脫 (超俗脫塵) ④ 慈悲 (拔苦與樂)	
江田俊雄先生 案	① 信念 ② 誠實 ③ 勤儉 ④ 慈愛	일본인

중앙불전의 지도정신教訓을 확립하기 위해 교수회에서는 불전에 소향燒香 예배禮拜하고 이들 다섯 명이 제시안 중에서 추첨을 통해 의견을 모았다. 결국 추첨을 통해 최종적으로 김영수 교수안인 '섭심, 자애, 신실, 도세'를 중전의 지도정신으로 정하였다. '마음을 깨끗이 가다듬는다'[섭심(攝心)]와 '참되고 미더운 행동을 한다'[신실(信實)]는 자리행自利行과 '대중을 자비로 사랑한다'[자애(慈愛)]와 '중생을 고苦에서 건져낸다'[도세(度世)]는 이타행利他行을 교훈으로 결정하였다. 이렇게 해서 중전의 지도정신 즉 교훈은 이후 혜화전문학교와 동국대학─동국대학교에 이르기까지 지도정신, 즉 교훈이 되었다.

이러한 교훈에 기초하여 정해진 당시 중전 학생들의 학년별 이수 교과목은 아래와 같았다(〈표 3〉).

〈표 3〉 학년별 이수 교과목

교과목	학년	제1학년	수업 시수	제2학년	수업 시수	제3학년	수업 시수
불교학	宗乘	(불조3경) 조계종지	2	(금강경) 조계종지	2	(拈頌) 화엄종지	2
		(기신론) 화엄종지	2	(화엄경) 동상	2	(화엄경) 동상	2
	餘乘	불교개론	2	구사학	2	유식학	2
		각종 강요	2	각종 강요	2	불교서입학	1
			2	인명학	2	불교미술	1
불교사		인도지나불교사	2	조선불교사	2	일본불교사	3
종교학及종교사		조선종교사	1	종교학개론	2		
윤리학及윤리사		국민도덕, 윤리학개론	2, 2	동양윤리사	2	서양윤리사	2

철학及철학사	논리학, 심리학	2, 2	철학개론	2	인도철학사	2
	자연과학개론	1	지나철학사	2	서양철학사	2
교육학及교육사			교육학개론	2	교육사 및 교수법	2
법제 및 경제	법제 및 경제	2				
사회학			사회학개론	2	사회문제及 사회사업	2
한문及조선문학	한문강독	2	조선 문학강독	2	조선 문학강독	2
	조선어학	2	조선문학사	2	조선문학사	2
국어及국문학	국어강독	2	국어강독	2	국문학	2
영어	영어	2	영어	3		
음악	음악	1				
체조	체조	1	체조	1	체조	1
합계		34		33		33

 학년별 이수 교과목은 동서양 인문·사회 및 예체능까지 폭넓게 구성되어 있다. 중전의 지도정신 즉 교훈은 불교정신을 기반으로 한 동양문화를 가르치고 배우려는 목표에 맞추어져 있었다. 학교 측은 학생들에게 교과목을 1학년은 34학점, 2학년과 3학년은 33학점으로 3년간 총 100학점을 이수하도록 하였다. 때문에 월요일에서 토요일에 이르는 교과목 시간표는 매우 다양하게 분포되어 있다. 특히 중앙불교전문학교 제3학년생의 수업시간표는 아래와 같다.

〈표 4〉 중(앙불교)전(문학교) 제3학년 수업日課表

시간 / 요일	월	화	수	목	금	토
제1시	英語	因明	敎授	支哲	朝文	日佛
제2시	英語	社槪	敎授	因明	國文	華嚴
제3시	西倫	社槪	日佛	支哲	國文	西倫
제4시	東倫	華嚴	體操	印哲	東倫	
제5시	曹溪	佛美	社事	敎槪	曹溪	
제6시	印哲	敎史	社事	敎槪	朝文	

위 교과목의 몇몇 약칭을 풀어보면 대개 아래와 같다. 사개는 사
회학개론, 사사는 사회사업, 서윤은 서양윤리, 동윤은 동양윤리, 교
수는 교수법, 교사는 교육사, 교개는 교육학개론, 불미는 불교미술,
일불은 일본불교사, 지철은 지나철학사, 인철은 인도철학, 인명은
불교논리학, 조문은 조선문학사, 국문은 국문학, 조계는 조계종지금
강경였다. 일과표에는 인문학 중 동양학 한국학의 핵심들을 섭렵할
수 있는 교과목들이 눈에 띄고 있다. 당시 중전 학생들을 가르치고
연구를 했던 선학들의 담임과목은 아래와 같다.

졸업을 앞둔 중전 3학년생들은 조선문학사, 일본문학사, 영어 등
의 어문학, 서양윤리, 동양윤리, 인도철학, 불교논리학, 지나철학 등
의 철학윤리학, 화엄학, 일본불교사 등의 불교역사철학, 사회학개
론, 사회사업, 교육학개론, 교수법 등의 사회과학, 불교미술과 체조
등의 예체능까지 폭넓게 이수하면서 불교학과 동양문화를 깊이 훈습
할 수 있었다. 그리고 이러한 교과과정을 담당하던 중앙불교전문학
교의 교수진은 사계의 최고 학자들로 진용이 갖추어져 있었다.

<표 5> 중앙불교전문학교 교수진

담임과목	직명		담당자
조계종지, 지나불교사, 국민도덕	학교장사무취급	教授	金敬注
조계종지, 계율학	名譽	教授	朴漢永
밀교학, 일본불교사, 인도철학사 國語	教授	文學士	江田俊雄
조계종지 구사학, 유식학, 기신학,	教授		金映遂
윤리학개론, 서양윤리사, 윤리학, 철학개론, 종교학개론, 서양철학사	教授	문학사	金斗憲
영어	教授	문학사	鄭騈謨
조선문학강독, 조선종교사, 조선문학사, 한문강독, 조선불교사, 지나문학사	教授	문학사	權相老
화엄학, 지나철학사, 불교개론, 천태학, 정토학	教授	문학사	金芿石
심리학, 교육사, 세계종교사, 종교학개론, 사회사업	教授	문학사	朴允進
삼론학, 포교법, 인도불교사	專任講師	문학사	姜裕文
사회개론, 사회문제	講師	城大敎授	秋葉隆
음악	講師		李鍾泰
조선유교사	講師		李丙燾
교육학개어	講師	城大敎授	松月秀雄
교수법	講師	文學士	三田訓治
체조	講師		朴成熙
국어, 국문학사, 문학개론	講師	文學士	李有服
조선어	講師	文學士	柳應浩
법학통론, 경제원론	講師	文學士	李東華
불전개론	講師	文學士	趙明基
	事務員		金海潤
	事務員		金相烈
	校醫	의학박사	任明宰

먼저 불교학을 필두로 하면서도 점차 인문학 전반으로 시야를 넓혀 교장이자 사무취급을 겸한 김경주와 명예교수인 박한영, 전임강사 즉 교수인 강전준웅江田俊雄, 권상로, 박윤진, 김두헌, 정준모, 이병도, 이동화, 조명기 등의 학자들이 수업을 진행하였다. 이들 이외에도 송종헌, 박동일, 배상하, 뢰미정정瀨尾靜政, 서원출, 최봉수, 김잉석, 박찬범, 성락서, 고교형高橋亨, 조용욱, 암기계생岩崎繼生, 시촌수지市村秀志, 백중규, 김현준, 안호상, 최남선, 윤행중, 최응관, 박성권, 조학유, 최학연, 김재봉, 변영만, 말영융정末永隆定, 천야이무天野利武, 한기준, 백윤화, 석천건삼石川健三, 이상준, 적송지성赤松智城, 김종무, 조윤제, 이재욱, 이능화, 김문경, 이희상, 안배능성安倍能成, 함병업, 박승빈, 김태흡, 허윤영호, 유이청, 문녹선文祿善, 한영석, 김두영 등의 석학들이 강의를 도맡고 있었다.

이처럼 영호가 주도하였던 중앙불전은 우수한 교수진을 초빙하고 명민한 학생들을 불러들여 한국을 대표하는 인문대학으로 확고하게 자리매김하였다. 학생들은 이들 석학들의 강의를 통하여 전인교육을 받을 수 있었다. 그 결과 수많은 문인과 학자 및 예술가와 문화인들이 배출될 수 있었다.

V. 영호 정호의 사고방식

영호는 그의 시호인 '돌이마' 즉 '석전石顚'과 그의 시집과 문집과 수필집의 관사인 '석림石林'처럼 '돌과 같이' 굳세고 투철한 교학의 가풍을 견지해 왔다. 즉 '돌이마'와 같은 군건한 지계持戒의 기반 위에서 그의 법호인 '비치는 호수[영호(映湖)]'와 같이 깊고도 그윽한 선지禪旨의 정신을 담지하여 왔다. 때문에 불도유의 삼교와 선교율의 삼학에 막힘이 없었던 영호에 대한 당대 혹은 후대의 평가는 인색하지 않았다. 강사 시절부터 그는 선암사의 금봉錦峯과 화엄사의 진응震應과 함께 조선불교 삼대 강백으로 추앙받았다. 이들 중에서도 영호는 강설로나 한시문으로나 계율로나 단연 으뜸이었다고 평가를 받았다. 그리하여 그는 "경사자집經史子集과 노장老莊 학설을 두루 섭렵하고 서법書法까지도 겸통한 대고승"[48]으로 자리매김하였다.

영호는 조선불교의 주체의식에 대한 깊은 사색이 있었다. 특히 조선사학이 연구되지 않는 것은 중국에 대한 사대주의로부터 온다고 하였다. 영호가 조선불교사를 보며 느꼈던 세 가지 문제는 첫째, 조선불교의 탁월함에 대한 기록이 없다. 둘째, 가락국과 금강산이 인도에서 직접 들여온 조선불법의 연원지여서 중국 효명제孝明帝 때보다 먼저임에도 실제 기록으로 전하는 바가 없어 겨우 소수림왕 때 불교가 들어왔다. 셋째, 1,000년을 단위로 보는 보통 사학의 성질과 달리 출세간법인 불교사학 역시 기사記事, 기언記言, 기물記物 그 자체인 금석학, 미술학 등 불교사의 자료가 될 만한 것은 모두 모아 연구해야 한다고 하였다.[49]

이러한 영호의 주체의식은 같은 의식을 가진 이들과의 교유로 이어졌다. 그는 시서화 대가들이 참여하는 동인인 '산벽시사山碧詩社'[*50]를 오세창, 김기우, 최남선, 김노석 등과 주도하면서 우리 전통문화에 대한 남다른 안목을 열어 보였다. 전통문화에 대한 영호의 깊은 인식은 그대로 한시로 형상화되어 나타났다. 해서 정인보는 「석전산인소전石顚山人小傳」에서 "그의 시의 됨됨은 시사가 보통이 아니고 홀로 그윽하고 오묘해서 그의 높깊은 작품은 곧바로 고인의 작품에 맞먹는다"[*51]고 하였다. 영호 시작詩作의 원천은 남다른 기행벽癖에 있었다. 그는 위로는 백두산에 이르렀고 동으로는 금강산에 올랐으며 아래로는 한라산에 두루 오르내렸다.[*52]

이 과정에서 영호는 수많은 기행시를 남겼다. 그의 『석림수필』과 『석전시초』에 수록된 글에는 시와 선의 경계를 하나로 보려는 글들이 많다. 특히 영호는 자연의 소리인 천뢰天籟를 중시하고 있는 시들이 적지 않으며 이를 형상화한 시들 대부분이 기행시로 이루어져 있다.[*53] 그의 백두산 기행의 결집으로 평가받는 「등백두정부감천지登白頭頂俯瞰天池」7언 46구에는 장엄한 성산 앞에서 하염없이 볼모가 된 그의 절창이 잘 드러나 있다.

비바람 불어싸도 나는 조바서

....
[*50] 고재석, 「석전 박한영의 詩選一揆論과 그 문학사적 의의」, p.124. 당시 이 '山碧詩社'에 동참한 동인들은 영호 (석전), 오세창, 김기우, 최남선, 김노석, 우당 尹喜求(1867~926), 우향 丁大有(1852~1927), 관재 이도영 (1885~1933), 성당 김돈희(1871~1927), 춘곡 高羲東(1886~1965), 석정 安鍾元(1874~1937) 등의 시서화 대가들 16명이 동참하였다.
[*51] 鄭寅普, 「石顚山人小傳」.
[*52] 백두산과 압록강, 묘향산과 금강산 및 지리산과 내장산, 제주도와 한라산 등을 오르내릴 때는 주로 六堂 崔南善, 嘉藍 李秉岐, 春園 李光洙 등 문인들과 동행하였다.
[*53] 이종찬, 「石顚 시의 두 갈래」, p.44.

가쁜하게 백두산 정상에 올라
메뿌리는 바위에 밀려 빼어났고
푸른 안개 하늘에 솟아 떠있네
바위들은 오뚝해서 사자와 같고
물새들은 날고 날아 물이 흐르듯
가렸다 개어지면 거북 서린 듯
귀신이 깎은듯한 벼랑도 근심
날씨가 엉기어서 눈보라 되니
움푹한 물갓을 노려서 본다.
모래톱은 어찌저리 새하야지며
떼를 지은 사슴은 유유히 운다.
아침 햇살 우리 땅을 밝히지만은
만주의 가을바람 서늘히 분다.
阿閦佛 나라같이 탈이 없지만
한번 보고 다시 보기 어려움구나
게다가 하늘은 불그레하니
뉘라서 함부로 바라를 보랴.
말로서 돌아본 북산의 역사
자고로 몇 사람이 근심을 했나
천하가 힐란하며 서로 다툴 때
천손은 길이길이 우직만 했다.
골짝의 능선들은 평지 같은데
함부로 도랑 나눠 다투었었다.
楚나라 삼려대부 구성진 屈原
대에 올라 비웃은 공자의 모습
아슬하다 천길로 높이 솟아나
온갖 뜻 벗어나니 조촐하구나.
싸락눈 흩날리어 무지개되고

높은 터전 북두에 가까웁구나.
겉과 속은 맑게 씻겨 달처럼 차서
삽상한 가을바람 갖옷 스친다.
천지가 꾸밈없는 태고 그대로
뭉게구름 붉고 푸른 파도로 변해
지난날 姜瑋의 시 더듬어 보니
누비옷 벗는대도 기상 못 따라
추위의 울부짖음 간신히 참고
혼자서 그윽함을 읊조리었다.
내 행색 멀리왔음 안쓰러워서
그대를 기울여서 옷깃 여민다.
사립 열고 준마를 휘몰아가서
지팡이와 물병 갖고 빈 배를 탔다.
비가 개자 좋은 경치 실컷 맛보고
산과 강을 두루 본 듯 여겨지누나.
곱은 손 녹이면서 돛대 휘모니
거침없는 갈매기들 아예 부럽다.[*54]

영호가 백두산 꼭대기에 올라 천지를 내려다보며 쓴 이 시에는
장엄한 성산에 대한 붓의 춤사위가 사뭇 장대하다. 비록 그가 준마를
휘몰고 산과 강을 두루 보고 빈 배를 타며 돛대를 휘몰아 가지만 거
침없이 풍경을 맛보는 갈매기가 부럽기만 하다. 이어 영호는 두 번째
금강산에 올라 걸림 없는 자유인의 면모를 보여 주고 있다.

··················

*54 朴漢永, 「登白頭頂俯瞰天池」, 『石顚詩抄』上, "風雨吹吾急, 輕輕上白頭, 岡崟觸石拔, 滄溟騰空浮 (……) 駊騀奮
開華, 杖瓶虛寄舟, 風光鏡穩蒼, 汀嶂擬巡周, 呵凍催旋旆, 深羞浩蕩鷗."

신선도 부처도 하느님도 아니건만

하이얀 봉우리에 어리는 보라아롱이

뉘라서 여기 올라 붓을 던졌단 말가

분명히 온몸에 감도는 시요 선인데.[*55]

영호는 이 작품에서 시와 선이 둘이 아님을 밝히고 있다. 그는 장엄한 대자연 앞에서 더 이상 붓을 던질 수 없음을 토로하고 있다. 그리하여 영호는 자연 그대로가 시요 선임을 선언하고 있다. 그는 70세 1940 되던 어느 날 자술의 장편시를 통해 자신의 행장을 적어 「희조자술구장稀朝自述九章」이라 하였다. 이러한 영호의 가풍에 대해 제자는 이렇게 적고 있다.

> 스승은 계행이 엄격하고 곧았으며 단월들의 시주를 받지 않았고 음악과 여색은 생각하지도 않았다. 이것은 청량국사淸凉國師가 말한 것처럼 발로는 비구니 사찰의 흙을 밟지 않았으며, 옆으로 거사와 함께 하지 않은 이는 바로 스승을 일컫는 것이다.[*56]

영호는 지계를 더욱 엄격히 하여 만년에는 서울과 교외 사이에 머물며 속세에 드나들면서도 발자취가 조용하여 남들에게 누漏가 되는 일이 없는 엄격한 삶을 살았다.

> 상인上人은 지계持戒를 더욱 엄격히 하고 만년에는 서울과 교외 사이에 머물며 속세에 드나들었지만 발자취는 조용하여 일찍이 누累가 되

....

*55　朴漢永, 「歇星臺」, 「石顚詩抄」 上, "非仙非佛又非天, 巖嶂皚皚卿卿紫煙, 雖道登斯閑擱筆, 通身宛爾入詩禪."
*56　成樂薰, 「華嚴宗主映湖堂大宗師浮屠碑銘幷書」.

석전 영호대종사 │ 한국불교의 초석을 세우다

는 일이 없었다.[57]

　중앙불전 교장과 혜화전문학교 명예교수를 사임한 영호는 만년
에 모든 공적인 일을 내려놓으며 출가자가 지니고 있는 출가정신의
위의를 그대로 보여 주었다. 출가 이후부터 만년에 이르기까지 그의
살림살이와 사고방식은 한결같았다. 때문에 영호가 아끼고 깊이 교
유했던 만해와도 승려들의 결혼에 대한 생각만큼은 함께할 수 없었
다. 반면 만해는 1910년 3월 구한국 정부의 자문기관인 중추원에 「불
교의 장래와 승니의 결혼 문제」라는 헌의서를 제출하였다. 이어 만해
는 이 해 9월 또 「승려 결혼의 자유」에 대해 다시 통감부에다 건백서
를 제출하였다.

　무엇보다도 자주성이 결여되었던 대련 일형大蓮 日馨, 1875~1942과 만
해 용운萬海 龍雲 등의 '승려취처론'에 대해 영호는 보다 근본적인 조치
를 위하기 위해 계율교재 편찬에 착수하였다. 그는 승려들의 계율엄
지戒律嚴持의 사상을 고취시키기 위해 몸소 중앙불교전문학교의 계율
교재로서 『계학약전戒學約詮』을 만들었다. 이것은 왜색불교화되어 가
는 한국불교에 대한 엄중한 꾸지람이었으며 그 정체성에 대한 확인
이었다.[58] 이와 같은 조치는 해방 이후 이승만 대통령의 지시가 발
단이 되어 비구·대처 간 정화운동의 빌미가 되었던 것을 생각할 때
그의 선각자적인 통찰력을 느끼지 않을 수 없게 하는 것이다.[59]

　영호의 이러한 엄격성은 학승이자 율사로서의 그의 살림살이와

* 57　鄭寅普, 「石顚山人小傳」.
* 58　高榮燮, 앞의 글, p.77.
* 59　金曉呑, 앞의 글, p.211.

사고방식을 더욱 더 빛나게 해 주었다. 그가 펼쳐낸 '석전石顚'의 가풍과 '석림石林'의 정신은 불교고등강숙과 불교중앙학림 이래 불교학원 및 불교전수학교와 중앙불교전문학교 그리고 혜화전문학교와 동국대학교에 이르기까지 동대인들의 표층의식과 심층마음에서 면면히 이어오고 있다.

VI. 정리와 맺음

동국대학교1906~2014의 전신이었던 중앙불교전문학교1930~1940는 한국 인문학의 본산이었다. 1930년대 당시부터 불교계의 중앙불전은 기독교계의 연희전문과 천도교계의 보성전문과 함께 한국의 3대 사학으로 널리 알려졌다. 중앙불전의 전통을 이은 혜화전문학교1940~1946는 동국대학교로 이어졌다. 당시 중앙불전의 제4대 학장이었던 영호 정호映湖 鼎鎬, 1870~1948가 불교학과 동양문학에 관한 전문교육을 실시하였던 학풍은 오늘날 대학평가에서 세계 최고의 대학들로 평가받는 하버드-예일-프린스턴 대학을 제치거나 필적하는 미국의 북동부 메사추세츠주에 자리한 작은 대학인 윌리엄스 칼리지Williams College, 1793~ 와 엠허스트 칼리지Amherst College, 1812~ 에 상응하고 있다.

당시 불교학과 동양문학에 관한 전문교육을 실시하기 위해 설립한 중앙불전의 교육목적은 지금도 우리나라 불교교육사의 한 상징을 넘어 한국 인문대학의 지향에 일정한 유효성을 지니고 있다. 더욱이

석전 영호대종사 │ 한국불교의 초석을 세우다

우리 학문의 시대정신인 융합하고 복합하는 지평은 불도유의 삼교와 선교율의 삼학 및 문사철의 삼학에 막힘없던 영호의 가풍에 긴밀하게 부합하고 있다. 그가 펼친 인문적 지성은 명진학교의 강사 이래 불교사범학교-불교고등강숙의 숙장塾長 및 중앙학림의 학장과 중앙불교전문학교의 교장 그리고 혜화전문학교의 명예교수에 이르기까지 동국대학교 반세기 역사의 디딤돌이자 금자탑이 되었다. 그리고 영호의 인문적 지성은 이후 동대 학풍의 기반이 되었다.

영호는 불교계 유일의 대학이었던 중앙학림이 휴교되자 이 과도기에 총무원에서 유지한 불교학원에 상응하는 개운사와 대원암에 불교전문강원를 개원하고 사미-사집-사교-대교-수의과를 통해 선승과 학승들을 길러 내었다. 또 그는 대원암의 집담회를 통해 불교의 현실참여에 대해 깊이 토론하였다. 뿐만 아니라 영호는 많은 논저를 통하여 번역과 저술의 중요성을 강조했으며 동시에 잡지를 인수하여 편집하고 간행하면서 수많은 불교개혁의 논설을 썼다. 나아가 그는 일급 시인이자 인문적 지성으로서 다수의 시와 산문을 남겼다. 이러한 영호의 전방위적 역량에 깊게 영향을 받은 중앙학림과 중앙불전 및 혜화전문과 동국대학교 학생들은 불교학과 문사철학으로 계승해 갔다. 불교교학은 권상로, 김법린, 백성욱, 이석호상순, 정두석, 김동화 황성기, 장원규, 김잉석, 홍정식, 이종익, 이기영, 원의범, 정태혁, 고익진, 김인덕, 목정배, 오형근 등이 이어 나갔다. 불교사학은 조명기, 우정상, 김영태, 이재창 등이 계승해 갔다.

어문학 연구로는 정지용, 김기림, 송요인, 이창배, 백철, 양주동, 조연현, 이병주, 이동림, 김성배, 김기동, 이상보, 장한기, 최세화,

임기중, 홍기삼 등이 이어 나갔다. 시인 작가로는 한용운, 조종현, 신석정, 김달진, 서정주, 조지훈, 이형기, 신경림, 이범선, 이근삼, 황석영, 조정래 등으로 계승해 갔다. 사학으로는 황의돈, 남도영, 이재호, 이영무, 안계현, 이용범, 송준호, 조좌호, 천혜봉 등이 이어 나갔다. 철학으로는 정종, 김용정, 박성배 등이 동서양 사상 전반으로 계승해 갔다. 이처럼 이러한 인문적 지성과 고전적 지식인이 양산될 수 있었던 것은 영호가 터전을 닦고 씨앗을 뿌리며 이끌었던 불교고등강숙–중앙학림–불교학원총무원–불교전수학교–중앙불전–혜화전문의 학풍에서 비롯될 수 있었다. 그 결과 불교학 전통은 불교대학의 '인문지성 가풍'으로 이어졌고, 문학지성의 전통은 문과대학과 예술대학의 '문성文星' 즉 '문예의 성좌'로 이어져 한국의 인문학 발전에 크게 기여하고 있다.

석전 영호대종사 | 한국불교의 초석을 세우다

4장

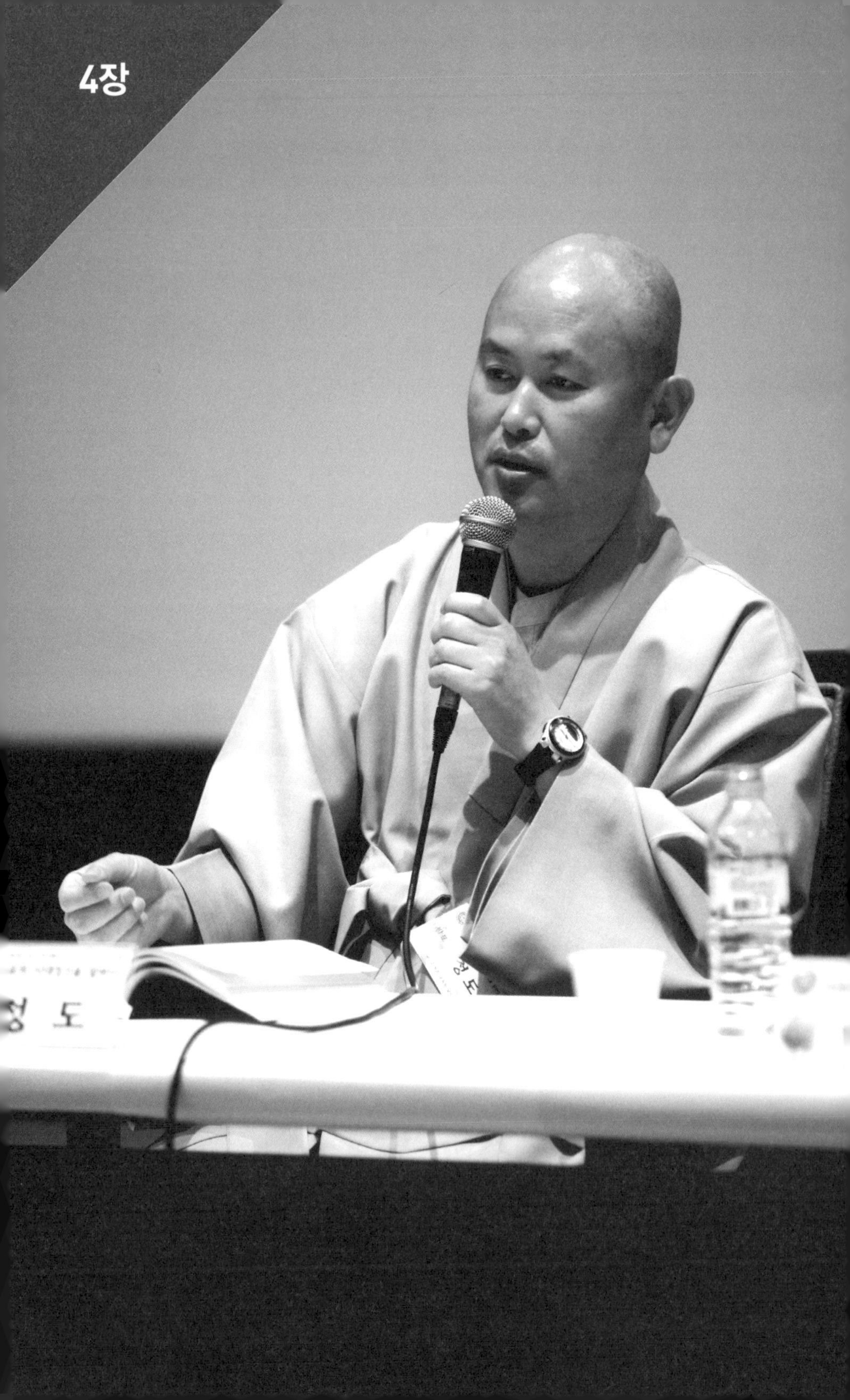

한국불교와 석전 영호의 위상

서왕모(정도) _ 대한불교조계종 교육원 교육부장

I. 서론

이번 (사)한국불교학회 2014 춘계학술대회의 대 주제는 '석전과 한암, 한국불교의 시대정신을 말하다'이고 '일제강점기 한국불교의 정신과 현대의 조계종'을 내용으로 하고 있다. 필자가 제출한 소주제는 '한국불교와 석전 영호石顚 映湖, 1870~1948의 위상'이다.

석전 영호 대종사大宗師는 근대 한국불교를 대표하는 석학碩學이다. 석전 선사를 평評하여 지칭指稱하는 이름은 여러 가지다. 삼학三學을 두루 갖춘 근대 한국불교의 3대 강백講伯, 근대 한국 최고의 석학, 독립운동가, 불교혁신운동가, 근대불교개혁운동가, 시인, 다승茶僧, 해방 후 '조선불교 초대 교정' 등 그의 면모面貌는 전인적全人的이며 큰 산과 같다.

현재 대한불교조계종 사찰승가대학 절대다수의 강사講師가 석전 선사의 강맥講脈을 잇고 있지만 선사의 면모에 대해 얼마나 잘 알고 있는지 모르겠다. 선사를 연구하면 단번에 제자로서 자긍심을 갖게 되고 흠모欽慕하고 귀감龜鑑으로 삼을 것이다.

이에 대해 한국학계의 걸출한 재가의 제자들의 이야기를 통해 선사의 발자취와 인간적 면모를 더듬어 보겠다.

그러나 현대에 와서 그만큼 대중에게 알려져 있지 않다. 이는 후학後學들의 부덕不德과 나태懶怠 때문만은 아닐 것이지만, 선사의 면모는 선사의 명성의 단절과 더불어 긴 시간 한국불교 발전과 개혁의 열정이 단절되어 상실되었던 것 같아 더욱 안타깝다.

석전 영호대종사 | 한국불교의 초석을 세우다

선사의 견해가 현대 조계종의 종지종풍宗旨宗風과 괴리乖離가 있어 그동안 환영받지 못한 것은 아닌가 싶은데 오히려 그것이 오늘날 조계종의 현실을 되비쳐 보는 데 유익할 것이라 생각한다. 따라서 석전 선사는 삼학三學을 겸비兼備한 선사로서 각각 여러 글을 남겼지만 논자는 여기서 선禪에 관한 글에 주목하여 한정하려고 한다. 역설적으로 그것이 석전 영호의 과거와 현재의 위상을 설명하여 줄 뿐 아니라 현재 대한불교조계종에 메시지를 전할 수 있겠기 때문이다.

Ⅱ. 석전 영호의 발자취와 인간적 면모

선사의 자세한 발자취에 대해서는 이미 여러 글[*1]에서 잘 밝혀져 있으므로 여기서는 몇 분 걸출한 재가제자들의 이야기를 통해 인간적인 면모와 발자취를 엿보겠다.

1. 미당 서정주의 글에서

미당 서정주未堂 徐廷柱, 1915~2000 선생은 『영호대종사어록映湖大宗師語錄』 발사跋辭에서 선사의 따스한 인간적 면모를 전하고 있다.

....

[*1] 이에 대해서는 김상일, 「石顚 朴漢永의 저술 성향과 근대불교학적 의의」, 『불교학보』(2007. 2); 김효탄, 「石顚 朴漢永의 저술 성향과 근대불교학적 의의」, 『불교평론』 44호(2010. 9); 혜남 스님, 「石顚映湖 大宗師의 강맥」, 「제2차 백파사상 연구소 학술세미나 자료집—石顚映湖 大宗師의 生涯와 思想」(선운사, 2009) 등이 있다.

石顚 映湖 朴漢永 스님은 내 나이 이십 전후의 몇 해 동안 나를 누구보다도 더 큰 자비로 이끌어 가르쳐주신 恩師님으로서, 지금의 내 마음 속에서도 내 육신의 친부 곁에는 이분이 같이 늘 자리하고 계시니만치 (……)[*2]

또한 말미에 만해 선사가 영호 선사를 흠모하였음을 밝히고 있다.

萬海 韓龍雲(1879~1944) 스님은 일찍이 석전 선사에 바치는 漢詩들 가운데 하나에서 이분을 구름 한 점 끼지 않은 보름달의 밝고 맑음에 비유하고 계시는 게 보이거니와, 그 道力의 청정하고 浩然하셨음을 이렇게 흠모하여 놓으신 걸로 알며(……)[*3]

미당 선생의 이 말씀은 석전 선사의 한시 「자경귀오세암증박한영自京歸五歲庵贈朴漢永, 서울에서 오세암으로 와서 박한영에게」를 떠올린다.

一天明月君何在 하늘 그뜩 밝은 달님-당신 어디 계시오?
滿地丹楓我獨來 온 세상 단풍으로 나 혼자 왔소.
明月丹楓其相忘 달과 단풍 서로서로 잊어버리고
唯有我心其徘徊 내 마음만 남았기에 데불고서 헤매오.[*4]

만해 선사가 석전 선사를 얼마나 흠모하고 서로 마음이 통했는지는 한시 「여영호화상방유운화상야동귀與映湖和尙訪乳雲和尙夜同歸, 영호 스님

....

[*2] 박한영, 『映湖大宗師語錄』(동국출판사, 1988), p.19.
[*3] 박한영, 『映湖大宗師語錄』(동국출판사, 1988), p.19.
[*4] 미당 서정주 옮김, 『만해 한용운 한시선』(민음사, 1999), p.18.

과 함께 유운 스님을 찾아갔다가 밤에 같이 오며」에 잘 나타나 있다.

> 相見甚相愛 둘이 서로 보고 마음에 들어
> 無端到夜來 밤 들어서 저절로 같이 갔었지.
> 等閑雪裡語 내버려 둔 눈길에서 소근거린 말
> 如水照靈坮 맑은 물이 마음을 비치는 것 같았지.*5

마치 연인과 함께 눈 쌓인 밤길을 다정하게 이야기하며 걷는 아름답고 정겨운 모습이다. 만해 선사의 한시들을 보면 두 분이 서로 시를 주고받으며 심월상조心月相照한 것을 볼 수 있다.*6

2. 위당 정인보의 글에서

석전 선사를 자주 찾아뵈었고 여러 차례 전국의 명산대찰을 여행했던 당대 석학 위당 정인보爲堂 鄭寅普, 1893~? 선생은 「석전 스님 행략行略」에서 선사의 수행과 계행, 당대 최고의 석학이었던 선사의 면모에 대해 다음과 같이 말했다.

> 지난 해 내 스님과 함께 금강산을 탐방할 때에 마하연에서 두어 밤을 묵게 되었다. 밤에 잠을 깨어 보니, 이상하게도 스님이 보이지 아니하여,

....
*5 미당 서정주 옮김, 『만해 한용운 한시선』, p.20.
*6 『만해 한용운 한시선』에는 달과 관한 시로 「次映湖和尙香積韻(영호 스님의 향적사 시를 받아서)」,(萬木森凉孤月明 수풀 첩첩 오싹한데 밝은 달 하나./碧雲層雪夜生溟 푸른 구름 쌓인 눈에 밤은 저승 같아라./十萬珠玉收不得 다 거둘 길 바이없는 반짝이는 구슬들/不知是鬼是丹靑 귀신인지 丹靑인지 눈만 부셔라.)가 있고, 「次映湖和尙(영호 스님 시를 받아서)」,(二首), 「與映湖乳雲兩佰夜(밤에 영호 유운 두 스님과 함께)」(二首), 「京城逢映湖錦峯兩伯同(서울에서 영호 금봉 두 스님을 만나서)」,(二首), 「贈映湖和尙沭未嘗見(영호 화상에게 만나 보지 못하는 안타까움을 말함)」 등이 수록되어 있다.

창문을 열고 찾아보니, 스님은 바깥 대청에서 고개를 떨구고서 앉아 계셨다. (……) 그 이튿날 밤에도 그처럼 앉아 계신 것을 보고서야, 비로소 스님께서 남몰래 수도하신다는 것을 알았다. (……) 당시에 진응 스님과 함께 講會에 있었는바 진응 스님은 학문 내용을 모두 관통하고 석전 스님은 그 요점만을 잘 간추리니, 그 명성이 날로 널리 남북에 알려졌다.[7] (……) 노장 선지식들이 차례로 열반함에 이르러 스님은 더욱 계행을 엄정히 하고 만년엔 서울에 계시며 속세에 드나들었지만 그 발자취 또한 淸楚하여 세속에 물들지 아니하셨다. (……) 이미 많은 서적을 탐독하여 아는 바가 깊고 넓기에 사물에 감촉하면 물줄기가 솟구쳐 뿜듯 하며, 또 기억한 바와 평생 섭렵한 것을 낱낱이 들어 말하기 어렵다.

그러므로 스님을 따라 국내 명승지를 순방하며 산천, 풍토, 인물로부터 농업, 공업, 상업과 노래며 소설에 이르기까지 모두 평소에 익힌 바처럼 모르는 것이 없음으로 그 고장 사람들도 멍하여 말을 열지 못한다. (……) 靈龜山의 법통을 이어 白坡의 뒤를 계승하였다.

3. 육당 최남선의 글에서

조선의 3대 천재[8]로 불리며 국학의 체계를 세운 육당 최남선六堂 崔南善, 1890~1957도 석전 선사와 여행을 자주 했는데 선사는 여행의 정취를 한시로 남겼고 육당은 이를 『석전 스님 행략行略』이라는 책으로 발간하고 이 책의 발문을 썼다.

스님은 故事에 깊은 조예며 통철한 식견으로 內經과 外典을 꿰뚫어 보

---

[7] 당시 석전 스님은 선암사의 錦峯 基林(1869~1916) 스님, 화엄사의 陳震應(1873~1941) 스님과 더불어 근세 한국불교의 3대 講伯으로 손꼽혔다.

[8] 당시, 碧初 洪命熹(1888~1968)와 육당 최남선, 春園 李光洙(1892~1950)를 조선의 3대 천재라고 불렀다.

석전 영호대종사 | 한국불교의 초석을 세우다

신 분인데, 외람되게도 나와 같은 사람을 말벗으로 여겨 주신 영광을 누리게 되었다. (……) 그러나 나의 간직한 뜻을 펴기에는 너무나 많은 어려움이 있었기에 언제나 혈혈단신으로 국내를 두루 유람하며 역사를 연구하고픈 생각뿐이었다. 스님은 이러한 나의 마음을 짐작하시고 해마다 늦여름 초가을 사이엔 나와 함께 여행길을 마련하여, 일찍이 동으로는 금강산을 갔다가 (……) 남쪽으로는 지리산을 두루 본 후 바다를 건너 정상에 올라 백록담에서 (……) 위로는 백두산을 순례하며 (……) 묘향산의 기발한 경관까지도 함께 가지 않았던 곳이 없었다. (……) 그러는 동안 때로는 거치른 숲 사이를 헤쳐가고 金石에 끼인 먼지를 함께 닦으면서 내 하고 싶어 했던 古代史에 대한 연구를 이룩한 일이 비단 한둘이 아니다. 스님은 이러한 일엔 실제론 아무런 관심이 없었으나 내가 좋아하는 연구인 때문에 고충을 무릅쓰며 함께 찾았었고 그것을 얻으면 함께 기뻐하시며 끝내는 전문가에 손색없는 조예를 쌓으시기도 하셨다.[*9] (……)내 역시 오랫동안 스님을 모신 덕분에 불교의 원류에 대하여 익히 들었고 또 조금은 이해할 수 있었다.[*10]

선사는 육당과 함께 1925년 3월 28일부터 50여 일간 호남과 지리산 일대를 여행했고 육당은 ≪시대일보≫에 순례기를 연재해 1년 후 전반부의 기록을 모아 『심춘순례尋春巡禮』라는 책으로 펴냈다. 이 책에서 육당은 속표지에 "이 작은 글을 석전노사에게 드리나이다."라고 헌정사를 썼다.[*11] 앞에서 인용한 정인보의 글로 보아 이 책의 많은

· · · · · · · · · · · · · · · · · ·

*9 선사가 남긴 精註四山碑銘은 이러한 金石文의 연구에서 영향을 받은 것으로 보인다. "사산비명이란 고운 최치원이 지은 4곳에 있는 비명이다. 지리산 쌍계사 眞鑑禪師大空塔碑, 만수산 성주사 朗慧和尙白月寶光塔碑, 초월산 崇福寺址碑, 희양산 鳳巖寺智證大師寂照塔碑이다. 사산비명은 조선시대 광해군 전후에 鐵面 노인이라는 인물이 최치원 문집인 〈孤雲集〉에서 뽑아내어 이름 붙인 것이다. 사산비명은 최치원 문학 연구뿐만 아니라 우리나라 사상사와 한문학 연구사에서 빼놓을 수 없는 귀중한 자료이다." ≪불교신문≫, 2009년 8월 19일자 참고.
*10 박한영, 『暎湖大宗師語錄』, pp.23-24.
*11 〈최남선 선생의 국토예찬을 다시 읽다〉, ≪전북중앙신문≫, 2014년 5월 19일자.

부분에 석전 선사의 이야기가 들어 있을 것이라 추측할 수 있다. 또한 선사는 이러한 기행을 통해 위당과 육당에게 국토와 문화에 대한 많은 지식을 전해 주었을 것이라고 생각된다.

Ⅲ. 석전 영호의 한국선문금침韓國禪門金針

일제강점기 한국불교의 선문禪門에 대한 석전 선사의 비판은 그의 글 「불교강사佛教講師와 정문금침頂門金針」[*12]에 빗대어 한국선문금침韓國禪門金針이라고 할 수 있겠다. 여기서는 『영호대종사어록』에 실린 『석림수필石林隨筆』과 「불교지게재문佛教誌揭載文」을 중심으로 살펴본다.

석전 선사는 잘 알려진 대로 고려 말 태고 보우太古 普愚, 1301~1382로부터 이어지는 임제종臨濟宗 정맥正脈을 이어받은 백파 긍선白坡 亘璇, 1767~1852의 칠세손七世孫이다.[*13] 그의 계보는 선교禪教를 겸전兼全하여 강맥講脈을 형성해 왔고 현재 조계종에서 가장 큰 강맥을 형성하고 있다.

선수행에 대한 기록은 1892년 4월 15일부터 1906년까지 15안거를 성만했다[*14]는 기록과 평소 취침 전후로 한 시간 정도 좌선을 했

*12   박한영, 「暎湖大宗師語錄」, p.353.
*13   혜남스님, 「石顚暎湖 大宗師의 강맥」, p.9.
*14   "석전 스님 승적 원부를 보면 이 기간 동안 수선안거를 하였다고 나온다." 『석전 영호스님 행장과 자료집』(선운사, 2009), pp.31-32.

다.[*15]는 기록이 있다. 견성과 인가에 대한 기록은 없다. 하지만 그의 저술로 보아 단지 지해종사知解宗師가 아닌 수행과 연구가 밑받침된 정안종사正眼宗師였음을 알 수 있다.[*16]

1. 막행막식幕行莫食의 선풍禪風을 비판함

당시 선문禪門에 대한 비판에서 가장 우선되었던 것은 수좌의 막행막식의 파계문제였다. 일제강점기에 일본불교의 영향으로 대처帶妻의 문제가 심각하였지만 수좌의 음주식육飮酒食肉도 문제였던 것이다. 수좌의 파계문제는 일본불교의 영향만은 아니었다. 석전 선사가 보는 수좌의 막행막식의 문제는 몇 가지 선어록禪語錄과 선어禪語의 잘못된 이해에 있었다. 그의 지적은 『석림수필』의 「한마디 와전된 말은 홍수의 피해보다 심하다」는 첫 번째 글로 비중 있게 다뤄진다.

> 옛적에 僞山이 앙산에게 말하기를 '단, 그대의 바른 안목을 귀하게 여길 뿐, 그대의 행리는 말하지 않노라(只貴子眼正, 不說子行履)'라고 하니 근대의 참선하는 미치광이 무리들이 不說이란 말을 고쳐, 不貴라고 訛傳하였으며, (……) 음란 살생 절도 망동의 행위를 방자히 하는 것으로서 무애자재의 당연한 일처럼 생각하니 (……) 이렇게 와전되어 선문에 유행하기를 「단, 그대의 淸淨한 눈을 귀하게 생각할 뿐, 그대의 行履處는 귀하게 여기지 않는다(只貴子眼淨 不貴子行履處)」고 하니 유유히 그림자처럼 따라가면서 방자한 행동을 좋을 대로 하여, 禪團이 와해되

....
*15 "우리 스님은 아침 3시에 일어나셔서 참선을 하셨고 역시 주무시기 전 9시부터 1시간은 입정시간이었다." 雲惺, 「우리 스님 石顚 朴漢永 스님」, 『불광』(1981. 9), p.59.
*16 석전 선사는 「法寶壇經海水一滴講義」(1914), 「精選拈頌及說話」(1932)를 비롯하여, 「禪學要領」, 「禪話七難」, 「普覺禪師夢覺一如說」 등 禪에 관한 특출한 글을 많이 남겼다.

니 그해는 홍수의 범람보다 심한 것이다.*¹⁷

당시 선문에는 '지귀자안정只貴子眼淨, 불귀자행리처不貴子行履處'*¹⁸라는 말이 유행했는데 그 말이 법에 합당하지 않은 것 같아 석전 선사가 『전등록傳燈錄』과 『염송拈頌』 본장本章을 살펴보니 본래 '지귀자안정只貴子眼正, 불설자행리不說子行履'였다는 것이다. 위산 영우潙山 靈祐, 771~853와 앙산 혜적仰山 慧寂, 803~887의 문답 중 문제가 된 곳은 아래 밑줄 친 문장이다.

師問仰山, 涅槃經四十卷. 多少佛說, 多少魔說. 仰山云, 總是魔說. 師云, 已後無人奈何.
仰山云, 慧寂卽一期之事. 行履在什麼處. 師云, 只貴子眼正, 不說子行履*¹⁹

위에서 '일기지사一期之事'란 당무종 회창년간841~846의 법난 동안 앙산이 환속했던 시기를 말한다. 이때 절은 파괴되고 승려들은 강제 환속되었으며, 저항하면 즉시 처형되었다. 따라서 많은 스님들이 절을 떠나 변복을 하고 깊은 산속에 숨어 살거나 민가에 환속해 살았다. 위의 문답은 앙산이 한때 환속했던 자신의 행위에 대해 "저의 한

．．．．．．．．．．．．．．．．．．．．．．
*17   박한영, 『暎湖大宗師語錄』, p.30.
*18   『선가귀감』 26장에는 "古德이 云하되 只貴子眼正이요 不貴汝行履處니라."라고 되어 있다. 주해에서는 "昔에 仰山이 答潙山問云 涅槃經 四十券이 總是魔說이니라 하니 此가 仰山之正眼也라 仰山이 又問行履處한데 潙山이 좀曰只貴子眼正云云하니 此所以先開正眼而後에 設行履也라 故로 云 若慾修行인댄 先修頓語라 하니라." 하고 해석하고 있다. 이 주해에서는 앙산의 환속에 대한 역사적 사실에 대한 이해가 없이 수행자가 행실을 어떻게 해야 할지에 대한 일반적 질문으로 보고 행실은 깨달음 이후의 문제이니 먼저 돈오해야 한다고 해석하고 있다. 이종익, 『선가귀감』 (보성문화사, 1992), p.98 참조.
*19   宋釋道元, 『경덕전등록』 권9 潭州潙山靈祐禪師 편 (新豊出版, 1983), pp.150-151

때의 행실은 어느 곳에 있습니까?" 하고 스승께 여쭤 보는 것이다. 이에 대해 스승은 너의 바른 안목이 귀한 것이지 너의 행실은 말하지 않겠다고 한 것이다.[*20]

석전 선사는 안목만 중하고 행실은 중요하지 않다는 견해에 대해 조계 혜능曹溪 慧能, 638~713이 산속의 사냥꾼들에게서 나와 인종법사仁宗法師, 627~713에게 재출가한 것은 행리처의 정당함도 귀한 것이기 때문이었다고 반박하고, 위의 선화禪話는 위산과 앙산의 견처見處에 서로 미묘한 이치[*21]가 있어 말로 표현하기는 어렵지만 안목과 행실, 이 둘이 서로 상치相馳하는 것으로 보는 견해에 대해 '개화악천봉정開華岳千峰靜 방출황하일파청放出黃河一派淸[*22]이란 고시古詩로 그 답을 대신한다. 이 시는 위산이 깨달음과 행위는 무관하다고 대답했다는 선문禪門의 그릇된 생각에 대한 석전 선사의 공안적公案的 답이다.

이 시를 해석해 보자면 화산華山이 쪼개졌어도 천 개의 봉우리가 고요하다는 것은 위산이 비록 안목과 행리를 둘로 나누어 말한 것으로 보이지만 그 둘은 본질적으로 하나라는 것이고불법의 대의를 손상시키지 않았고, 한 맑은 물줄기를 황하로 내보냈다는 것은 안목과 행리를 둘로 쪼갰기 때문에 대기대용大機大用으로 제자를 포용하여 과거의 생

······················

*20 앙산의 격외적 질문 형식이나 앞뒤 문맥을 떠나 역사적 상황만을 고려하여 해석하면 스승이 제자를 다시 받아들인 것에 대해 너의 바른 안목을 귀하게 여기고 네가 과거 환속했던 일에 대해서는 이야기하지 않겠다는 것으로 이해된다. 또 네가 바른 안목을 가졌으니 환속해서도 바르게 처신하였을 터인 즉 굳이 말할 필요가 없다는 신뢰의 말로도 읽힌다.

*21 그러나 앞의 『경덕전등록』의 텍스트 문맥을 보면 앙산의 견해에 대해 위산은 定性聲聞이라고 하여 수행이 적멸, 곧 空의 경지에서 정체되고 있다고 평가하고 있다. 열반경의 말씀이 모두 마설이라고 보는 것도 마찬가지이다. 따라서 空의 경지에서 보면 앙산 자신의 과거 환속 행위도 문제될 것이 없지 않겠느냐는 질문에 대해 위산이 다만 너의 재주를 인정하여 네 행위에 대해서 말하지 않았다고 함으로써 궁극의 수행은 중도에 서는 것임을 밝힌 것으로 해석할 수 있지 않을까? 석전 선사가 말한 두 사람 견처의 미묘한 차이란 그런 것이 아닐까?

*22 『續傳燈錄』 卷第17에 수록된 天童宏智의 頌 "擘開華岳連天色 放出黃河到海聲"의 일부 구절을 고쳐서 표현한 것으로 보인다. 大正藏 51, p.579a.

각에서 벗어나게 할 수 있었다는 것으로 생각할 수 있지 않을까? 결국 모든 불법의 이치는 불이不二 중도中道로 통하는 것이니 말이다. 아무튼 이 구절이 막행막식의 근거가 될 수 없다는 것은 자명하다.

당시 선문의 막행막식에 대한 석전 선사의 염려와 비판은 그의 어록 도처에 나타난다.

2. '본래무일물本來無一物' 구절의 폐해

> 현재 유포되고 있는 『법보단경』이란 원나라 사문 宗寶의 增正本이다.(……) 菩提本無樹, 明鏡亦非台, 本來無一物, 何處惹塵埃 (……) 그러나 돈황석실사본에서는 '佛性常淸靜'이라고 하였던 것을, '本來無一物'이라고 고친 것이다. (……) 육조의 깨치고서 올렸던 말과 傳法한 말을 살펴보면 '불성상청정'이라는 원래의 구절이 진실로 옳은 곳이 있으며, '본래무일물'이라고 개조된 구절은 (……) 道法의 圓妙한 것은 아니다. (……) 쉽사리 南宗의 실의배(失意輩)들의 배경이 되어, 스스로 天眞함을 믿고서, 狂暴한 성품을 放恣히 할 사람이 (……)[*23]

석전 선사는 선문 행실의 어지러움이 '본래무일물'이란 후대의 가공된 선어에서도 기인한다고 보았다. '불성상청정佛性常淸靜'이라고 하면 본래 청정한 불성이기에 수행하여 불성에 계합契合하면 그 행위가 자연히 청정할 것이지만 '본래무일물本來無一物'이라고 하면 청정淸淨과 염오染汚의 구별이 없으니 깨달은 사람의 행위에도 그 구별이 없어질 것이다. 그래서 석전 선사는 '본래무일물'이 육조의 깨달음이라면 이

···················

[*23]   석전, 「한 구절을 고친 영향은 매우 크다」, 『暎湖大宗師語錄』(동국출판사, 1988), pp.33-35.

는 절반밖에 못 나간 것반도半途*24이라고 하여 육조의 본의가 아니라고 비판하였다.

앞에서 반도半途라고 표현한 것은 진속일여眞俗一如, 진공묘유眞空妙有의 중도中道에 서지 못하고 공空에 치우친 견해라는 것이다. 선문의 대표적인 잘못된 견해는 조사선과 여래선을 나누어 보는 것이다.

3. 조사선은 여래선보다 우월한 것인가?

조선선문의 통념은 조사선이 여래선보다 우월하다는 것이다. 그러나 석전 선사는 몇 가지 사실을 들어 이를 비판한다. 먼저 진귀조사설眞歸祖師說에 대해 비판한다.

> 淸虛老師의 「禪敎釋」*25에 梵日國師께서 眞聖女王의 '禪敎의 지극한 意義'의 질문에 대한 답변을 인용하여 말하기를 '세존께서 샛별을 보고 도를 깨치신 후, 스스로 證悟하신 바에 오히려 미진함이 있다고 생각하시여 수십 일을 걸어 叢木房中에 이르러 진귀조사를 방문하고서 비로서 玄極의 종지를 전해 받았다.'*26

그러나 석전 선사는 이는 고금의 선장禪藏에서 오직 위의 문장에만 존재하는 것으로 진귀조사설에 대해서는 학자들 사이에서는 누구나 조작되었다고 생각한다고 비판하고 규산圭山, 규봉 종밀(圭峯 宗密),

....

*24 석전, 「한 구절을 고친 영향은 매우 크다」, p.34.
*25 서산의 「禪敎訣」에도 '此禪之法 吾佛世尊. 亦別傳乎眞歸祖師者也'라고 하였다. 대한불교조계종 한국전통사상간행위원회, 『휴정』 (2011), p.370.
*26 박한영, 「暎湖大宗師語錄」, p.64.

780~841은 『도서都序』에서 '여래선如來禪을 최상승선最上乘禪, 여래청정선 如來淸淨禪*27이라고 하였으니 달마가 전하였던 것이 이것이라고 주장 하였다.

그러나 당시에는 조사선과 여래선의 구분이 없었고 그 구분은 다 아는 바와 같이 앙산仰山과 향엄 지한香嚴 智閑, ?~898의 선화禪話*28에서 비롯된 것으로 석전 선사는 그 선화에서 앙산의 두 가지 구분을 "여 래의 깨우친 바와 조사의 전한 바와는 전혀 무관한 것"이라고 비판한 다.*29

그리고 총림叢林의 고덕古德이 조사선이라고 하여 은밀하게 바꿀 수 없는 철안鐵安을 만들어 이를 의심하여 논란하는 것조차 못 박아 놓았지만 막상 "무엇 때문에 조사선이라는 것을 향상일위向上一位에 별도로 올려놓고 위없는 여래의 진여법眞如法을 깎아내려 보는가? 속 히 이르고 속히 일러라!" 하고 묻는다면 대답할 수 없을 것이라고 비 판하였다.*30

퇴옹 성철退翁 性澈, 1912~1993 스님은 진귀조사설과 여래선, 조사선 에 대해 선문정로에서 모두 비판하였고 선화는 단지 법거량法擧揚일

*27 凡聖無差, 禪則有淺有深, 階級殊等, 謂帶異計欣上壓下而修者, 是外道禪, 正信因果亦以欣厭而 修者, 是凡夫禪, 悟我 空偏眞之理而修者, 是小乘禪, 悟我法二空所顯眞理而修者, 是大乘禪(上四類, 皆有四色四空之異也)若頓悟自心本 來淸淨, 元無煩惱, 無漏智性本自具足, 此心卽佛, 畢竟無異, 依此而修者, 是最上乘禪, 亦名如來淸淨禪, 亦名一行三昧 ,亦名眞如三昧, 此是一切三昧根本, 禪源諸詮集都序卷上之一(亦名禪那行諸詮集), p.399a16.

*28 仰曰, 此是凤智記持而成, 若有正悟, 別更設看, 師又成頌曰, 去年貧未是貧, 今年貧始是貧, 去年貧, 猶有卓錐之地, 今 年貧, 錐也無, 仰曰, 如來禪許師弟會, 祖師禪未夢見在, 師復有頌曰, 我有一機, 瞬目視伊, 若人不會, 別喚沙彌, 仰乃報 潙山曰, 且喜閑師弟會祖師禪也, 五燈會元』卷第九 鄧州香嚴智閑禪師 p.190c24.

*29 박한영, 「暎湖大宗師語錄』, p.65.

*30 박한영, 「暎湖大宗師語錄』, p.66.

석전 영호대종사 | 한국불교의 초석을 세우다

뿐이라고 하였다.*31

4. 왜 오후悟後수행修行을 하지 않는가?

석전 선사의 선문禪門 비판의 날은 오도悟道 이후의 수행에 대한 비판에 이르러 더 날카롭다. 『석림수필』 중 「증오證悟 또한 숱한 재화災禍의 문이 아니겠는가?」에서

> (……) 우리 승려 집안에 있어서도, 末世엔 '도를 깨쳤다는 무리가 삼씨와 좁쌀 수보다 많으니 어느 누가 제지할 것인가?*32
> 오늘날의 참선하는 무리들은 한번 깨친 후에 다시는 수행의 일이 없어 망녕되게 無碍의 일을 하니 이 어찌 가르칠 수 있겠는가?*33

하고 조선 선문의 현재와 미래를 염려하면서 대혜 종고大慧 宗杲, 1089~1163 선사가 이참정李參政에게 보낸 편지글의 말을 인용하여 다음과 같이 말했다.

> (……) '理는 곧 몰록 깨닫는 지라 깨달음을 乘하여 모두 消滅되거니와 事는 몰록 없어지는 게 아니며 次第를 인하여 다하는 것이다.'는 『楞嚴經』의 말을 행·주·좌·와에 간절히 잊지 말지어다. 라고 하니 이는 깨

---

*31 "간혹 佛祖의 본의를 알지 못하고 여래선 조사선을 양분하여 그 우열과 심천을 妄論하는 瞎眼衲僧이 왕왕 있으므로 圓悟는 '未免婦舍하여 特地祇張'이라 呵責하였고, (……) 혹자는 앙산과 향엄의 문답을 引證하나 이는 法門擧揚이니, (……) 한국에서는 진귀조사설을 高唱하여 異說이 분분하나 (……) 이는 한국의 와전이 분명하니 一顧의 가치도 없을 뿐만 아니라 외국학자들의 조소를 면치 못하는 바이니 誤錯된 사상은 단연코 이를 시정하여야 한다." 성철 스님, 「옛 거울을 부수고 오너라(禪門正路)」(장경각, 2006), p.116-117.
*32 박한영, 『暎湖大宗師語錄』, p.96.
*33 박한영, 『暎湖大宗師語錄』, p.98.

달은 사람을 위하여 베인 못 끊은 쇠처럼 긴요한 말씀이다.[*34]

대혜 선사의 이 말씀은 돈오돈수頓悟頓修만을 주장하는 한국선문의 견해와는 차이가 크다.[*35] 앞의 대혜의 말과 오후수행을 중시하는 석전 선사의 생각은 부처님의 초전법륜 이후로 대·소승 모두에서 채택해 온 견도見道와 수도修道로 나누어 차제적次第的으로 수행하는 방법, 즉 돈오점수頓悟漸修에 해당한다. 규봉은 『도서都序』에서 돈오돈수는 상상근기만 가능한 것이라 하여 돈오점수도 수용했는데[*36] 마찬가지로 근기에 따라 수행법이 달라야 한다는 입장인[*37] 석전 선사의 글에는 도처에 이런 생각이 나타나고 있다. 예를 들면 다음과 같다.

한 번 깨친 후에 無事히 增上慢과 魔眷屬이 되기를 좋아하는가? 이는 가히 불쌍한 사람이라고 말할 만하다. 이 때문에 石生은 요사이 '證悟, 또한 숱한 災禍의 문이 아닌가?'라는 하나의 安[*38]을 提唱한 것이다.[*39]

이는 당시 선문에 대한 맹렬한 비판으로 "'깊은 산, 큰 골짜기에

....

*34 박한영, 『暎湖大宗師語錄』, p.98.
*35 성철 스님은 『선문정로』 13, 解悟漸修 장에서 "마조는 묘각의 증오를 돈오라 하고 규봉은 10신초의 해오를 돈오라 했으니 과연 누구를 따라야 할까? 선문의 비조로 일컬어지는 마조 같은 분을 추종해야지 중간에 변질된 규봉이나 보조의 견해를 따라서야 되겠는가?" 하고 頓悟漸修의 見性을 배척하고 있다. 박한영, 『暎湖大宗師語錄』, p.292-293 참고.
*36 규봉은 도서에서 중생의 근기에 따라서 漸修頓悟, 頓修漸悟, 漸修漸悟, 頓悟漸修, 頓悟頓修 등 다섯 가지 유형이 있게 되는데 이중 돈오점수의 돈오는 해오임을 밝히고 바르게 깨닫지 못하고 닦아 나간다면 참으로 닦아나가는 것이 아니라고 하였다. "有云 先須頓悟 方可漸修者 此約解悟也 (……) 若未悟而修 非眞修也." 『禪源諸詮集都序』第2卷(大正藏), p.406a07.
*37 석전 선사의 글 『參話三機』 참조. 박한영, 『暎湖大宗師語錄』, p.337.
*38 여기서 안은 같은 글 말미에 언급한 위산의 공안을 의미한다. "당대의 위산이 이르기를 『법리를 硏窮하여 깨우침으로서 법을 삼는 것은, 선가의 표준이다. 그러나, 羅星에 잘못 깨지고 歸泡에 실제로 깨친 것처럼 생각한 오늘날에, 깨침이라는 것도 또한 숱한 재의 문이 되지 않겠는가?』
*39 박한영, 『暎湖大宗師語錄』, p.99.

용이 사라지고 범이 없으니, 미꾸라지가 춤추고 여우가 법석댄다'는 감탄이 길게 나올 뿐이다"[*40]라고 하였다. 당대의 선문을 전적으로 비판하는 표현이다. 돈오점수의 돈오는 해오解悟라고 하지만 견혹見惑을 끊은 상태로 차차로 수혹修惑을 닦으면 돈오돈수와 같아지는 것이다. 따라서 석전 선사의 지적은 당시의 선문에서 돈오돈수의 상상근기를 볼 수 없었다는 것으로 보여 글만으로는 당시 선문의 옥석玉石을 알기 어려운 말씀이다.

석전 선사는 선문의 병폐를 바로잡는 방법으로 원대元代의 고봉 원묘高峰 原妙, 1238~1295, 천목 중봉天目 中峰, 1263~1323, 두 선사와 명대明代의 초석 범기礎石 梵琦, 1296~1370, 감산 덕청憨山 德淸, 1546~1623, 자백 진가紫栢 眞可, 1543~1603, 운서 주굉雲棲 袾宏, 1532~1612 4선사의 어록을 참관할 것을 권한다.[*41] 이분들은 선교를 겸전한 분이고 먼저 경학을 하고 나중에 목숨을 건 수선修禪을 통해 대오大悟한 분들이다. 운서 주굉의 경우 선종·화엄종·정토종에서 모두 조사로 모시고 있다. 결국 석전 선사의 선문에 대한 대안은 선교겸수禪敎兼修이다.

5. 선교겸수禪敎兼修의 주창主唱

당시 선교겸수는 조선의 숭유억불정책으로 고려시대의 선·교 종파가 모두 선·교 통합종으로 합쳐져 그 이래로 한국불교는 선禪을 중심으로 교敎·율律·정淨·밀密이 통합된 통불교가 되었으므로 선교

....
[*40]   박한영, 『暎湖大宗師語錄』, p.98.
[*41]   박한영, 『暎湖大宗師語錄』, p.98.

겸수는 교단의 기본 이념이었다. 그러나 실제 선교를 겸전한 종장宗匠은 많지 않았다. 백파 긍선白坡 亘璇의 종손으로 당대 최고의 석학이었던 석전 선사로서는 당연한 일이었겠지만 많지 않은 그의 글 도처에서 교에 달통한 선사에 대한 재평가가 보인다. 당연히 후학들에게 그분들을 선교겸전의 좋은 모델로 알려야 했을 것이다.

1) 불립문자不立文字는 조사祖師가 말하지 않았다

선교겸수에서 가장 방해가 되는 것은 불립문자론이다. 석전 선사는 「선문의 불립문자의 공功은 허물을 보완할 수 없다」[42]에서 이 론은 조사께서 말한 바가 아니고 선가의 한 유파가 '불립문자 직지인심 견성성불不立文字 直指人心 見性成佛'이라는 공안을 부연敷演하였는데 후대에 잘못 알려져 무식한 무리들의 호신부護身符가 되었다고 한다.[43]

> 우리나라 선원에 있어서도 남북의 산악에 몇 개 되지 않는 총림이 있으나, 그중에 선사 역시 '불립문자'라는 호신부를 짊어지고서, 부질없이 枯禪을 고수한 이외에, 宗主로 삼는 조사의 공안 語句도 전혀 보지 않는다.[44]

그래서 이후로 그 같은 무리들이 많은 동지를 형성하여 강론가講論家를 멸시하여 배척하여 왔다고 지적하며 규봉圭峰의 말을 인용하여 선과 교, 돈과 점이 화회하여 원묘圓妙를 이루어야 한다고 하였다.

....

[42] 박한영, 『暎湖大宗師語錄』, pp.105-108.
[43] 박한영, 『暎湖大宗師語錄』, p.105.
[44] 박한영, 『暎湖大宗師語錄』, p.107.

원래 부처님께서는 頓教와 漸教를 말씀하셨으며, 선종에서는 돈문과 점문을 개설하였다. 이 二教와 二門은 상호간에 부합하여 일치한 것이다.[*45]

2) 하택河澤은 지해종사知解宗師가 아니다

다음으로 석전 선사는 한국선문에서 지해종사로 폄하된 하택 신회河澤 神會, 670~762의 재평가를 시도한다.[*46] 『석림수필』 중에서 이에 대한 부분은 「개구皆具와 개증皆證은 원각圓覺에 무슨 장애障碍가 있으랴?」, 「석실본石室本이 세상에 나옴으로 하택의 지위가 분명하게 되었다」, 「증오 또한 숱한 재화의 문이 아니겠는가?」 등에서 볼 수 있다.

「석실본이 세상에 나옴으로 하택의 지위가 분명하게 되었다」[*47]에서 하택을 지해종도知解宗徒라고 규정한 『육조단경』의 구절은 송宋 소흥본紹興本과 돈황본에 없는 것으로 보아 남악 회양南嶽 懷讓, 677~744 · 청원 행사青原 行思, ?~740 선사의 두 문하가 원元 종보본宗寶本[*48]에 첨가한 것으로 추측했다. 이들은 당唐 덕종德宗, 742~805 12년에 황제의 칙

....

*45 박한영, 『暎湖大宗師語錄』, p.108.
*46 한국 선문은 普照知訥이 「節要」에서 "荷澤神會 是知解宗師 雖未爲曹溪嫡子"라고 하였다는 것을 부동의 진실로 믿어 왔다. 성철, 『백일법문』하 (장경각, 1992), p.342에서 인용. 그러나 朴健柱 교수(전남대)는 「普照禪에 대한 眞覺慧諶의 看話禪 僞造」 『진단학보』 Vol.- No.113 (2011), p.46에서 "보조의 법문은 상당 부분 규봉 종밀에 의거하고 있고, 규봉 종밀은 하택 신회의 계승자로 자임하면서 그의 理에 의거하여 많은 저술을 남겼다. 보조 법문의 근간인 정혜쌍수론을 비롯하여 그의 돈오점수(선오점수)론은 空寂靈知의 心性을 먼저 깨달아 無修의 修를 행하는 것인데 모두 다 하택 신회와 규봉 종밀의 선지에 의거한 것이다. 하택 신회가 '知의 字가 衆妙의 門'이라 하며 '知'를 많이 설하였지만 이 知는 知解(分別知)의 知가 아니라 能所의 분별로 生起 전변하는 識이 멸한(轉依한) 자리에서 이루어지는 知이다. 그래서 이를 分別知와 구분하여 靈知, 眞知, 絕對知라고 한다. 智는 성인에게는 많고 범부에게는 적지만 이 靈知는 佛이든 범부이든 본래 차별이 없다. 이 知는 知함 없이 知하는 知이다. 이러한 뜻을 보조는 여러 법문에서 실제로 설명하고 있다. 그런데 어찌 보조가 하택 신회를 지해종사라 할 수 있겠는가. 요컨대 이 맨 앞의 두 문장은 뒤 이은 내용과 정반대의 의향이 되어 버린다. 이러한 글이 어찌 있을 수 있을까."라고 하여 혜심이 교묘하게 보조의 글에 끼워 넣거나 僞作한 것으로 볼 수밖에 없음을 여러 방면에서 논증하고 있다.
*47 박한영, 『暎湖大宗師語錄』, pp.59-63.
*48 一日, 師告衆曰:「吾有一物, 無頭無尾, 無名無字, 無背無面, 諸人還識否?」神會出曰:「是諸佛之本源, 神會之佛性.」師曰:「向汝道:『無名無字』, 汝便喚作本源佛性, 汝向去有把茆蓋頭, 也只成箇知 解宗徒」『六祖禪師法寶壇經』第1卷(大正藏 48) p.359b.

명으로 신회 선사를 7조로 옹립한 것을 시기하여 모략했을 것이라고 생각한다. 그리하여 하택과 규봉을 원수보다 더 심하게 대했다는 것이다. 그러나『단경』의 원작자가 신회라고 하는 호적好適의 주장을 누구도 부정할 수 없을 것이라고 하여 신회야말로 남종南宗의 적자임을 우회적으로 주장한다. 석전 선사는 하택의 제자들이 오종문하五宗門下의 제자들보다 못해 공적영지空寂靈知의 종체宗體를 제창하고 칠조七祖의 자리를 지키지 못한 것을 유감으로 생각하며 다만 훗날 운서 주굉과 규봉 종밀로 하택의 선교겸수의 전통이 이어지며 한반도에 이르러 크게 번창하여 오늘날까지 쇠퇴하지 않았다고 한다.[*49] 결국 석전 선사가 보는 선교겸수의 종체는 공적영지이다. 「개구와 개종은 원각에 무슨 장애가 있으랴?」에서 이를 명백히 주장하고 있다.

> 규봉은『별행록』에서 하택과 洪州의 宗旨를 명백히 변론하였다. 「하택의 '知之一字 衆妙之門'이란 공적한 영지를 갖추어 스스로 自性의 體用…이 있다는 것이며, 洪州의 '言語動作 卽顯心性'이란 단지 隨緣의 用이 된다. ……」고 말하였다.[*50]
> 옛적에 하택이 처음 말한 '知라는 한 글자는 衆妙의 문이다'고 한 것은, 어찌 圓妙를 성취하는 것으로 말한 게 아니겠는가?[*51]

하여 석전 선사는 마조馬祖가 아닌 하택의 손을 들어 주고 있다. 다

* * * * * * * * * * * * * * * *

[*49] 이 이야기는 하택과 규봉이 비록 중국에서는 남종에서 밀려났고 규봉은 중국 화엄종의 5조가 되었지만 荷澤의 空寂靈知와 圭峰의 頓悟漸修說이 普照의 定慧雙論으로 수용되었고 규봉의 선교일치적 화엄론이 고려 말의 교종에도 큰 영향을 끼쳐 지금까지 전통강맥 속에 전승되고 있음을 말하는 것으로 보인다.
[*50] 박한영,『暎湖大宗師語錄』, pp.56-57.
[*51] 박한영,『暎湖大宗師語錄』, p.99.

만, 석전 선사는 선교일치, 선교통합에 철저한 입장을 갖고 있었기 때문에 어느 한 종파의 입장을 편파적으로 두둔하지 않았다는 것을 다음의 글에서 알 수 있다.

'규봉이 또 禪源集序에 이르기를 '달마가 오기 전엔, 옛적 스님들의 공부는 모두 예전의 四禪 八定이었다. 모든 고승은 이를 닦아서 모두 功用을 얻었으므로, 南岳과 天台는 三諦의 이치를 의지하여 三止·三觀을 닦게 하니, 교의는 비록 원묘하나, 그 문에 들어가는 순서는 또한 예전의 선사들의 行相뿐이었으며, 오직 달마가 전한 것만이 몰록 佛體와 같아지는 것이므로, 다른 선문과는 전혀 다른 것이다.'고 하였다.

이 말은, 조리가 명백하고 정당하므로 달마문하의 통철한 견해가 될 만하다. 그러나, 천태문하의 불평을 쉽게 만나기 때문에, 천태종 사문 志磐은 남송 시대에 佛祖統記를 편집할 때 '인도의 선종은 師子尊者에 그쳤을 뿐이며, 보리달마는 애초부터 중국에 건너오지 않았다.'고 역설하였다. 명조 말기의 藕益 法師는 천태학을 편파적으로 숭상하지 않았으나 부득이 천태종을 계승하고 위의 규봉의 말에 대하여 준열하게 항의하니 그의 말에는 이치가 들어있다.

아! 규봉의 筆禍는 오랜 세월을 두고 끊임없이 이와 같았던 것이다.[52]

석전 선사의 선수행법은 간화선법이었다. 선사의 글 「선학요령禪學要領」[53]에서 보면 '주공부십문做工夫十門'[54]이란 제목으로 보조 지눌普照 知訥, 1158~1210의 진심진설眞心直說 신심망식眞心亡息장에 나오는 무심

....
*52   박한영, 『暎湖大宗師語錄』, pp.57-58.
*53   박한영, 『暎湖大宗師語錄』, pp.334-337.
*54   『제2차 백파사상 연구소 학술세미나 자료집-石顚 禪師 禪師映湖 大宗師의 生涯와 思想』 (선운사, 2009), pp.149-155.

공부無心工夫 10종[*55]을 그대로 소개했고, 참선삼요參禪三要에서는 고봉원묘高峰 原妙의 『선요禪要』에 나오는 삼요三要인 대신심大信心 · 대분심大憤心 · 대의심大疑心을 들어 설명했다. 이 글의 마지막으로 참화삼기參話三機라 하여 세 가지 근기에 따라 화두 참선하는 법을 가르쳤는데 하근기는 반드시 교리를 먼저 공부하고 나서 사심참구死心參究해야 하는데 삼장에 능통하지 못하더라도 『능엄경』만은 정숙精熟할 것을 당부하면서 그렇지 않으면 10개 중 5쌍이 실패할 것이라고 했다.

이를 보면 석전 선사는 경과 어록에서 선의 지남指南을 잡고 해오解悟의 체험 이후에도 바른 방향을 잡기 위해 경과 어록이 반드시 필요하다는 것을 말하고 있다.

Ⅳ. 결론

앞에서 석전 선사의 발자취와 인간적 면모에 대해 걸출한 재가제자들의 글과 만해 선사의 한시들을 통해 잠시 엿보는 것만으로도 당시 삼학을 갖춘 최고의 석학으로서의 면모와 따스한 인간미를 볼 수 있었다. 그리고 석전 선사가 일제강점기 한국선문에 내린 금침金針 같은 이야기들을 간추려 보았다. 그 말씀들을 요약하면 삼학三學을 겸전兼全해야 한다는 것이다. 다시 말하면 계율엄수戒律嚴守와 선교겸수

....
[*55] 　無心工夫 10종：1. 覺察 2. 休歇 3. 泯心存境 4. 泯境存心 5. 泯心泯境 6. 存心存境 7. 內外全體 8. 內外全用 9. 卽體卽用 10. 透出體用. 보조사상연구원, 『普照全書』(불일출판사, 1989), pp.55-58.

　　석전 영호대종사 │ 한국불교의 초석을 세우다

禪敎兼修다. 당시 스님들의 대처帶妻·음주飮酒·식육食肉하여 파계하는 풍토에 대해 『계학약전戒學約詮』을 저술·간행하여 계율戒律을 엄정嚴正히 지킬 것을 가르치셨지만, 특히 수좌首座의 잘못된 행위가 선禪에 대한 오해誤解에서 비롯되었다고 보고 선관禪觀을 바로잡기 위해 노심초사勞心焦思하셨다.

그 내용은 선문에 와전된 위산과 앙산의 문답 중 '지귀자안정只貴子眼淨 불귀자행리처不貴子行履處'의 구절의 문제, 『단경壇經』의 '본래무일물本來無一物'의 첨입添入문제, 조작된 진귀조사설眞歸祖師說과 앙산仰山과 향엄香嚴의 선화禪話에서 오해된 조사선祖師禪이 여래선如來禪보다 우월하다는 문제, 당시 선문에서 오후悟後수행修行이 없는 것에 대한 지적과 원, 명대 선사들의 어록을 읽을 것에 대한 충고 등이었고, 이를 바탕으로 선문에서 철석같이 믿고 있는 불립문자는 조사가 한 말이 아니라는 것과 지해종사知解宗師로 폄하된 하택河澤 신회神會에 관한 문장은 후대에 『단경』에 첨입하여 조작한 것임이 돈황본 발견으로 증명되었음을 주장한다. 뿐만 아니라 하택의 공적영지空寂靈知가 선의 종체宗體라고 말한다.

이러한 석전 선사의 선관禪觀을 종합해 보면 남종南宗의 돈오돈수론頓悟頓修論을 긍정하지만 실제로는 그만한 상근기가 나오기 어려우므로 돈오점수頓悟漸修의 오후수행을 해야 한다는 견해이고 이는 하택河澤·규봉圭峰·대혜大慧·보조普照의 관점과 같다. 또 그분들의 선교회통禪敎會通 선교겸수禪敎兼修의 전통을 계승해야 한다는 입장이다. 수행의 방법은 대혜大慧, 고봉高峰 등의 간화선을 수용한 것으로 볼 수 있다.

다시 말해 석전 선사의 견해는 배타적으로 돈오돈수만을 고집하는 선禪의 분파적 지맥枝脈을 고수하려 할 것이 아니라 남종南宗을 종체宗體로 하여 선교겸수를 하고 수행법은 간화선법看話禪法을 채택하는 것이라고 볼 수 있다.

아직 한국의 선문은 오래전 조작이라고 인정된『단경』의 하택 '지혜종도' 구절과 역시 최근에 조작이라고 주장된『절요節要』의 '지해종사' 구절에 머물러 있다. 아직 '조사선'이 '여래선'보다 우월하다는 편견과 '불립문자'를 철칙으로 여겨 글과 말을 멀리하고 있다.

이것이 석전 선사가 일제강점기에 한국선문禪門에 내린 금침金針이고 현대 조계종에 보내는 오랜 미래의 메시지이고 역설적인 선사의 위상이다.

5장

석전의 계율관과 『계학약전』

정광균(법상)_ 대한불교조계종 포교원 포교연구실장

I. 들어가는 말

인간은 어느 시대나 어젠다agenda와 트렌드trend에 주목하면서 살아간다. 이 땅에 불교가 전해져 고대 한국민의 정신적 지주가 되었다는 것은 부인할 수 없는 역사적 팩트다. 불교가 전래되고 수용의 과정을 거쳐 고대 한국민의 정서함양에 기여한 공과는 여러 가지로 파악할 수 있다. 그중에 과실은 차치하고 공과만을 말하더라도 매우 방대하다. 여기에 고대 우리 민족의 생활윤리를 고려할 때에 그 바탕에는 불교의 계율을 근간으로 하였다는 것은 주지하는 바이다. 왜냐하면 계율은 재가와 출가자의 의식주에 관한 규정, 승가와 재가의 공동체를 유지하는 기능과 역할을 담당하였기 때문이다.

우리는 현대 한국의 정서적 함양을 위해서 근현대의 과도기를 겸전사상兼全思想과 지율엄정持律嚴正 그리고 교학과 선을 두루 섭렵하여 교육자로 살아가면서 크나큰 족적을 남긴 분들에 주목한다. 그리고 이러한 선각자들 중에 한 분[1]을 설정하여 고찰해 보려는 시도는 현대불교사에 시사해 주는 바가 크다고 하겠다.

금번 한국불교학회에서 대한불교조계종 제4교구 본사 월정사와 제24교구 본사 선운사가 공동으로 협조하여 2014 춘계 학술대회의 대주제로 "석전과 한암, 한국불교의 기대 정신을 말하다"를 선정하

....

[1] 한국불교 근현대의 불교단사에서 중요한 인물로 백용성(1864~1940)과 한용운(1879~1944) 등과 石顚 映湖(1870~1948)는 구한말 격동의 일제 식민지 속에서 민족의 지도자로 불교의 선구자로 한국불교의 자각과 쇄신을 촉구하고 몸소 실천한 분들이다. 석전은 강사이며 교육자로 禪敎兼修와 禪戒兼修를 실천궁행하면서 그 바탕에 三學兼修의 兼全思想의 전통을 고수하였고 청정교단의 확립과 교단의 번영을 위해 진력하였다.

석전 영호대종사 | 한국불교의 초석을 세우다

여 학술대회를 개최함에 요청을 받았다. 이에 본고에서는 근현대 한국의 선각자로 인정되는 석전 영호石顚 映湖의 여러 사상들[*2] 중에서 계율에 관한 내용을 중심으로 「석전石顚의 계율관戒律觀과 『계학약전戒學約詮』의 의의意義를 고찰하여 그가 현 한국불교에서 기대할 정신적 내용이 무엇인가를 검토해 보려고 한다.

석전의 계율관과 『계학약전』의 의의를 살펴봄에 먼저 석전 영호의 계율관에서 역사적 배경과 석전의 계율적戒律的 계보 그리고 그 특징을 검토하고자 한다. 다음에 『계학약전』의 의의에 대한 내용을 검토함에 석전이 『계학약전』에 제시한 계율의 내용과 특성을 살펴서 현대 한국불교에 보여 주려는 의의가 무엇인가를 고찰하고자 한다. 이를 고찰함에 참고자료는 효탄 스님이 정리하고 번역한 『계학약전』과 더불어 몇 편의 논문, 고창군 전북역사문화학회에서 발간한 석전의 각종 자료집, 대한불교조계종 제24교구본사 선운사에서 발간한 행장과 자료집을 참고하면서 필요한 경우에 각종 계율과 관련한 경전과 논서들을 참고하여 간략히 기술하고자 한다.

....

[*2]   석전의 사상은 三學一体의 兼全思想을 근간으로 禪敎兼學과 禪律兼學, 新舊兼學을 주장한다.

Ⅱ. 석전 영호石顚 映湖의 계율관戒律觀

1. 석전石顚의 계율관戒律觀 배경

석전 영호石顚 映湖, 1870~1948[*3]는 숭유억불崇儒抑佛의 조선 말과 일본의 제국주의가 조선을 침략한 근현대 과도기, 국운이 쇠약해진 위기 속에 한국불교의 정체성과 계율정신으로 올바른 교단정립과 불교의 화엄사상에 입각한 국민정서의 함양과 글로벌화를 시도하려고 청년 불자들에게 부단한 독려와 격려를 아끼지 않았던 분이다. 일본이 조선을 침략한 질곡 속에서 어떻게 하면 국민을 일깨우고 나아가 민족의 독립과 조선불교의 개혁을 일구어 내어야 하는지에 대해서 종단의 최고지도자로서 심혈을 다하였다.

조선 오백 년의 억불숭유정책의 세월 속에 불교도는 은둔적 산중불교와 민간신앙의 형태로 전락하여 고원한 불교사상을 상실하고 수행의 정체성마저 확립하지 못한 상태였다. 이러한 상황에서 일본 일련종의 승려 사노 젠레이[佐野前勵]의 도움을 받아 1895년 비로소 승려의 도성출입이 허가되었다.[*4] 승려들이 도성을 출입하게 됨은 쇠락한 불교가 조선왕조에서 포교를 공식적으로 인가를 받은 셈이다.[*5]

....

[*3] 석전의 생애에 대한 1차 자료는 성낙훈 찬, 「영호당대종사비」·「석전시초」에 기술한 「자술구장」; 정인보 찬, 「석전상인소전」; 최남선 「서」; 김영수 찬, 「석전문초」의 「영호화상행적」; 신석정의 「서」; 이능화의 「조선불교통사」 하권, p.954 등이다. 2차 자료는 선운사, 「石顚映湖스님 행장과 자료집」(백파사상연구소, 2009); 선운사, 「石顚映湖 大宗師의 生涯와 思想」(백파사상연구소, 2009) 등이다. 생애에 대한 내용은 상세하게 연구되었기 때문에 자세한 내용은 생략한다. 다만 효탄은 2기로 나누어 제1기는 학습기, 제2기는 교화전법기로 나눈다.

[*4] 「고종실록」에 따르면, "1895년 3월 29일(양력 4월 3일) 총리대신 김홍집, 내부대신 박영효가 '승려들의 입성금지령'을 완화할 것을 상주하여 윤허를 받다"라고 하였다.

[*5] 김순석, 〈승려 도성출입금지해제 배경과 의미〉, 《법보신문》, 2006년 6월 21일자.

이에 불교계에서는 도성의 출입을 허용하게 해 준 일본불교에 호의적인 의식을 가지고 소수의 수행 납자를 제외하고는 대다수가 왜색불교로 교단을 이루게 되었다. 이 때문에 쇠락한 불교의 중흥과 더불어 조선독립의 정신을 확립하여 조국광복이란 과제를 해결해야 하는 기로에 직면한 것이다.

그러한 와중에 여전히 조선불교승단과 승려의 위상은 형편없었고 심지어 일본불교가 조선불교보다 발전했다고 인식하게 되었다. 말하자면 조선불교계 최초의 근대적 학교인 동국대학교 전신인 명진학교明進學校와 화계사의 홍월초洪月初와 봉원사의 이보담李寶潭이 조직한 불법연구회佛法研究會가 일본 정토종淨土宗의 영향을 받아 설립되었다. 그리고 그들 외에 30여 명의 승려가 일본의 진종眞宗 사찰에서 득도식을 거행하거나 혹은 원종圓宗 종무원의 고문으로 일본 조동종 승려 다케다 한시[武田範之]를 두기도 하였다.[6] 그뿐만 아니라 일본에 의해 나라의 주권이 빼앗긴 1910년 경술국치庚戌國恥를 전후해서 조선불교는 정체성을 잃고 점차 대처육식帶妻肉食의 문제가 심각하게 대두되어 갔다.

특히 일본은 조선불교를 통제하기 위해 7개조로 된 사찰령을 1911년 6월 3일 제령 7호총독부령 83호로 반포하였다. 그리고 사찰령의 시행을 위해 전문 8개조로 된 시행규칙을 1911년 7월 8일 총독부령 84호로 제정한다. 또한 사찰령 제3조에 의거하여 각 본산에서는 사찰법을 제정하여 총독의 인가를 받도록 규정하였다. 이 사찰법에는

....

[6]　南都泳,「舊韓末의 明進學教」,「歷史學報」90, 1981.

사찰의 운영규칙과 법식 등에 대한 사항이 포함되어 있었다.[7] 이러한 사찰령과 시행규칙 및 사찰법 등은 일제가 조선불교계를 장악하여 식민통치에 활용하기 위해서 제정한 것이다. 이는 조선민의 정신을 장악하기 위한 침략의도임은 말할 것도 없다. 이러한 조선총독부의 음모를 간파하지 못하고, 당시의 본산 주지들은 사찰령에 의해 조선불교의 종단 명칭을 '조선불교선교양종朝鮮佛敎禪敎兩宗'이라 설정하였다.[8] 이것은 임제종현창운동의 도화선이 되었다. 그러한 일본의 종교정책 중에 가장 어려운 난제는 불교의 근대화의 실현과 대처육식의 허용에 대한 양면성이다.

그러한 한편 일본불교의 영향으로 취처娶妻를 한 승려가 나타나기 시작한다. 『송광사지松廣寺誌』에 따르면 "1912년 임자壬子부터 본사本寺 승려僧侶의 취처娶妻가 개시開始되었다"[9]고 전한다. 승려의 취처는 한일합방 직후부터 본격화된다. 이때 불교계에서는 내부적으로 큰 변화의 조짐이 일어난다. 시대적 변화에 따라 불교도 변해야 한다는 것이다. 이른바 당시 불교계의 지도자들이 내놓은 불교개혁안들이다.[10] 말하자면 만해 한용운卍海 韓龍雲이 일본 유학을 다녀와서 저술한 『조선불교유신론朝鮮佛敎維新論』1913에서의 취처허용이다.[11] 나아가 퇴경 권상로退耕 權相老의 『조선불교개혁론朝鮮佛敎改革』[12], 종원 이영재

....

[7] 金光植, 『韓國近代佛敎史硏究』 (민족사, 1996), p.38 참조.
[8] 金光植, 「근대 불교개혁론의 배경과 성격」, 『근현대불교의 재조명』 (민족사, 2000), p.44 참조.
[9] 林錫珍 編, 『松廣寺誌』 (松廣寺, 1965), p.196.
[10] 김광식, 「근대 불교개혁론의 배경과 성격」, pp.17-39.
[11] 한용운, 『朝鮮佛敎維新論』의 序文에 의하면, 이 책은 '1910년 12월 8일 밤에 쓴 것'으로 되어 있다. 그러나 이 책은 1913년에 간행되었다.
[12] 이 개혁론은 『朝鮮佛敎月報』 3호~18호(1912. 4~1913. 7)에 연재되었다.

宗圓 李永宰의『조선불교혁신론朝鮮佛教革新』[*13] 등이다.

　이들은 모두 조선불교승단이 변해야 한다는 문제의식에서 출발하여 나름대로 조선불교를 개혁하고자 하였다. 그러나 그들이 주장한 개혁의 의미와 내용은 각기 달랐다. 그렇기 때문에 그것을 해결하고자 하는 방법론도 각기 다를 수밖에 없었다. 그들의 개혁론 중에는 무기력한 조선불교 승단이 새로운 문물을 받아들여서 변화하는 시대에 부응하는 종교로 발전해야 한다는 주장이다. 반면 일본불교의 영향으로 청정성을 상실한 승단을 원래의 조선불교 전통으로 되돌려야 한다는 주장이 대두된다.[*14] 즉, 그들이 주장한 개혁은 승단의 불교적 세속의 교화를 의미하는 것이지 계율을 무시한 대처육식이 아니라는 두 측면이다.

　이상의 시대적 배경에서 가장 먼저 고려할 사항은 불교교단의 올바른 정체성을 확립하여 미래에 대처하기 위해 청년승가교육을 정립하는 것이었다. 그 중심에 지율엄정持律嚴正은 중차대한 부분이다. 따라서 석전은 교학과 선을 수학하고 중앙불교전문학교에서 청년승가의 계율교육을 위해서『계학약전』을 저술하여 교재로 삼았다. 이러한 그의 계율에 대한 계보는 정통성과 전통을 유지하는 특별한 의미를 갖는다. 이는 계율의 정당성을 확보하여 교단의 안녕에 매우 중요한 사항이기도 하다. 그리고 석전의 계맥에 대한 계보와 특징을 유추해 볼 수 있는 부분이다.

....

[*13]　이 글은 1922. 11~12까지 총 27회에 걸쳐 ≪조선일보≫에 연재되었다.
[*14]　李秀昌(摩聖),「白龍城의 僧團淨化 理念과 活動」,『범어사와 불교정화운동』(영광도서, 2008), pp.542-543.

2. 석전石顚의 계율적戒律的 계보

석전의 계율에 대한 계보는 현 대한불교조계종의 양대 계맥인 대은 낭오大隱 朗旿, 1780~1841의 계맥과 만하 승림萬下 勝林의 계맥과는 다른 맥을 말한다. 석전의 계맥은 삼국을 이어 면면이 상전된 환성 지안喚惺 志安, 1664~1729의 계맥이다. 석전의 계보를 살펴보기에 앞서 먼저 두 계맥을 살펴보면 조선 후기 때의 불교는 기진맥진하여 근근이 명맥을 유지하다가 단절의 위기에 대은 낭오의 서상수계瑞祥受戒로 계맥을 중흥하게 되었다. 그 연유에 대해서「경상도가야산해인사금강계단호계첩문慶尙道伽倻山海印寺金剛戒壇護戒牒文」의 내용을 가산지관의 저서를 인용한 보광의 논문을 참고하여 간략히 살펴보면[*15] 다음과 같다.

조선조에 접어들어서는 영암 道岬寺의 大隱 朗旿 화상이 그의 스승 金潭장로와 더불어 戒學이 失傳 상태에 놓여 있는 실정을 개탄하고 1826(순조26) 7월 15일 解制 後 河東 七佛庵 亞字房에서 瑞祥受戒를 서원하고 7일간의 기도를 봉행하던 중 7일 만에 一道祥光이 大隱의 頂上에 灌注하므로 스승인 金潭이 이르기를 "나는 오직 法을 위함이요 師資의 서열에는 구애받지 않는다."면서 곧 상좌인 대은을 전계사로 하여 보살계와 비구계를 받았다고 전하고 있다.[*16] 이와 같이 大隱 스님과 금담 스님은 서로 상좌와 스승이었고 나이 차이도 금담이 16세나 많았지만, 瑞祥受戒로 인하여 스승과 제자가 바뀌게 되었다. 이러한 계맥은 大隱 朗旿(1780~1841)가 錦潭 普明(1765~1848)에게 수계를 주었으며, 금담은 艸(草)依 意恂(1786~1860)에게, 草衣는 梵海 覺岸(1820~ 1896)에게

....
*15 한보광,「白龍城스님과 한국불교의 계율문제」,「大覺思想」第10輯 (大覺思想硏究院, 2007), pp.81-85.
*16 伽山智冠,「한국불교계율전통」(가산불교문화연구원, 2005), p.150.

전하였으며, 梵海는 禪谷에게, 禪谷은 龍城 震鍾(1864~1940)에게로 代代相傳하였다.[*17]

　이상의 내용에 의하면 용성은 21세에 통도사에서 선곡 율사에게 전계받았다. 바로 이 계맥은 한국불교의 자주적인 정통계맥正統戒脈이며 환성 지안 대사 이후 사라질 위기의 계맥을 다시 중흥시킨 것이다. 용성은 대은 낭오의 서상수계가 한국불교를 중흥시키는 일이라고 확신하면서 일제치하 왜색불교의 바람과 대처육식 되어 가는 것을 보다 못하여 1926년 5월과 9월에 두 번에 걸쳐서 지계持戒 건백서建白書를 조선총독부에 내게 되었다. 이러한 그의 활동은 대은 율사로부터 받은 서상수계의 계율정신으로 돌아가자는 운동을 지키기 위해 혼신의 노력을 일생에 걸쳐서 다하였다.

　이러한 계맥은 동산 혜일東山 慧日, 1890~1965에게 전해졌을 뿐만 아니라 동산은 만하 승림의 계맥도 전해 받아 한국의 계맥을 회동한다. 동산은 용성으로부터 대은계맥大隱戒脈을 전수傳受받았음에도 불구하고 중국 고심 여형古心 如馨 율사의 계맥을 전수받게 된다. 『동산대종사문집東山大宗師文集』에 의하면 1943년 52세에 영명永明 율사로부터 중국 법원사法源寺의 창도昌濤 율사에게 한국의 만하 승림 율사가 가서 전계 받아 온 것을 받았다는 것이다.[*18] 2004년 최근의 계첩인 「범어사금강계단호계첩문梵魚寺金剛戒壇護戒牒文」에 의하면 다음과 같다.

....

*17　李能和, 「朝鮮佛教通史」 卷中, 律宗 79 ; 退耕, 「朝鮮의 律宗」, 『佛教誌』 56호, p.13.
*18　「東山大宗師文集」 (동산대종사문집편찬위원회, 1998), p.378.

慧貴는 昌濤漢波律師(1869년에 전계사로 추대되었다)에게, 昌濤는 萬下勝林律師에게, 勝林은 惺月一全에게, 一全은 一鳳敬念律師에게, 敬念은 雲峰性粹律師에게, 性粹는 永明普濟律師에게, 普濟는 東山慧日律師에게, 慧日은 古庵祥彦律師에게, 祥彦은 昔岩慧秀律師와 慈雲盛祐律師에게, 盛祐는 金河光德律師에게, 光德은 南谷德明律師에게, 德明은 瑞海興敎律師에게 전하였다.[19]

범어사에서는 영명 보제永明 普濟가 동산 혜일東山 慧日에게 전한 것이 1943년이라고 한다. 위에서 밝힌 계첩문은 2004년 3월 15일에 설한 것을 『한국불교계율전통』에 실려 있는 것을 인용한 것이다.[20] 따라서 동산 스님의 계맥戒脈은 두 가지로 전해지고 있다. 즉, 중국 고심 율사古心律師의 계통으로 만하 승림萬下 勝林 → 성월 일전惺月 一全 → 일붕 경념一鳳 敬念 → 운봉 성수雲峰 性粹 → 영명 보제永明 普濟 → 동산 혜일東山 慧日로 되어 있는 만하계통萬下系統이다. 다른 하나는 대은大隱 → 금담金潭 → 초의草衣 → 범해梵海 → 선곡禪谷 → 용성龍城 → 동산東山으로 이어지는 대은계통大隱系統이다.[21] 그런데 오늘날 범어사에서는 대은계통의 용성 스님 계맥은 전하지 않고 오직 만하 스님계통만 전수하고 있다. 그렇지만 성월惺月 스님 같은 경우가 대처帶妻를 하였기 때문에 전계사傳戒師의 자격이 상실되었으므로 이를 전승한다는 것은 문제점이 있어 재고의 여지가 있기는 하다.[22] 하지만 성월 스님이 대처하기 전에 만약 계맥을 제자에게 전수하였다면 내용은 달라질

....
*19 伽山智冠, 『한국불교계율전통』 (가산불교문화연구원, 2005), p.165.
*20 伽山智冠, 『한국불교계율전통』, p.165.
*21 伽山智冠, 『한국불교계율전통』, p.258.
*22 한보광, 「白龍城스님과 한국불교의 계율문제」, 『大覺思想』 第10輯 (大覺思想硏究院, 2007), p.90 참조.

수도 있다. 또한 이와는 달리 전해지는 석전 영호의 계맥을 살펴보기로 한다.

1940년 3월 「도봉산망월사금강계단호계첩문道峰山望月寺金剛戒壇護戒牒文」에 의하면, 신라의 자장 율사로부터 전해진 계맥이 지공指空과 무학無學을 거쳐 조선시대 환성 지안喚惺 志安. 1664~1729까지 면면히 이어져 왔으나 지안志安 이후 단절되었다. 왜냐하면 환성 지안은 불교를 백방으로 노력하다가 유생들의 모략에 의해서 순교한 이후부터 계맥뿐만 아니라 불교 전체가 멸망상태에 처하게 되었기 때문에 그러던 중 1826년 대은大隱 율사에 의해 서상수계瑞祥受戒로 상전된 계맥이 금담金潭→ 초의草衣 → 범해梵海 → 선곡禪谷 → 용성龍城으로 계승되었다고 한다.[*23] 그런데 여기서 우리는 다른 경우를 예측해 볼 수 있다. 즉 환성 지안 이후 끊어졌다는 계맥도 역시 환성 지안이 순교하기 전에 제자에게 계맥을 전수하였다면 계맥은 상전되었다고 예상할 수 있다.

이러한 한국불교 제3의 계맥을 좀 더 살펴본다. 지관 스님의 저서와 효탄 스님의 논문을 참고하면 삼국 이래 면면히 이어진 제3계맥이다. 이러한 계맥은 후대 중국계맥을 수입한 것도 아니고, 또한 서상수계瑞相受戒도 아닌[*24] 종래 고대 한국의 전통을 중흥 발전시킨 한 계맥은 고창 선운사禪雲寺의 백파 긍선白坡 亘璇. 1767~1852의 계맥이라고 한다. 이는 앞서 서상수계를 하였다는 대은 낭오大隱 朗旿. 1780~1841보다

[*23] 伽山智冠, 『한국불교계율전통』, p.183.
[*24] 이는 가산 스님의 오기인 듯하다. 한국 고대 전통계맥은 모두 自誓受戒 또는 瑞相受戒다. 자장 율사와 진표 율사 모두 서상수계다. 曉呑, 『石顚 朴漢永의 『戒律纂要』과 歷史的 性格』, 『戒律纂要』(東國譯經院, 2000), p.77 참조.

이전에 활동했던 백파 긍선은 선과 교와 율에 두루 정통한 분이다. 특히 계율을 엄격히 지켰을 뿐만 아니라 율문에 조예가 깊었다고[*25] 한다. 이러한 백파의 계맥은 선운사에 세운 추사 김정희의 비문에서도 입증하고 있다. 그 법맥과 계맥은 다음과 같다.

법맥 : 西山休靜 → 鞭羊彦機 → 月潭雪霽 → 喚醒志安 → 雪破尙彦 →
　　　 退菴泰瓘 → 雪峰巨日 → 白坡亘璇 → 道峰國燦 → 正觀快逸 →
　　　 白岩道圓 → 雪竇有炯 → 茶輪益振 → 雪乳處明 → 映湖鼎鎬[*26]
계맥 : 白坡亘璇 → 沈虛翰醒 → 雪竇有炯 → 鏡潭瑞寬 → 幻應坦泳 →
　　　 映湖漢泳

이상 법백과 계맥의 계보에서 짐작할 수 있는 것은 법과 율의 계보가 겹치는 경우다. 말하자면 법과 율이 동시에 전수되었다는 것이다. 그리고 이러한 분들의 활약 지역이 백양사와 선운사나 구암사와 내장사라는 것이다. 이로 미루어 볼 때에 선과 교와 율의 삼학일치三學一致와 겸학사상兼學思想을 이어받아 석전 영호의 사상을 확립한 것이라 여겨진다.

3. 석전石顚의 계율관戒律觀 특징

석전은 종단의 상황이 암울한 가운데 새로운 희망을 다지기 위해 우선 젊은 승가를 위해 『계학약전』를 손수 지어서 교육에 힘쓰고 대중

....

[*25] 伽山智冠, 『한국불교계율전통』, p.161.

[*26] 노권용, 「石顚映湖 大宗師의 불교사상과 그 유신 운동」, 『石顚映湖 大宗師의 生涯와 思想』 (백파사상연구소, 2009), p.30.

석전 영호대종사 | 한국불교의 초석을 세우다

을 위해서 유교법회를 거행하였다. 왜냐하면 계율은 본래 부처님께서 재세 시에는 수범수제隨犯隨制로서 결계結戒하셨고, 열반하실 때에 아난존자에게 내린 유시에서 이계위사以戒爲師로써 교단과 교법의 유지에 매우 중요한 의의를 제시하기 때문이다. 그러므로 이러한 계율은 삼학의 하나이고, 육바라밀의 하나이며, 십바라밀의 하나이고, 오분법신五分法身의 하나다.

넓은 의미로 말하자면 대개 선악의 습관이 모두 그것을 일컬어 계라고 할 수 있고, 만일 좋은 습관이라면 선계善戒라고 일컫고, 만약 무너지는 습관이라면 악계惡戒라고 한다. 그렇다면 계율은 인간의 삶에 어떤 마음을 가지고 어떻게 살아가느냐의 습관을 부처님의 결계에 의해서 살아가는 것이라고 할 수 있다. 그래서 계율은 출가와 재가를 막론하고 방비지악防非止惡의 공용功用과 계율제정의 십구의十句義*27 또는 제계십리制戒十利*28의 열 가지 이익이 있다. 또한 소승계율은 수지계율受持戒律이 중점이지만 대승계율은 심지계心地戒의 자비실현으로써 지범개차持犯開遮를 중시한다.

그래서 석전은 사미십계와 십선계를 중점적으로 설명하면서도 선禪과 관련이 깊은 4바라이에 대해서 자세한 내용을 설명한다. 특히

---

*27 ① 대중을 섭취하기 위하여, ② 대중의 화합을 위하여, ③ 대중의 안락을 위하여, ④ 다스리기 어려운 자를 잘 다스리기 위하여, ⑤ 부끄러워하는 자들에게 안락을 주기 위하여, ⑥ 아직 믿지 못한 자에게 믿음을 주기 위하여, ⑦ 이미 믿음이 있는 자에게 더욱 믿음을 증장하기 위하여, ⑧ 현세의 번뇌를 끊기 위하여, ⑨ 후세의 악을 끊기 위하여, ⑩ 정법이 오래 머물도록 하기 위하여. 佛陀耶舍·竺佛念 等共譯, 『四分律』(大正藏 22, p.570c). "集十句義. 一攝取於僧, 二令僧歡喜, 三令僧安樂, 四令未信者信, 五已信者令增長, 六難調者令調順, 七慚愧者得安樂, 八斷現在有漏, 九斷未來有漏, 十正法得久住"

*28 ① 승가의 선성(善性)을 위하여, ② 승가의 안락을 위하여, ③ 악인을 절복하기 위하여, ④ 올바른 비구들의 안락한 거주를 위하여, ⑤ 현세의 모든 번뇌를 차단하기 위하여, ⑥ 미래세의 모든 번뇌를 막기 위하여, ⑦ 아직 신심을 일으키지 않은 자들의 신심을 일으키기 위하여, ⑧ 이미 신심을 일으킨 자들의 신심을 증장시키기 위하여, ⑨ 정법의 확립을 위하여, ⑩ 조복(調伏)의 애중(愛重)을 위하여. 이자랑, 「계율 성립의 배경과 전개」, 『불교평론』 제53호 (만해사상실천선양회, 2007), pp.27-32 참조.

『사분율四分律』을 비롯하여『범망경』,『화엄경』,『대일경소』,『무외삼장선요』,『능엄경』 등의 오계五戒와 팔재계八齋戒, 사미십계沙彌十戒, 구족계具足戒에서 십선계十善戒를 공통으로 삼은 계가 바로 살도음망殺盜婬妄의 네 바라이에 섭수된다고 전제한다. 따라서 석전은 선과 교, 선과 계, 선과 밀이 회통하는 십계와 네 가지 계가 바로 일체 모든 계행을 총괄하여 섭수한다고 간주하였다. 이 중에서 특히 수행에 중요한 계율의 차례를 설정함에『사분율』은 음행 → 투도 → 살생 → 대망어이고,『범망경』에서는 살생 → 투도 → 음행 → 대망어이며,『능엄경』에서는 음행 → 살생 → 투도 → 대망어. 이것은 청정한 계율의 준수가 바로 선정을 이루는 길임을 천명하고 있다. 이는 각각 설하는 계율은 시대와 대상에 따라서 그 중요성의 강조가 달라짐을 표방한 것이기도 하다.

다시 말해서 계율엄지가 참선수행의 기초이면서 보살의 용맹한 삼매를 터득하여 내적 깨달음을 다지고 중생을 구제하는『범망경』과『유교경』의 강설을 통한 깨달음의 사회화를 추구하였다. 또한 석전은 선과 밀을 결합하여 수행하는 관점에서 확고한 계율의 수지도 중요하지만 깨달음을 추구하는 것이 최종의 목적에 부합한 것이다. 따라서 그는 선율겸행禪律兼行과 선밀겸행禪密兼行도 함께 추구하는 겸전사상兼全思想에 일치한다. 이는 서산 휴정의 삼문수학三門修學을 계승한 조선불교의 특성을 그대로 전개한 것으로 보인다. 따라서 석전의 계율관戒律觀은 어디까지나 당시 일부 무애행에 대한 엄격한 경책이면서 궁극적으로 견성성불見性成佛을 지향한 가교적인 수행방편으로 여겨진다.

이는 일본의 식민정책으로 인해서 조선불교는 이미 왜색불교화에 깊숙이 잠식당하여 대처육식이 만연하고, 음주파계飮酒破戒가 다반사가 되어 버려 전통적인 청정교단은 파괴되고 수행가풍은 그야말로 실종되어 가는 어려운 처지에 놓이게 되었다. 이러한 과정에서 청정한 수행가풍을 되찾고, 자비와 지혜의 양족을 위해 비구승들이 분연히 일어나 안으로 견성성불의 완성을 구현하고, 밖으로 요익중생饒益衆生의 교화를 천명하는 유교법회를 거행하여 출가와 재가가 지계청정으로 종단의 정화를 추구하였다.[*29]

결론적으로 석전의 계율관戒律觀은 두 가지 측면에서 정리될 수 있다. 첫째는 『계학약전』을 통해서 삼학일원三學一元이란 겸전사상兼全思想의 견지에서 승가교육에 전념하였다. 다른 하나는 『범망경』과 『유교경』의 대중적 유교법회를 통해서 깨달음의 사회화를 추구하여 대중교화를 실천하였다. 또한 『대일경소』와 『무외삼장선요』, 『능엄경』 등의 밀교 경전을 통해서 선밀겸수禪密兼修와 선계겸수禪戒兼修도 함께 추구하여 삼학을 고루 섭렵하는 겸학사상兼學思想으로 귀결된다고 할 수 있겠다.

....

[*29]   曉呑, 「石顚映湖 大宗師의 戒律思想」, 『石顚映湖 大宗師의 生涯와 思想』 (백파사상연구소, 2009), p.71 참조.

Ⅲ. 『계학약전戒學約詮』의 의의意義

1. 『계학약전戒學約詮』의 내용

불교에서 진정한 불자가 되는 길은 제일 먼저 계戒를 수지하는 일이다. 그러므로 계는 일찍부터 계학戒學·정학定學·혜학慧學의 무루삼학無漏三學 가운데 하나로 중시되어 모든 불교수행의 필수적인 가르침으로 전해졌다. 따라서 계戒를 받으면 계체戒體가 형성되고 계를 수지한 그 자체로서 무한한 공덕이 발생한다고 한다. 이러한 수계와 더불어 그로 인한 계체는 계율로서 불교의 전래와 동시에 불법의 수행에 필수불가결한 것이다. 이러한 계체가 형성되고 실현되는 직접적인 근거는 삼장 가운데 율장이다. 이러한 계체의 문제는 성계성취性戒成就와 연사제계緣事制戒로 구분한다. 『계학약전』에서는 부처님께서 열반하신 이후에 곧바로 우바리에 의해서 80송誦의 계율戒律이 승가가 생활하는 표준이 되었다고 하였다.

석전사가 저술한 『계학약전』의 원본은 프린트 본으로 총 74페이지이지만 효탄 스님이 교정하여 번역하고 주석한 것이 총 130페이지이고, 원문만으로는 53페이지다. 본서는 서분인 제1장 총서계체總敍戒體는 3분의 1에 분량이고, 정종분인 제2장 별현계상別顯戒相은 3분의 2에 분량이며, 유통분인 제3장 결권수학結卷修學은 1페이지 반 분량으로 구성되었다. 이를 보다 상세하게 기술하면 제1장의 서분인 총서계체는 첫째로 삼장三藏의 설명, 둘째로 삼장과 삼학三學의 대비對比, 셋째로 수수상전授受相傳과 부파의 분파, 넷째로 오부율五部律에 대한

석전 영호대종사 ┃ 한국불교의 초석을 세우다

약술, 다섯째로 진단震旦의 사부율, 여섯째로 대천의 오사망어약술五事妄語略述, 일곱째로 대승계본大乘戒本인 『범망경』 약술, 여덟째로 대승계와 소승계의 차별이다. 제2장의 정종분인 별현계상은 1. 사미율의 2. 비구와 비구니의 구계약상具戒約相 3. 보살계약술 4. 『능엄경』의 사종율이다. 제3장의 유통분인 결권수학으로 갖추었다. 이상의 내용에 대해서 효탄 스님의 과목을 참고하여[*30] 도표로 나타내면 다음과 같다.

제1장 總敍戒體	1. 三藏, 2. 三藏과 三學의 對比, 3. 授受相傳과 分派, 4. 五部律, 5. 震旦四部, 6. 五事妄語略述, 7. 大乘戒本, 8. 大小乘戒의 差別, 네 가지 緣事制戒 설명
제2장 別顯戒相	1. 沙彌律儀 ; 沙彌十戒, 2. 具戒略相 ; 비구, 비구니 別解脫律儀 중 4바라이와 8바라이, 7滅爭法, 비구니 8敬法* 『범망경』, 『화엄경』의 「십지품」 이구지 십선계 3. 菩薩戒略述 ; 十重大戒, 十善戒, 密敎의 十波羅夷戒(대일경소, 무외삼장선요), 48輕垢戒 중 12종을 설명 특히 36不發誓戒, 48破法界 4. 楞嚴4種律儀 ; 1. 婬九, 2. 殺九, 3. 盜八, 4. 妄六, 5. 總三
제3장 結卷修學	五益

이상의 내용에 대해서 간추려 살펴보기로 한다. 먼저 여덟 가지로 나눈 총서계체에서 먼저 여래께서 설하신 가르침의 내용은 무량하지만 경과 율, 논에 섭수된다. 이러한 삼장을 대략 계율의 개념을 삼업의 방비지악防非止惡을 설명한다. 다음에 경율론經律論을 세 가지로

....

*30   曉呑, 『戒學約詮』 (東國譯經院, 2000), pp.15-20.

설명하고서 삼장과 삼학을 대비시켜 2가지로 설명한다. 즉, 넓은 의미로 경은 삼학을 모두 섭렵하고, 율은 계학과 심학을 갖추었으며, 논은 오직 혜학만을 말한다. 이러한 삼장은 좁은 의미로 경은 정학, 율은 계학, 논은 혜학이라고 설명한다. 이러한 삼장은 근본과 지말, 넓음과 좁음 개념을 잡아 실천하기에 계율은 쉽고 선정은 조금 어렵고 혜학은 가장 어렵다고 설명한다. 셋째로 수수상전授受相傳과 부파의 분파에 대해서 부처님께서 제정한 계율을 우바리존자가 80번이나 외워서 대중들로부터 확인을 받은 계율이 굴 안팎에서 분파하여 5전傳한 것을 설명하면서 아소카왕의 시대에 상좌부와 대중부가 최초로 분파한 내역과 18부파가 분립한 것과 더불어 오부율五部律과 진단震旦의 사부율四部律을 설명한다.[*31] 『아비달마대비바사론阿毘達磨大毘婆沙論』 제99를 인용하여 대천大天의 오사망어五事妄語를 약술한다.

넷째로 대승의 계본에 대해서 『범망경梵網經』과 『화엄경華嚴經』 「십지품十地品」 가운데 「이구품離垢品」과 『수능엄경首楞嚴經』, 『대열반경大涅槃經』의 부율扶律 담상談常, 『관음예문觀音禮文』, 『대일경大日經』, 무외無畏 삼장三藏의 『선요禪要』, 영명永明 연수延壽의 『수보살계법서受菩薩戒法序』 등을 인용하여 팔관재계와 십선계를 설명한다. 그런 다음에 다섯째로 대승계와 소승계의 차별을 논하면서, 먼저 설한 때가 다름을 설명함에 보살계는 성도 직후에 설하였고, 소승계는 성도 이후 12년에 결계하였다고 말한다. 여섯째로 성계성취性戒成就와 연사제계緣事制戒의 계체를 밝힌다. 다시 말해서 섭률의계攝律儀戒와 섭선법계攝善法戒, 요익

....

[*31] 이 내용은 다소 다른 부분이다. 제1결집은 불멸 직후이고, 제2결집은 불멸 100년 경 10事非法 논쟁으로 이루어졌으며, 제3결집에서 대천의 아라한의 경지에 대한 五事妄語로 인한 분쟁이다.

석전 영호대종사 | 한국불교의 초석을 세우다

중생饒益衆生戒의 성계性戒에 대해서는 출처를 파악할 수 없는『역가경 劫假經』과『청량소淸凉疏』를 인용하여 설명하고, 연사제계緣事制戒는 제1편의 바라이법 중에 불살생계가 결계된 내용에 부정관不淨觀을 수행하다가 자살한 내역에서 설정된 것임을 밝힌다. 다음에 제2편의 승가바시법의 승잔僧殘에 중매 행위로 발단된 내력, 제8편의 목욕하다 옷을 바꿔 입은 현전멸쟁법 등이다. 그런 다음에『화엄경華嚴經』「십지품十地品」가운데 이구지離垢地와 관련된 십선업과 십불선업의 삼품의 구별과『청량소초淸凉疏鈔』에 언급된『장자』「소요편」의 두 가지를 인용한 활용방편에 의한 계율의 지범개차持犯開遮에 관한 계체를 설명한다.

제2장의 정종분인 별현계상에서는 첫째로 운서주굉의『사미율의沙彌律儀』를 인용하여 사미 10계를 설명한다. 둘째로 비구와 비구니의 구계약상具戒約相을 홍찬이 주석한『사분율四分律』을 따라서 손기법損棄法 네 가지 등의 비구 250계와 비구니 348계라고 총괄하고서 비구니 8바라이법과 8경법을 설명한다. 셋째로 보살계약술에서 10중대계를 상세하게 설명하고서 밀교의『대일경소大日經疏』와『무외삼장선요無畏三藏禪要』에 기술된 각각의 10바라이계에 대해서 설명한다. 나아가『범망경보살계본』의 48가지 경구계 가운데 10가지를 설명하고서 38번째의 불발서계不發誓戒와 48번째의 파법계破法戒에 대해서 13가지 서원의 다짐과 명리를 위해서 칠불통계를 비롯한 여러 외도나 악인이 부처님의 계를 비방하는 말을 들으면 창으로 찌르는 듯하라고 당부한다.

그런 다음 넷째로『능엄경』의 사종율의四種律儀에 대해서 우바새의 5계와 사미 10계부터 8만 세행의 근본성계를 궁구하면 사종율의를 벗어나지 않는다고 설하고서『능엄경』의 삼무루학三無漏學으로써 육조 혜능의 심지계를 비롯하여 자세한 설명을 한다. 다음에 불음계와 불살생, 불투도, 불망어에 대한 계를 설명하면서 삼매와의 관련성을 언급하여 계선일치戒禪一致를 입증한다.

끝으로 제3장의 결권수학結卷修學에서 계를 지키는 다섯 가지 이익으로 첫째로 시방의 부처님께서 보호하시고, 둘째로 목숨이 다하여 마칠 때에 정견을 얻어서 마음이 기쁠 것이며, 셋째로 세세생생에 태어나는 곳마다 보살과 더불어 벗을 삼게 되고, 넷째로 산더미 같은 공덕을 계로써 모두 성취할 것이며, 다섯째로 금세와 후세에서 성계性戒인 복덕이 가득할 것이라고 말한다. 그리고서 무분별 제일의 도가 바로 부처님의 반야지혜이니 청정계율을 보호하여 지키는 것이 보살의 공부가 부처님의 터전이라고 세존께서 찬탄하셨기에 복덕도 끝없어 지혜로 향하게 한다고 하였다.

2.『계학약전戒學約詮』의 특성

역대 한국불교의 계율에 관한 저서로 비록 약술이긴 하지만 종합적으로 계율에 관해서 논한 것으로 유일한 것이『계학약전』이다. 이러한 본서는 계율의 역사와 더불어 분파의 연유를 밝히고 나아가 소승의 계율은 물론 대승의 계율까지 종합한 것이다. 뿐만 아니라 선종의 특성에 맞게 그리고 회통불교에 부응하는『사분율』과 더불어『범망경』,『화엄경』,『관음예문』,『대일경소』,『무외삼장선요』,『능엄경』등의 내용을 종합하였다. 이러한『계학약전』은 계학이 아니라 사학약전四學約詮이라고 해야 할 것이다. 그런데 본서의 중요한 계율로 4바라

석전 영호대종사 ┃ 한국불교의 초석을 세우다

이와 더불어 십선계, 10바라이를 자세하게 설명하면서 인과법을 설하여 무엇보다 중요한 것이 서원이라고 언급하였다.

　이상과 같은 내용에 대해서 간략히 살펴보기로 한다. 먼저 4바라이에 대해서 차례를 바꾸어『능엄경』의 내용을 매우 자세하게 인과법을 동원하면서 삼매에 방해됨을 피력하였다. 다음에『화엄경』의 이구지에 관한 내용으로 인과법을 논하여 선행을 강조하였다. 끝으로 10바라이에 대해서 논한 내용을 비교하면『계학약전』의 특성을 간파할 수 있을 것이다. 따라서『계학약전』의 내용[*32]을 비교해 보기로 한다.

화엄경 십지품	십선업계 ; 상중하의 인연법에 따라 증과가 달라짐
	십불선업 ; 상중하의 인연법에 따라 과보가 달라짐
	『청량소초』의 장자를 인용한 근기에 따른 활용이 달라짐
범망경	살계이니, 사람이나 짐승 등 일체의 생명을 죽이는 것
	도계이니, 모든 주지 않는 것을 취하지 않는 것
	음계이니, 사람이나 짐승 등 일체의 음행
	망어이니, 크고 작은 일체의 거짓말
	고주계이니, 술을 파는 것
	설사중과계이니, 사부대중의 허물을 말하는 것
	자기를 칭찬하고 다른 이를 험담하는 것
	아까워하고 헐뜯는 것
	성내는 마음으로 다른 이의 참회를 받아 주지 않는 것
	삼보를 비방하는 것

....
*32　曉吞,『戒學約詮』, pp.61-66 · pp.92-109 참조.

대일경소	불보를 버리지 말 것
	법보를 버리지 말 것
	승보를 버리지 말 것
	보리심을 버리지 말 것
	삼승 경의 모든 법을 비방하지 말 것
	일체제법을 아까워하지 말 것
	삿된 견해를 일으키지 말 것
	다른 사람이 큰마음을 냄을 막지 말 것
	근기에 맞지 않는 설법을 하지 말 것
	상대에게 이익 되지 않는 물건을 베풀어서는 안 됨
무외삼장 선요	보리심을 저버리지 말 것
	삼보를 버리지 말 것
	삼보와 삼승의 교전을 비방하지 말 것
	대승교전에 이해되지 않는 것에 의혹을 내지 말 것
	보리심을 낸 사람에게 2승으로 향하게 말 것
	보리심을 내지 않는 이에게 2승으로 인도하지 말 것
	소승과 삿된 견해 가진 이에게 대승을 설하지 말 것
	삿된 견해의 법을 일으키지 말 것
	외도들에게 위없는 깨달음과 묘한 계를 갖추었다 말 것
	일체 중생의 손익에 관여하지 말 것

이상의 내용에서 우리는 시대와 상황에 따라서 십선계와 10바라이가 달라졌다는 것을 짐작할 수 있다. 특히 십선계는 근본불교와 부파불교, 대승불교의 승단과 사회에 생활윤리를 잇는 가교 역할을 하였다. 이러한 십선계를 이어받은 10바라이는 그 강조하는 측면이 달라졌다는 것을 짐작할 수 있다. 따라서 석전은 선교겸학禪敎兼學, 선계겸수禪戒兼修, 선밀합행禪密合行으로 회통하여 십선계를 활용한 근기론과 더불어 10바라이를 현교는 물론 밀교까지 총괄하여 소개하였다.

그리고 4바라이의 차례를 『사분율』의 음행 → 투도 → 살생 → 대

석전 영호대종사 | 한국불교의 초석을 세우다

망어와 『범망경』에서는 살생 → 투도 → 음행 → 대망어, 그리고 『능엄경』에서는 음행 → 살생 → 투도 → 대망어의 내용을 대소승의 계율과 선경을 소개시켜 선종의 정체성을 나타낸 것이다. 이것은 바로 당시 승단과 대사회적으로 계율의 준수가 바로 청정을 강조하고, 다음에 자비를 실현하여 정직한 교단과 사회를 이루는 의도임을 천명하고 있다. 따라서 『계학약전』의 특성은 제교를 회통하여 삼매를 통과해서 완전한 깨달음을 추구하는 정체성을 확보하여 원교의 원융한 계학의 승단교육과 대사회의 깨달음을 실현하여 현실의 정토를 구현하고자 한 것으로 여겨진다.

3. 『계학약전戒學約詮』의 의의意義

그러면 『계학약전』의 의의를 논하기 전에 계와 율을 아우르는 개념의 율장이 중국과 고대 한국에 어떻게 전승되어 수용되었는가를 약술하여 살펴보기로 한다. 부처님에 의해서 수범수제隨犯隨制에 의해서 결계된 계율은 소소계小小戒에 대한 십사비법十事非法의 분쟁이 발생하여 제2결집이 이루어지고, 대천大天의 오사망어五事妄語라는 문제가 일어나 제3결집이 성립하였다. 또한 이러한 근본불교와 초기불교를 지난 다음에 부파불교의 말기에 이르면서 재가 대중을 승단에서 소외시킴으로부터 부처님의 본의에서 멀어져 간다. 이는 부파승단의 교리가 전문화되고 수행실천의 형해화形骸化에 이른 탓이다. 이에 대해서 비판적이었던 일부 대중부계통에 속하는 승속 가운데서 승단의 참모습과 부처님의 자비정신을 회복하려는 의도에서 개혁운동이 불교계에 발생한다. 이것이 이른바 대승불교운동이었다. 그런 가운데 초기대승불교에서 출가자와 재가자가 함께 의지할 수 있는 계율戒律을 필요로 하게 된다.

　이러한 승속을 일관한 교단과 사회윤리로 설정된 것이 육바라밀이며 십선계+善戒였다. 초기대승불교에서 육바라밀과 십선계를 의지함으로써 자리이타自利利他의 자비를 강조하여 계율의식에서도 확대되어 갔다. 그 계율의식의 선두에 있던 십선계는 그 후의『반야경』과『보리자량론菩提資糧論』을 비롯하여『화엄경』의「십지품」에서는 십선업으로「이세간품」에서는 십종계로 표현하였다.『화엄경』의「정행품」에서는 대승보살을 재가보살과 출가보살로 구별해서 각 보살이 실천하여야 할 계행의 실천수행법을 구체적으로 제시한다.

　한편 중기대승불교에서는 이것이 뒤에 세친논사에 의해서 신삼身三, 구사口四, 의삼意三이란 삼업의 3종계로 해석되어 별해탈율인 제1의 섭률의계攝律儀戒이며, 십선업의 실천을 말하는 제2의 섭선법계攝善法戒이며, 중생을 위하여 선행을 실행하는 제3의 이익중생계利益衆生戒다. 이러한 대승불교에서 그 용어와 표현이 정비되어 삼취정계三聚淨戒로 정립되었다. 그리하여 인도의 대승보살계는 재가자와 출가대중이 다함께 공통으로 수지할 수 있는『범망경』계통의 보살계와 또 하나는 삼취정계의 섭률의계에 율장의 7종 별해탈계를 포섭하여 수지함에『유가론』의 다른 번역인『선계경』을 의지하여 보살계를 받으려면 그 전제로써 반드시 7종의 율의를 받은 뒤에 보살계를 받게 하였

다. 이른바 중루계重樓戒[*33]를 수지하게 하는 유가유식계통의 유가보
살계가 성립한다. 유가보살계에서는 보살계가 비구계의 상위에 위치
하여 출가자가 구족계를 받은 그 뒤에 받게 되는 증상계增上戒가 바로
보살계다.

그런데 이러한 율장을 중국에서 번역하여 오대광율五大廣律[*34]이라
불렀다. 이러한 율장이 중국에 전래된 최초의 기록은 위나라 가평 연
간249~254에 중천축의 담가가라曇柯迦羅가 낙양에 들어와서 지금은 현
전하지 않지만『승지계심僧祇戒心』을 번역하고 범승을 청하여 갈마법
을 내세우면서 비롯되었다. 본격적으로 확인되는 것은 401년에 장안
에 들어온 구마라습鳩摩羅什, 344~413 또는 350~409이 수년 사이에 불야다
라弗若多羅와 담마류지曇摩流支 등과 더불어『십송율十誦律』58권을 번역
한 이후다. 이후에 비마라차卑摩羅叉는 다시 보완하여 61권으로 역출
하였다. 이에『십송율』을 학습하고 그에 의거하여 수계를 하기도 하
였다.

이러한『십송율』역출 수년 후에 불류야사佛流耶舍는 장안에서 축불
염竺佛念과 도함道舍의 도움을 받아서『사분율』60권을 역출하였다. 이
후 법현은 인도의 대중부에서 중시해 오던『마하승기율』40권을 역출
한다. 그는 구마라집이 장안에 들어오기 직전, 60여 세의 나이에도
불구하고 보다 완전한 율장을 구하기 위하여 인도 구법길에 올랐다.

....

[*33] 7종의 계율인 우바새계, 우바이계, 사미계, 사미니계, 식차마나계, 비구계, 비구니계가 누각의 층처럼 단계별
로 이루어진 것이다. 다시 말해서 계율의 나열 순서대로 계를 수지해야 하며, 이를 다 받은 후에 최종적으로
보살계를 받아야 한다는 것이 重樓戒의 내용이다.

[*34] 그것은 弗若多羅 誦出·鳩摩羅什 譯,『十誦律』61권(404~409), 佛陀跋陀羅·法顯 共譯,『摩訶僧祇律』40권
(416~418), 佛陀耶舍·竺佛念 등 共譯, 佛陀什·竺道生 등 共譯,『四分律』60권(410~412), 佛陀什·竺道生
등 共譯,『五分律』30권(422~424), 義淨 制譯,『根本說一切有部毘奈耶』(701~713)이다.

중인도에서 직접『마하승기율』과 화지부의『오분율』등을 수집하여 16년 만에 귀국하였다. 그 사이에 이미『십송율』과『사분율』등이 번역되어 있었다.『마하승기율』40권은 법현이 직접 번역하였지만『오분율』34권은 그가 입적한 이후에 불대즙佛大汁에 의하여 번역되었는데, 오늘날 전승되고 있는『오분율』은 훨씬 늘어난 120권 분량이다. 5세기 초에 번역된 이들 4대 율장 이외에 7세기에는 의정 삼장義淨三藏이 100권이 넘는 분량의『근본설일체유부비내야根本說一切有部毘奈耶』를 번역하였다.[*35]

　　나아가 이들 율장을 통하여 점차 연구와 실천도 이루어졌다. 중국불교의 계율은 초기에는『십송율』이 중시되었지만 점차 다양한 율장으로 관심이 모아졌다. 5~6세기에 늑나마제勒那摩提의 제자였던 광통 율사 혜광은『사분율』을 근거로 그에 대한 주석을 짓는가 하면 율의 연구에도 크게 기여하였다. 이후로 도운道雲의『사분율소四分律疏』9권과 지수智首의『사분율소四分律疏』20권이 간행되었다. 당나라 시대에 들어서 도선道宣은『사분율』을 중심으로『사분율행사초四分律行事鈔』12권,『사분율비구함주계본소四分律比丘含注戒本疏』4권,『사분율수기갈마소四分律隨機羯磨疏』4권 등을 짓고 나아가서 이를 바탕으로 소위 남산율종南山律宗을 확립하였다. 한편 도운道雲의 제자 홍준弘俊의 계통에서는 상부종이 형성되었는데 법려는『사분율소』20권을 지어 그 교리를 계법戒法과 계체戒体, 계행戒行, 계상戒相으로 체계화시켰다.

　　이러한 가운데 중국불교에서 계율의 정비와 중흥에 이바지한 남

---

*35　김호귀,「중국불교의 계율과 청규의 출현」,『불교평론』제53호 (만해사상실천선양회, 2013), pp.63-65 참조.

산율종의 도선 율사의 의지처는 인도 부파불교 중에 법장부에서 전하는『사분율』에 대승의 의의가 있다고 인정하여『사분율』을 수지하는 데에 있었다. 그가 재가자들의 교화에 관심을 가지고 저술한『도속화방편導俗化方篇』에서는 재가자가 수계함에 있어서 5계를 나누어 받는 분수를 인정하는 등 재가자의 수계에 대한 유연한 자세가 엿보인다. 그것은 재가자들에게 있어서 계를 받음과 아울러 현실생활 속에서의 실천이야말로 더욱 중요하고도 필수적인 것으로 생각하였음을 알 수가 있다. 그리고 중국 당나라 황제들이 보살계를 받음에 그 자체를 공덕이 있는 종교의례로써 받아들였던 것으로 보인다. 그러나 제왕들이 그러한 보살계를 수용하여 수지하였다는 그 자체는 널리 일반 민중들에게 매우 큰 영향을 주는 일이었다.

그런데 중국과 고대 한국에서 중점을 두고 있는 '자서自誓, 서상수계瑞相受戒'의 발생에 관하여 그것이 중기 대승경전인 유가계통의 보살계에서 일어났다. 대승불교가 발전 흥성하여짐에 따라서 부파불교의 승단이 대승으로 전향되는 중간시점에서 대승으로 전향한 출가승이 없을 경우에 '자서수계自誓受戒'는 스승이 없는 상황을 전제로 하여 나온 것이라는 설이다. 이에 대한 실증을 세울 수 있는 증거로 우리나라의 자장 율사와 진표 율사, 대은 율사 같은 분들의 자서수계自誓受戒가 이루어졌다.

중국이나 우리나라에서는 흔히 사상수계瑞祥受戒라고 하지만 경전에서는 자서수계라고 한다. 이에 대한 연구는 이미 발표된 바가 있으며[*36] 부처님 재세 시에도 자서수계를 받은 경우가 있다. 『십송율』에 의하면 마하가섭이 스스로 서원을 세워 구족계를 얻었다고 한다.[*37] 뿐만 아니라 『지지경地持經』과 『선계경善戒經』·『유가사진론瑜伽師地論』 등에도 자서수계의 정당성에 대하여 논하고 있다.[*38] 중국에서는 『고승전高僧傳』, 「담무참曇無讖」385~433조에는 당시에 도진道進이라는 승려가 스스로 서원하고 참회하여 자서수계를 받았으며, 함께 수행하던 10여 명도 서상수계를 받았다고 한다.[*39]

특히 지장신앙으로 분류되며, 중국 찬술의 위경僞經 논란이 있는 『점찰선악업보경占察善惡業報經』에서는 서원을 세워 제불보살전에 지극한 마음으로 공양하면서 계를 받기를 원한다면 섭율의계攝律儀戒와 섭선법계攝善法戒 및 섭중생계攝衆生戒인 삼취정계三聚淨戒를 받을 수 있다고 한다.[*40] 그러나 무엇보다 이러한 서상수계에 대한 교리적이고 계율학적인 근거는 『범망경梵網經』, 「보살심지계품菩薩心地戒品」이다. 흔히 보살심지계菩薩心地戒라는 내용을 보면 다음과 같다.

만약 불자여! 부처님이 멸도한 후 보살계를 받고자 하는 마음이 있으면 불보살의 형상 앞에서 스스로 수계하기를 서원하라. 마땅히 7일 동안 부처님 앞에서 참회하면 부처님의 상호를 친견하고 계를 받을 것이다. 만약 상호를 친견하지 못하면 마땅히 14일, 21일 내지 1년 동안 하게 되

....
[*36] 任京美, 「梵網經」における「自誓受戒」について」, 『印度學佛教學研究』 54卷 1號 (日本印度學佛教學會, 平成17年 12月), pp.512-509; 원영, 「삼취정계의 형성과 자서수계」, 『大覺思想』, 第十輯 (대각출판부, 2007).
[*37] 弗若多羅 誦出·鳩摩羅什 譯, 『十誦律』 (大正藏23, 410a).
[*38] 曇無讖 譯, 『菩薩地持經』 (大正藏30, 917a); 求那跋摩 譯, 『菩薩善戒經』 (大正藏30, 1014a); 彌勒菩薩 說·玄奘 譯, 『瑜伽師地論』 (大正藏30, 521b).
[*39] 釋慧皎 撰, 『高僧傳』 「曇無讖傳」 (大正藏 50, 336c).
[*40] 菩提燈 譯, 『占察善惡業報經』 (大正藏 17, 904c).

면 반드시 상호를 친견할 것이며, 상호를 친견하면 불보살의 형상 앞에서 수계하게 될 것이다. 만약 상호를 친견하지 못하게 되면 불상 앞에서 수계할지라도 계를 얻지 못하게 될 것이다. 만약 먼저 보살계를 받은 사람이 있으면 부처님의 상호를 친견할 필요가 없다. 왜냐하면 이 법사가 스승이 되어 스승으로부터 계를 주기 때문이다. 상호를 친견하지 못하였다고 할지라도 이 법사 앞에서 수계하게 되면 계를 얻게 된다. 重心을 내기 때문에 다시 계를 얻는다. 만약 천리 안에 계를 줄 스승이 없으면 불보살의 형상 앞에서 수계하는데 반드시 부처님의 상호를 친견해야 한다.[*41]

이상의 문구를 보면 수계의식에서 부처님 앞에서 서원을 세운 후에 참회하고 기도하면 반드시 부처님을 친견하여 직접 계를 받는다는 것이다. 수계의 진위는 반드시 견불見佛의 진위에 있다. 아무리 기도하고 서원을 세워도 견불하지 못하면 계를 전하거나 다른 사람에게 계를 줄 수 없다는 것이다. 그러나 서상수계를 받은 사람이 있으면 그 사람에게 받으면 되기 때문에 다른 사람들은 서상수계하지 않아도 무방하다. 그러나 만약 천리 안에 수계해 줄 사람이 없으면 서상수계해도 되지만 반드시 부처님을 친견하고 서상瑞祥을 받아야 한다고 강조하고 있다. 이러한 것은 『보살영락본업경菩薩瓔珞本業經』이나 『보살지지경菩薩地持經』도 마찬가지이다.[*42]

....

[*41] 鳩摩羅什 譯, 『梵網經盧舍那佛說菩薩心地戒品』 卷下(大正藏24, 1006,c) "若佛子, 佛滅度後, 欲心好心受菩薩戒時, 於佛菩薩形像前自誓受戒. 當七日佛前懺悔, 得見好相便得戒. 若不得好相, 應二七三七乃至一年, 要得好相. 得好相已, 便得佛菩薩形像前受戒. 若不得好相, 雖佛像前受, 戒不得戒. 若現前先受菩薩戒法師前受戒時, 不須要見好相何以故, 以是法師師師相授戒, 不須好相. 是以法師前受戒即得戒. 以生重心故便得戒. 若千里內無能授戒師, 得佛菩薩形像前受戒而要見好相".

[*42] 竺佛念 譯, 『菩薩瓔珞本業經』 卷下(大正藏24 1020c); 求那跋摩 譯, 『菩薩善戒經』(大正藏 30); 曇無讖 譯, 『菩薩地持經』(大正藏 30).

이상과 같은 계율의 전승을 계승한 석전의 『계학약전』에서는 서원을 중시하여 13가지나[*43] 들고 있다. 그 내용을 간추려 보면 경율의 수지와 음계의 서원, 파계한 몸으로는 시주의 의복을 받지 않겠다는 서원, 파계한 입으로 신심 있는 시주가 주는 음식을 받지 않겠다는 서원, 파계한 몸으로 신심 있는 시주가 주는 자리를 받지 않겠다는 서원, 파계한 몸으로 신심 있는 시주가 주는 약을 받지 않겠다는 서원, 파계한 몸으로 신심 있는 시주가 주는 집, 원림, 논밭을 받지 않겠다는 서원, 파계한 몸으로 신심 있는 시주의 공경과 예배를 받지 않겠다는 서원, 파계한 마음으로 좋은 색을 보지 않겠다는 서원, 파계한 마음으로 좋은 소리를 듣지 않겠다는 서원, 파계한 마음으로 좋은 향기를 맡지 않겠다는 서원, 파계한 마음으로 좋은 음식을 먹지 않겠다는 서원, 파계한 마음으로 좋은 옷을 입지 않겠다는 서원, 일체 중생이 모두 성불하게 하겠다는 서원 등이다. 이러한 내용은 모두 신구의 삼업과 육근이 청정하기를 서원하고 다짐하는 내용이다.

이상의 전거에서 우리는 석전의 『계학약전』은 중국의 남산율종과 영명연수로 이어진 계율의 전통과 고대 한국의 자장 율사와 진표 율사로부터 면면히 이어진 서상수계의 전통 계율을 계승하면서 겸전겸수兼全兼修의 회통불교를 지향하고 있다고 하겠다. 나아가 현대에 있어서 석전의 『계학약전』에 드러난 통불교적인 의의는 삼학일원三學一元의 삼문수학三門修學과 겸전사상兼全思想의 나아갈 청정승가와 깨달음의 사회화에 중점을 두고 있다고 하겠다. 이는 계율을 통한 개인의

....
*43 曉吞, 『戒學約詮』, pp.110-113 참조.

석전 영호대종사 | 한국불교의 초석을 세우다

청정과 더불어 자리이타의 대승의 심지법문의 실현인 것이다.

Ⅳ. 나가는 말

이상과 같이 석전 영호石顚 映湖의 계율관戒律觀과 『계학약전』의 의의意
義에 대해서 살펴보았다. 먼저 석전 영호의 계율관은 세 부분으로 나
누어 첫째로 석전의 계율관은 시대적 배경을 살펴서 불교교단의 올
바른 정체성을 확립하여 미래에 대처하기 위해 청년승가교육을 정립
하는 것이었다. 그 중심에 지율엄정持律嚴正은 중차대한 부분이다. 따
라서 석전은 교학과 선을 수학하고, 중앙불전에서 청년승가의 계율
교육을 위해서 『계학약전』을 저술하여 교재로 삼았다. 이러한 그의
계율에 대한 계보는 정통성과 전통을 유지하는 특별한 의미를 갖는
다. 이는 계율의 정당성을 확보하여 교단의 안녕을 시도하였음을 살
펴보았다.

　다음에 석전의 계율적 계보는 조선의 대은계맥과 만하계맥과는
다른 백파 긍선白坡 亘璇 → 침허 한성沈虛 翰醒 → 설두 유형雪竇 有炯 →
경담 서관鏡潭 瑞寬 → 환응 탄영幻應 坦泳 → 영호 한영映湖 漢泳으로 이어
졌다. 석전은 법맥과 계맥의 계보에서 짐작할 수 있는 것은 법과 율
의 계보가 겹치는 경우다. 말하자면 법과 율이 동시에 전수되었다는
것이다. 그리고 이러한 분들의 활약 지역이 백양사와 선운사, 구암사
와 내장사라는 것이다. 이로 미루어 볼 때에 선과 교와 율의 삼학일

치三學一致와 겸학사상兼學思想을 이어받아 석전 영호의 사상을 확립한 것이었다.

셋째로 석전의 계율관戒律觀 특징은 두 가지 측면에서 정리될 수 있다. 첫째는 『계학약전』을 통해서 삼학일원三學一元이란 겸전사상兼全思想의 견지에서 승가교육에 전념하였다. 다른 하나는 『범망경』과 『유교경』의 대중적 유교법회를 통해서 깨달음의 사회화를 추구하여 대중교화를 실천하였다. 또한 『대일경소』와 『무외삼장선요』, 『능엄경』 등의 밀교 경전을 통해서 선계겸수禪戒兼修와 선밀겸수禪密兼修도 함께 추구하여 삼학을 고루 섭렵하는 겸학사상兼學思想으로 귀결됨을 살펴보았다.

그 다음에 『계학약전』의 의의로, 먼저 『계학약전』의 내용은 제1장 총서계체總敍戒體는 3분의 1의 분량이고, 정종분인 제2장 별현계상別顯戒相은 3분의 2의 분량이며, 유통분인 제3장 결권수학結卷修學은 1페이지 반 분량으로 구성되었다. 제1장의 서분인 총서계체는 첫째로 삼장三藏의 설명, 둘째로 삼장과 삼학三學의 대비對比, 셋째로 수수상전授受相傳과 2부파의 18분파, 넷째로 오부율五部律에 대한 약술, 다섯째로 고대 한국의 4부율, 여섯째로 대천의 오사망어약술五事妄語略述, 일곱째로 대승계본大乘戒本인 『범망경』 약술, 여덟째로 대승계와 소승계의 차별이다. 제2장의 정종분인 별현계상은 1. 사미율의, 2. 비구와 비구니의 구계약상具戒約相, 3. 보살계약술, 4. 『능엄경』의 사종율의에 대해서다. 제3장의 유통분인 결권수학으로 다섯 가지 이익을 갖추었다.

다음에 『계학약전』의 특성은 대소승의 계율과 선경을 기술하여 선종의 정체성을 나타낸 것이다. 이는 바로 당시 승단과 대사회적으로 계율의 준수가 바로 청정을 강조하고 다음에 자비를 실현하여 정직한 교단과 사회를 이루는 의도임을 천명하였다. 이러한『계학약전』의 특성은 제교를 회통하여 삼매를 통과해서 완전한 깨달음을 추구하는 정체성을 확보함과 동시에 원교의 원융한 계학의 승단교육과 대사회의 깨달음을 실현하여 현실의 정토를 구현고자 함을 고찰하였다.

끝으로『계학약전』의 의의는 중국의 남산 율종과 영명 연수로 이어진 계율의 전통과 고대 한국의 자장 율사와 진표 율사로부터 서산 휴정과 환성 지안으로 면면히 이어진 서상수계의 전통계율을 계승하면서 원융무애한 회통불교를 지향하였다는 점이다 나아가 현대에 있어서 석전의『계학약전』에 드러난 회통불교적인 의의는 삼학일원三學一元의 삼문수학三門修學과 겸전사상兼全思想의 나아갈 청정승가와 깨달음의 사회화를 중점에 두고 있다. 이는 계율을 통한 개인의 청정과 더불어 자리이타의 대승의 심지법문의 대사회적 깨달음의 실현임을 살펴보았다.

이상과 같은 고찰에서 우리는 현대와 미래의 한국불교의 나아갈 길은 삼학의 겸학을 통한 개인의 깨달음에 반드시 계체戒體를 형성하여 좋은 인과를 맺고 나아가 사회의 깨달음을 실현함에도 계율은 그 지남이 됨을 부인할 수 없음을 알 수 있다. 따라서 우리는 석전의 원융한 계율을 본보기로 선교禪敎, 선계禪戒, 선밀禪密의 겸전수행을 통해서 한국 전통불교를 유지하면서 개인의 견성성불과 더불어 깨달음의 사회화에 진력해야 하리라 여겨진다.

6장

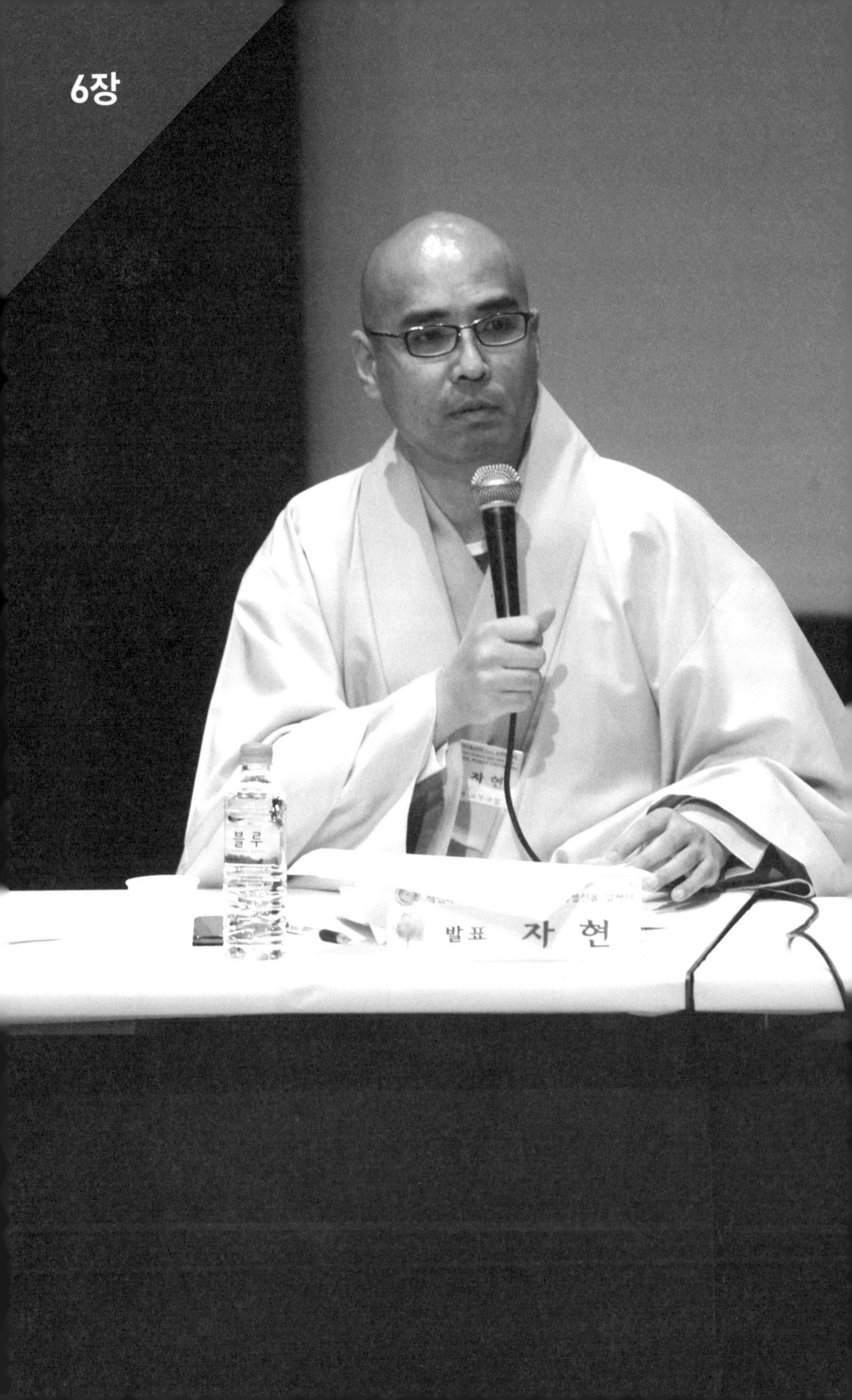

석전과 한암을 통해 본
불교와 시대정신

염중섭(자현) _ 능인불교대학원대학교 불교학과 교수

Ⅰ. 서론-출가주의에 대한 재가주의의 도전

불교는 바라문교의 재가주의 한계와 문제점을 비판하는 사문의 수행문화에서 출발한다. 재가주의는 가계의 계승과 사회의 구성이라는 인류 진화의 보편에 기반을 두고 있다. 그렇다 보니 바라문교의 이상인 신神들 역시 희랍신화와 같은 결혼과 가정생활 등의 난삽함으로 얼룩지게 된다. 이에 비해서 불교는 독신에 의한 집중도 높은 수행과 이들의 모임인 승가라는 수행단체를 통해서 발전한다.

붓다는 왕궁생활에서 가정을 이루고 살다가 이를 떨치고서 출가한다. 즉 불교의 출가주의에는 재가주의와는 다른 수행의 완성만을 목적으로 하는 청정성이 존재하는 것이다. 만일 결혼과 같은 재가주의가 불교의 수행목적과 충돌하지 않는다면 붓다 역시 이를 수용했을 것이다.

붓다는 당신의 관점을 분명하게 피력하시는 분이다. 이 말은 불교의 목적 달성인 깨달음에는 재가주의가 가능하지 않다는 점을 분명히 한다. 주지하다시피 율장의 시작인 불음계不淫戒의 수제나須提那 비구 내용에서 붓다는 이것이 '청정이 아닌 부정이며 열반의 길이 아니라는 점'을 분명하게 강조하고 있다.[*1] 그 결과가 바로 바라이波羅夷, 즉 승단으로부터의 축출인 것이다.[*2]

....

[*1] 『四分律』1, 「四波羅夷法之一」(『大正藏』22), p.590b, "爾時世尊以無數方便呵責言, 汝所爲非, 非威儀非沙門法非淨行非隨順行, 所不應爲, 汝須是那, 云何於此淸爭法中行乃至愛盡涅槃, 與故二行不淨耶."

[*2] 須是那는 不遡及原則에 의해서 波羅夷가 되지 않았다.

석전 영호대종사 | 한국불교의 초석을 세우다

율장의 제1바라이가 불음계라는 점을 고려할 때 어떠한 경우라도 재가주의는 불교승단에 수용될 수 없다. 그러나 재가주의는 식욕과 더불어 인간의 본능 중 가장 강력한 욕구인 색욕과 관련된다. 또 이는 인간 종의 진화와 관련된 가장 본질적인 측면이기도 하다. 그러므로 불교사 안에도 출가주의에 대한 재가주의의 도전이 나타나게 된다. 물론 이러한 재가주의는 바라문교나 힌두교의 재가주의와는 다른, 불교 안에서의 재가주의이다.

불교의 출가주의라는 대전제에서 재가주의가 타당성을 가질 수 있게 되는 것은 깨달음의 보편성에 대한 자각에 의해서이다. 즉 불교의 깨달음이 완전한 것이라면 이것은 승단에만 갇혀 있는 것이 아니라 재가에도 통용될 수 있는 보편성을 확보해야 한다는 것이다. 이와 같은 관점으로 인한 재가주의의 대두를 우리는 『밀린다왕문경』의 '재가자가 아라한이 되었을 때'에 대한 의문을 통해서 확인해 볼 수 있다. 그러나 『밀린다왕문경』은 재가자가 아라한이 되었을 경우는 그날로 출가하거나 열반해야 한다는 두 가지만을 제시하고 있다.[3] 즉 재가주의의 도전에 대해서 부정적인 인식을 보이는 것이다.

그러나 깨달음의 보편성이라는 문제의식이 보다 심화되는 대승불교에 오게 되면 깨달음이 출가승단이라는 범주를 초월하면서 재가주의가 일정한 측면에서 긍정되는 양상이 나타난다. 이는 대승불교의 이상인격인 보살에 재가자가 수용되는 것을 통해서 알 수 있다.

---

[3] 이미령 譯, 「2. 在家者가 阿羅漢의 地位에 도달했을 때」, 『밀린다왕문경』 (民族社, 2007), p.142. "在家者로서 阿羅漢의 地位에 도달한 자는 두 가지로 나아가는 영역만이 있으며 그 밖의 것은 있지 않습니다. 즉 그 날에 出家하든가, 또는 완전한 죽음을 이루든가 하는 두 영역입니다."

물론 이와 같은 재가주의는 성性적인 측면과 관련해서는 이렇다 할 내용이 나타나지 않는다. 즉 재가주의의 주장에서 발생하는 성적인 부분이 불교의 기본전제인 출가주의와 문제가 될 수 있으므로 제한되고 있는 것이다.

그러다가 힌두교의 영향을 크게 받는 밀교시대密敎時代에 이르면 성적인 문제까지 표면화되면서 완전한 재가주의의 양상이 나타난다. 그러나 이렇게 되면 붓다가 재가주의를 비판하면서 출가주의를 제창한 의미는 사라지게 된다. 또 바라이라는 승단의 기본적인 골격구조 자체가 무너진다. 즉 승단이라는 출가교단이 유명무실해지게 되는 것이다.

동아시아불교는 대승불교를 수용하지만 유교적인 문화배경 속에서 성적인 좌도밀교나 탄트라교Tantrism과 같은 측면은 이렇다 할 영향을 미치지 못한다. 그러나 원元의 세계 지배와 더불어 밀교가 본Bon교와 습합된 티베트의 라마불교가 확산되면서, 동아시아불교는 교단의 청정성에 심각한 타격을 입게 된다.

『고려사』 권39의 1281년충렬왕 7 기록에는 '승려 중 결혼하여 생활하는 자가 반이나 된다'는 기록이 있다.*4 이는 티베트불교의 영향과 문제를 잘 나타내 준다. 이와 같은 상황에서 불교의 청정을 유지하면서 한국불교의 정체성을 재확립한 분들이 바로 태고 보우太古 普愚, 1301~1382 · 백운 경한白雲 景閑, 1298~1374 · 나옹 혜근懶翁 惠勤, 1320~1376의 '여말삼사麗末三師'와, 지공 선현指空 禪賢, 1300~1361 · 나옹 혜근懶翁 惠勤,

<hr/>

*4   『高麗史』 39, 「世家 29」, 〈忠烈王2~7年(1281)-6月〉, "癸未: 王次慶州 下僧批 (······) 云云 (······) 娶妻居室者 居半"

1320~1376 · 무학 자초無學 自超, 1327~1405의 '여말삼화상麗末三和尙'과 같은 분들이다.

보우는 중국 강남의 선종으로부터 1348년충목왕 4『칙수백장청규勅修百丈淸規』를 수용해서[*5] 간행되도록 한다.[*6] 또 인도승려 지공은 대승계경大乘戒經인『문수사리보살최상승무생계경文殊師利菩薩最上乘無生戒經』약칭 무생계경(無生戒經)에 입각한 무생계無生戒를 통해서, 고려의 풍속을 청정하게 일변시켰다. 지공의 계율을 통한 교화는 민지閔漬의「불조전심서천종파지요서佛祖傳心西天宗派旨要序」약칭 지요서(旨要序)에 따르면 '지공이 무생계를 설하여 국왕의 종실과 인척 및 공경대부公卿大夫와 사서인士庶人 등을 포함하여 신분과 성별을 구분하지 않고 하루에 수만 명씩 계를 주었다'고 되어 있다.[*7] 이러한 교화 결과와 관련해서『고려사』권35는, '계림부사록鷄林府司錄 이광순李光順이 지공에게 무생계를 받고는 관할지역의 성황제城隍祭에서 고기를 쓰지 못하게 하고 백성들이 돼지사육을 하지 못하도록 하여 기르던 돼지들을 죽였다'는 내용이 실려 있다.[*8] 또「지요서」에는 지공의 교화 영향으로 고려인들이 술과 고기 및 무격巫覡을 멀리했고 또 탐욕과 음란한 풍속이 줄어들었다는 내용도 있다.[*9] 이 외에도 위소危素, 1303~1372의「무생계경서

....

[*5] 「太古和尙語錄」下,「普愚行狀」(『韓佛全』6), pp.698c-699a. "於是乎俾百丈大智禪師禪苑淸規 勲陶流潤 其日用威儀精嚴眞淨 条請以勤 鐘魚以時 重興祖風";「太古和尙語錄」上,「至正十七年丁酉正月十五日 王宮鎭兵上堂」(『韓佛全』6), p.675b. "賞其有道者 主於伽藍 領衆勤修 福利邦家 此乃先王之行法 王政之始也";鄭在逸(寂滅),「慈覺宗賾의『禪苑淸規』研究」(東國大 博士學位論文, 2005), pp.349-353.

[*6] 「太古和尙語錄」下,「玄陵勅刊百丈淸規跋」(『韓佛全』6), p.694a.

[*7] 閔漬 撰,「佛祖傳心西天宗派旨要序」,「西天百八代祖師指空和尙禪要錄」, "於是 自王親戚里 公卿大夫士庶人 乃至愚夫愚婦 爭先雲集於戒場者 日以千万計."

[*8] 「高麗史」35,「世家 35」,〈忠肅王2-15年(1328)-秋七月〉, "庚寅 (……) 鷄林府司錄李光順, 亦受無生戒, 之任, 令州民, 祭城隍, 不得用肉, 禁民畜豚甚嚴, 州人一日盡殺其豚."

[*9] 閔漬 撰,「佛祖傳心西天宗派旨要序」, "嗜酒肉者 斷酒肉 好巫覡者 絕巫覡. 至有棄富貴 如弊屣 視身命如浮漚 貪競之風漸息. 驕淫之俗稍變."

無生戒經序」에는 "이 나라고려에서 혈식血食을 받던 삼악신三岳神 또한 이 계를 듣고 죽이는 희생제犧牲祭를 끊어 버렸다"는 내용이 있다.[*10]

지공의 계율 강조는 사법嗣法제자인 나옹과 경한 그리고 나옹의 사법제자인 자초에게까지 영향을 준다. 이로 인하여 원의 간섭기가 끝나면서 한국불교는, 티베트불교의 문제점을 극복하고 출가주의라는 청정성을 회복하게 된다. 그러나 한국불교는 여말麗末·선초鮮初라는 혼란기에 적절하게 대응하지 못하면서 결국 조선이라는 불교의 암흑시대를 맞기에 이른다.

II. 일제강점기의 계율문제

1. 일본불교의 침탈과 한국불교의 정체성

일본의 조선침략이 본격적으로 가속화된 것은 1894년 청일전쟁에서의 승리 이후이다.[*11] 일본은 1895년 조선에 대한 청의 영향을 제한한다. 같은 해 일련종日蓮宗의 사노 전레이[佐野前勵]는 당시 김홍집 내각에게 승려의 도성출입 제한을 허용하는 입성해금入城解禁을 주장하여 관철시킨다.[*12] 이는 억압된 환경 속의 조선승려들에게 일본불교

....

[*10] 危素 撰, 「文殊師利最上乘無生戒經序」, 「文殊師利最上乘無生戒經」, "血食是邦者 日三岳神亦聞此戒 却殺牲之祭 愈增敬畏."

[*11] 崔柄憲, 「日帝의 侵掠과 佛敎」, 「日帝의 韓國侵掠과 宗敎」(韓國史硏究會學術會議 發表文, 2001), p.6.

[*12] 金敬執, 「韓國佛敎近代史」(經書院, 2000), p.13. 박희승은 「이제, 僧侶의 入城을 허함이 어떨는지요」(들녘, 1999)에서 僧侶의 都城出入禁止를 철회케 한 것이 佐野前勵이 아니었다고 적고 있어 주목된다.

가 은혜와 호감으로 받아들여지는 중요한 사건이 된다.[*13]

청일전쟁 이후 조선인의 인식에 일본은 청을 대체하는 강국의 위상으로 자리 잡게 된다. 여기에다가 억눌렸던 조선불교를 강력한 힘으로 풀어 주는 모습은 조선불교가 일본불교에 경도되게 하는 데 충분했다. 특히 당시 불교지식인들 사이에서는 일본의 불교융성을 일본불교의 특징 때문으로 판단하여 일본불교를 배워야 한다는 인식이 확산된다. 여기에서 가장 문제가 되는 것이 바로 일본의 재가주의적인 승려의 결혼 즉 '대처帶妻, 취처(娶妻)'이다.

일본불교는 헤이안시대[平安時代], 794~1185부터 취처娶妻의 풍토가 나타나 1867년 메이지유신의 폐불훼석廢佛毁釋 이후인 1872년에는 '승려의 식육食肉 · 대처帶妻는 각자 임의에 맡긴다'는 조칙이 내려진다.[*14] 이렇게 재가적인 일본불교의 영향이 한국불교의 청정한 출가승단을 변질시키게 되는 것이다.

당시의 대처주장은 불교지식인들에 의해서 주도된다. 이 가운데 가장 주목되는 지점이 1910년 3월 만해 한용운에 의해서 중추원中樞院 의장議長 김윤식金允植에게 제출된 대처를 용인해 달라는 〈중추원中樞院 헌의서獻議書〉이다. 이는 당시의 정세변화라는 혼란 속에서 신지식인을 자처하는 이들이 불교의 정체성과 한국불교의 전통과 관련해서 어떻게 오판하고 있었는지를 단적으로 나타내 준다.

1920년대에 들어서게 되면 일본의 영향이 보다 강화되면서 일본으로 유학 가는 승려들이 증대하게 된다. 이는 조선불교단이라는 단

....
[*13]　高橋亨, 「李朝佛敎」 (寶文館, 1929), p.898.
[*14]　曉呑, 「石顚映湖 大宗師의 戒律思想」, 「石顚映湖 大宗師의 生涯와 思想」 (禪雲寺, 2009), pp.68-69.

체에 의한 일본시찰단과 유학생 파견에 따른 것이다. 그런데 이때의 일본유학승들은 일본불교의 영향으로 결혼하지 않는 사람이 없을 정도였다.[15] 당시 최고의 지식인이라고 할 수 있는 이들 유학승들은 귀국 후 한국불교에서 막대한 영향력을 행사하면서 한국불교의 풍토를 일변하게 한다.

또 일본유학승들이 본사주지가 될 수 있는 상황에 직면하자 본사주지는 비구승이어야 한다는 기준에[16] 대한 수정요구가 본격화된다. 즉 당시 불교계를 주도하는 세력들에 의해서 대처의 허용이 강력하게 촉구되고 있는 것이다. 이로 인하여 1925년 10월에 대처승도 본사주지가 될 수 있는 사법寺法 개정안이 31본사 주지회의에 상정된다. 그러나 이는 일부 본사주지들의 반대로 처리되지 못한다.[17] 그렇지만 일제강점기의 시대적인 한계와 왜곡된 변화 속에서 마침내 1926년 3월 23일 조선총독부 교무원 평의원회에서 대처 허용이 결정된다.[18] 이의 시행은 동년 11월에 허용되고 대처승의 본사주지 취임과 관련된 사법개정도 처리되기에 이른다.[19]

이와 같은 일제강점기 한국불교의 변화는 결국 급격한 대처화를 초래하게 된다. 1925년 조선불교 중앙교무원이 파악한 통계에 따르면 당시 한국불교의 승려 숫자는 비구가 6,324명 비구니가 864명으

* 15 伽倻衲子, 「背恩忘德」, 「佛敎」 제23호 (1926), p.31.
* 16 당시 本寺住持의 자격은 '比丘戒를 구족하고 다시 菩薩戒를 수지한 자'로 되어 있었다. 李能和, 「朝鮮佛敎通史 下」(寶蓮閣, 1982), p.1139.
* 17 〈참지 못할 一呵 去益悲運의 佛敎界〉, ≪東亞日報≫, 1925년 10월 31일자.
* 18 「朝鮮寺刹制度中修正ノ件」, 「寺刹關係書類」(政府記錄保存所 文書, 1926).
* 19 〈寺刹住持의 選擧資格 改正〉, ≪每日新報≫, 1926년 11월 26일자.

로 전체 7,188명이었다.[20] 이 중 대처의 숫자가 약 4천 명 정도로 추정된다.[21] 대처는 결혼한 남성승려를 의미하므로 비구니는 여기에서 제외해야 한다. 이렇게 놓고 본다면 7,188명 중 4천 명이 아니라, 비구 6,324명 중 결혼한 대처승이 4천 명 정도라는 말이 된다. 이는 당시 한국불교의 승려 중 2/3 정도가 결혼했다는 것을 의미한다. 이것이 1925년의 자료라는 점을 생각한다면, 그 이후의 상황은 대처승 비율이 절대다수를 점하는 지경에 이른다고 하겠다.[22]

고려의 원 간섭기에 티베트 라마불교의 영향으로 승려의 1/2 정도가 대처승이었다는 점을 고려한다면 일제강점기의 상황은 한국불교의 전통을 위협하는 최대의 사건이라고 하겠다.

2. 한용운의 대처帶妻주장과 판단착오

일제강점기 한국불교의 대처문제와 관련해서 가장 크게 주목되는 것이 바로 한용운의 대처주장이다. 한용운은 총 두 차례에 걸쳐 대처를 용인해 줄 것을 일본정부에 공식 요청한다.

첫 번째는 앞서도 언급한 바와 같이 1910년 3월로, 이때는 중추원 의장 김윤식에게 〈중추원 헌의서〉로 제출된다. 두 번째는 같은

....

[20] 〈寺刹僧尼數〉, 『朝鮮佛敎一覽表』(朝鮮佛敎 中央敎務院, 1928), p.56.
[21] 具萬化, 「その罪三千大天世界に唾棄する虛無し」 『朝鮮佛敎』 제28집 (1926), p.19.
[22] 1954년 불교정화가 시작될 무렵, 비구승은 전체 6,500명의 승려 중 고작 4%인 260명에 불과했다. 崔柄憲, 「韓國佛敎 歷史上의 曹溪宗=曹溪宗의 歷史와 해결과제」, 『佛敎評論』 통권51호 (2012), p.390. "1954년 佛敎淨化運動이 시작될 당시 曹溪宗 總務院長 박성하의 증언에 의하면, 僧侶 총수 6,500여 명 가운데 比丘僧은 4%에 불과한 260명이었던 데 비하여 帶妻僧은 96%인 6,240명이었다. 1952~1954년 일부 사찰을 修道道場으로 지정하여 달라는 比丘僧들의 끈질긴 요구가 있었고, 송만암 宗正도 比丘僧 측에 인도해 줄 것을 지시하였지만 帶妻僧들이 주도하고 있던 교단에서는 이를 수용하지 않았다. 이에 比丘僧들은 분개하여 帶妻僧 중심의 교단을 쇄신할 것을 결의하고, 재차 중앙교무원 측에 18개 寺刹의 인도를 요구하였다. 이러한 상태에서 李承晩 大統領이 발표한 '淨化諭示'는 佛敎界를 혼란의 소용돌이로 몰아넣게 되었다."

해 9월 조선총독에게 〈총독부總督府 건백서建白書〉로 대처문제를 청원한다.[*23]

청일전쟁 이후 일본의 영향이 강화되고, 또 일본은 1905년 러일전쟁에서도 승리하면서 동년 11월 17일에는 을사보호조약이 체결된다. 그러나 한일합방은 1910년 8월 29일에야 완료된다. 이렇게 놓고 본다면 한용운의 대처 청원은 한일합방 전후에 이루어진 사건이라는 것을 알 수가 있다. 이것은 시기적으로 매우 빠른 주장이다.

그런데 한용운의 청원은 총독부에 의해서 수용되지 않는다. 이를 통해서 우리는 일본불교의 영향으로 대처문화가 침투했지만 당시 한국불교의 절대다수는 청정한 출가승단이었다는 것을 알 수 있다. 앞항에서 살펴본 바와 같이 조선총독부의 대처 허용은 1926년이며, 1925년에 대처비율은 남성승려의 2/3에 육박하고 있었다. 이는 총독부가 종교의 변화와 같은 다소 민감할 수 있는 측면에 대해서 지능적이면서도 조심스럽게 접근했다는 것을 의미한다. 즉 이미 대세가 기울어서 주류가 바뀐 뒤에 제도가 따라간 정도라는 말이다.

그런데 한용운은 1910년에 대처를 용인해 달라고 주장하고 있다. 그리고 이 주장이 받아들여지지 않자 1913년『조선불교유신론朝鮮佛敎維新論』을 간행하면서 자신의 주장을 「14장. 불교의 앞날과 승려의 결혼과의 관계」로 정리하여 수록하기까지 한다.[*24] 이를 통해서 우리는 한용운이 당시에 얼마나 시대착오적인 위험한 판단을 하고 있었는지

....
[*23] 廉仲燮, 「韓國佛敎의 戒律적인 특징과 현대사회-日帝强占期와 曹溪宗을 중심으로」, 『佛敎學硏究』 제35호 (2013), p.167.
[*24] 韓龍雲, 李元燮 譯, 『朝鮮佛敎維新論』 (운주사, 1992), pp.125-130.

석전 영호대종사 ┃ 한국불교의 초석을 세우다

를 알 수 있다. 이후 대처를 용인해 달라는 청원은 1919년 11월 용주
사龍珠寺 주지였던 강대련姜大蓮이 쓴 〈불교확장의견서佛敎擴張意見書〉를
통해 나타나고 있다.[*25] 이 문건이 1919년 말의 것이라는 점을 고려
한다면, 이는 한국불교의 상당수가 대처화 된 상황에서 작성된 것임
을 알 수 있다. 또한 이를 통해서 우리는 한용운의 대처주장이 얼마
나 빨랐는지에 대해서도 다시 한 번 더 인식해 보게 된다.

Ⅲ. 석전과 한암의 계율정신

1. 석전의 『계학약전戒學約詮』 편찬

석전1870~1948은 17세가 되던 1886년 금강산金剛山의 4대 사찰유점사(楡岾
寺)·장안사(長安寺)·표훈사(表訓寺)·신계사(神溪寺) 중 하나인 신계사神溪寺에서
금산 화상錦山和尙을 은사로 출가한다.[*26] 그리고 25세에 순창 구암사
龜巖寺에서 설유 처명雪乳 處明, 1858~1903의 법을 사법한다. 이때 영호映湖
라는 법호를 받게 된다. 석전의 법맥은 백파 긍선白坡 亘璇에서 시작되
는 호남의 대표적인 강맥講脈으로 '백파 긍선白坡 亘璇, 1767~1852 → 도봉
국찬道峯 國燦, ?~1801 → 정관 쾌일正觀 快逸, ?~1813 → 백암 도원白巖 道圓,

....

*25 『朝鮮佛敎叢報』 제20호 (京城: 三十本山聯合事務所, 1920), pp.1-10.
*26 石顚의 出家와 관련해서는 鄭寅普의 「石顚上人小傳」(『石顚詩鈔』)과 成樂薰의 〈碑文(華嚴宗主映湖堂大宗師浮屠
     碑銘幷書)〉에는, 19세에 威鳳寺의 太祖庵에서 出家했다고 되어 있다. 本稿에서는 石顚의 〈僧籍部〉에 나타나
     있는 17세 神溪寺設을 취하였다. 그러나 石顚의 출신지 등을 고려하면, 神溪寺設에 의문이 없는 것은 아니다.
     禪雲寺 編, 「第1章 石顚 鼎鎬스님의 生涯와 行蹟」, 『石顚 鼎鎬스님 行狀과 資料集』(禪雲寺, 2009), pp.26-28.

?~? → 설두 유경雪竇 有炯, 1424~1889 → 다륜 익진茶輪 益振, ?~1901 → 설유 처명雪乳 處明'을 계승한 것이다.[*27]

'석전'이라는 명칭은 추사 김정희1786~1856가 백파와 교류할 때, '훗날 제자 가운데 도리를 깨친 자가 있거든 이로써 호를 삼으라'고 하면서 주었다는 '석전石顚'·'다륜茶輪'·'만암曼庵'의 세 호에서 기인한다.[*28] 추사는 처음에는 백파와 충돌하지만 나중에는 돈독한 관계로 발전한다.[*29] 즉 석전은 백파문중의 최고 강백인 동시에 일제강점기를 대표하는 불교계의 최대지성이었던 것이다.

석전은 특히 문장에 능통하여『석전문초石顚文鈔』·『석전시초石顚詩鈔』등의 문집이 있고, 또 선禪과 경經 및 율律과 관련해서도『정선염송설화精選拈頌說話』·『염송신편拈頌新編』·『정선치문집화精選緇門集話』·『계학약전戒學約詮』등의 저술이 있다.[*30] 일제강점기뿐만 아니라 조선불교를 통틀어 선禪·교敎·율律에 모두 능한 분은 극히 드물다.[*31] 때문에 석전의 문하에서 최고의 선지식인 운허 용하耘虛 龍夏·운기 성원雲起 性元 등과[*32] 당대의 최고 지식인들인 서경보·이광수·신석정·조

· · · · · · · · · · · · · · · · · · · ·

[*27] 李智冠,『韓國佛教戒律傳統: 韓國佛教戒法의 自主的傳承』(伽山佛教文化研究院, 2005), p.262; 李智冠 編,『韓國高僧碑文總集: 朝鮮朝 近現代』(伽山佛教文化研究院, 2000), p.668; 慧南,「石顚映湖 大宗師의 講脈」,『石顚映湖 大宗師의 生涯와 思想』(禪雲寺, 2009), pp.8-9. 禪雲寺 編「第3章 石顚 鼎鎬스님의 法脈과 傳燈」에서는 조금 다른 관점이 제시되어 있다(『石顚 鼎鎬스님 行狀과 資料集』(禪雲寺, 2009), pp.179-187).
[*28] 혜자,『漢永鼎鎬,『永遠한 大自由 1』(밀알, 2002), p.9.
[*29] 김병학,「朝鮮後期 白坡와 秋史의 禪論爭」,『(圓光大學校) 論文集』제37호 (2006), pp.14-19; 박동수,「禪雲寺 白坡碑로 본 白坡와 秋史」,『鄕土文化研究』제6호 (1990), pp.79-80.
[*30] 石顚關聯 資料에 대한 자세한 측면은,「第2章 石顚 鼎鎬스님의 著書와 論文」(『石顚 鼎鎬스님 行狀과 資料集』 高敞: 禪雲寺, 2009), pp.107-177)을 참조.
[*31] 成樂薰,〈華嚴宗主映湖堂大宗師浮屠碑銘并書〉,「第1章 石顚 鼎鎬스님의 生涯와 行蹟」,『石顚 鼎鎬스님 行狀과 資料集』(禪雲寺, 2009), p.104.「學問에 있어서도 教와 禪에 모두 뛰어나고 內外의 書籍을 두루 涉獵하여 보지 않은 것이 없을 만큼 널리 보고 모두 記憶하였으니, 故事·稗說·僻書·異聞에 이르기까지 묻는 대로 바로 대답하여 쌍 선비들의 눈을 휘둥그레지게 만들었다.」
[*32] 禪雲寺 編,「第4章 石顚 鼎鎬스님의 講脈과 傳燈」,『石顚 鼎鎬스님 行狀과 資料集』(禪雲寺, 2009), pp.197-218.

석전 영호대종사 | 한국불교의 초석을 세우다

지훈 · 서정주 · 김달진 · 김어수 등의[*33] 걸출한 동량들이 배출된다. 또 석전은 당시의 승려로서는 이례적으로 문장에도 능통했기 때문에 석전과 관련해서는 국문학과 연관된 연구들도 있다.[*34]

석전은 1908년부터 불교를 개혁하기 위해 한용운 · 금파琴巴 등과 더불어 불교유신운동佛教維新運動을 전개한다.[*35] 그러다가 1910년 해인사의 주지 이회광李晦光 등이 한국불교를 일본 조동종曹洞宗에 예속시키려고 하자, 한용운 · 진진응陳震應 · 김종래金種來 · 오성월吳惺月 · 임만성任晚聖 등과 함께 조동종을 반대하고 임제종지臨濟宗旨를 주장한다.[*36] 이러한 과정에서 석전은 한용운과 각별한 사이가 된다.

석전과 한용운의 친분은 한용운이 1913년 5월『조선불교유신론朝鮮佛教維新論』을 간행함에 있어서 그 제자題字를 직접 적어 준 것,[*37] 한용운의 시집에 「차영호화상次映湖和尙」이라는 제목의 시가 3편씩이나 수록되어 있는 것,[*38] 이외에 석전이 학인들에게 한용운의 강의를 들으라고 권했다는 서경보의 기록 등을 통해서 확인된다.[*39] 그러나 대처와 관련해서는 두 사람이 완전히 다른 관점을 취했다. 실제로 1910년 한용운이 대처 허용을 주장하자 석전은 '한용운 수좌가 갑자기 미

····················

[*33] 禪雲寺 編,「第6章 石顚 鼎鎬스님의 제자들」,『石顚 鼎鎬스님 行狀과 資料集』(禪雲寺, 2009), pp.289-309.
[*34] 심삼진,「石顚 朴漢永의 詩文學論」(東國大 碩士學位論文, 1987); 이병주 外,『石顚 朴漢永의 生涯와 詩文學』(白坡思想研究所, 2012); 김상일,「石顚 映湖大宗師의 文學觀」,『石顚映湖 大宗師의 生涯와 思想』(禪雲寺, 2009), pp.121-122.
[*35] 노권용,「石顚映湖 大宗師의 佛教思想과 그 維新運動」,『石顚映湖 大宗師의 生涯와 思想』(禪雲寺, 2009), p.28.
[*36] 李能和,『朝鮮佛教通史』下(寶蓮閣, 1982), pp.930-939; 高橋亨,『李朝佛教』(寶文館, 1929), pp.918-930; 강석주 · 박경훈,『佛教近世百年』(中央新書, 1980), pp.39-48; 金光植,「1910年代 佛教界의 曹洞宗盟約과 臨濟宗運動」,『韓國近代佛教史研究』(民族社, 1996), pp.53-92.
[*37] 이는 韓龍雲의 요청에 의해서였다고 한다. 禪雲寺 編,「第5章 石顚 鼎鎬스님의 道伴 · 門人」,『石顚 鼎鎬스님 行狀과 資料集』(禪雲寺, 2009), p.223.
[*38] 『石顚文鈔』에는 韓龍雲에 대한 詩는 존재하지 않는다. pp.223-224.
[*39] 徐京保,「韓龍雲과 佛教思想」,『韓龍雲思想研究』(民族社, 1980) 참조.

6장. 석전과 한암을 통해 본 불교와 시대정신   - 215

쳤나?'라고 하며 강도 높게 힐난을 하였다고 한다.[*40]

1925년과 26년은 대처의 용인과 관련된 문제가 불교계의 최대쟁점이 되던 시기이다. 이때는 앞항에서도 지적한 바와 같이 대처승의 본사주지 가능문제가 표면화되기 때문이다. 본사주지란 일제의 사찰령寺刹令에 의해서 확립된 30본산후일 화엄사가 선암사로부터 독립하면서 31본산이 됨의 주지를 의미하는 것으로[*41] 불교교단 최고의 위상을 가지는 자리이다. 그런데 이 자리까지 대처승이 된다는 것은 한국불교의 '청정한 출가승단'이라는 정체성이 붕괴되고 전통이 철저하게 변질된다는 것을 의미한다.

이와 같은 한국불교사상 초유의 문제 상황을 좌시하지 못하고 떨쳐 일어나신 분이 바로 백용성白龍城, 1863~1940이다. 당시 범어사梵魚寺 주지였던 백용성은 1926년 5월 안변 석왕사釋王寺 주지 이대전李大典과 해인사海印寺 주지 오회진吳會眞 등 127명과 함께 대처 금지를 요청하는 진정서를 제출한다.[*42] 그리고 9월에도 백용성에 의한 2차 탄원서가 총독부에 제출된다.[*43] 그러나 1926년 3월 23일 조선총독부 교무원 평의원회에서 대처 허용이 결정된다는 점에서 이때는 이미 되돌리기에는 늦은 상황이었다.[*44]

그러나 석전은 같은 문제의식을 가졌음에도 교육이라는 새로운

<hr />

[*40] 金昌淑(曉呑), 「石顚 朴漢永의 〈戒學約詮〉과 歷史的 性格」, 『韓國史研究』 제107호 (1999), p.130.

[*41] 金光植, 「1910년대 佛教界의 進化論 수용과 寺刹令」, 참조.

[*42] 여기에는 '4천 명의 比丘僧을 위해서'라는 언급이 있어 주목된다. 이는 帶妻僧이 4천 명이라는 주장과는 상반되는 것이다. 이렇게 놓고 본다면, 당시 帶妻僧과 比丘僧은 반반 정도였다는 추정도 가능하다. 그러나 이후 白龍城의 2차 數願書를 보면 당시 帶妻僧의 비율이 훨씬 더 많았으며, 이는 比丘僧 측에서 부풀린 사실임을 알 수 있다. 〈百餘名 連名 犯戒生活 禁止 陳情〉, 《東亞日報》, 1926년 5월 19일자.

[*43] 龍城震鍾, 佛心道文 編, 〈龍城禪師語錄〉, 『龍城大宗師全集−第1卷』 (覺皇寺, 1991), pp.550-551.

[*44] 데라우찌[寺内正毅] 總督에 의해서 僧侶의 娶妻禁止가 削除된 것은 1926년 10월이다. 高橋亨, 『李朝佛教』 (寶文館, 1929), p.953.

해법을 제시하고 있어 주목된다. 즉 이미 돌이킬 수 없는 상황에서 교육을 통해서 불교정신을 환기시키는 방법을 선택한 것이다. 실제로 용성의 2차 탄원서인 1926년 9월의 문건에는 '대처승들이 거주하는 사찰이 너무 많아서 비구승들이 거처할 사찰이 없음을 주장하며 비구승들이 거주할 수 있는 몇 개의 본사를 요청'하고 있다.[*45] 이는 당시에 이미 기울어 버린 불교계의 상황을 잘 말해 준다. 이러한 점을 고려한다면 석전의 교육을 통한 해법은 용성에 비해서 보다 타당성 있는 방법임에 틀림없다.

석전은 1926년『계학약전戒學約詮』을 편찬한다. 이 책은 중앙불전中央佛專, 중앙불교전문학교의 교육교재로 사용하기 위해서였다.[*46] 1926년에 『계학약전』이 출간된다는 점을 고려한다면 최소한 1925년에는 이 책에 대한 저술이 시작되었다고 할 수 있다. 이렇게 놓고 본다면『계학약전』은 1925~1926년이라는 대처문제가 가장 쟁점이 되어 있을 때 석전이 제시한 한국불교를 위한 해결책이었다고 하겠다.[*47]

『계학약전』은 전체가 3장으로 구성되어 있는데 이는 「제1장 총서계체第1章 總敍戒體」의 계율에 대한 총론 부분과 「제2장 별현계상第2章 別顯戒相」의 계목에 대한 개설 그리고 끝으로 「제3장 결권수학第3章 結勸修學」 즉 계율을 권면하는 부분이다. 이러한 내용을 간략히 도시해 보면 다음과 같다.

....

*45 　龍城震鍾, 佛心道文 編,〈龍城禪師語錄〉, pp.550-551.
*46 　朴漢永, 金曉呑 譯註,「解題」,『戒學約詮 註解』(東國譯經院, 2000), p.2; 禪雲寺 編,「第2章 石顚 鼎鎬스님의 著書와 論文」, p.141.
*47 　金昌淑(曉呑),「石顚 朴漢永의〈戒學約詮〉과 歷史的 性格」, p.108 · p.131.

第1章 總敍戒體:
①經律論 三藏 ②三藏과 三學의 對比 ③授受相傳과 二部十八部의 分派
④五部律 ⑤震旦四部 ⑥五事妄語略述 ⑦大乘戒本-『梵網經』
⑧大小乘戒의 差別
第2章 別顯戒相:
①『沙彌律儀』의 十戒 ②比丘와 比丘尼의 具戒略相 ③菩薩戒略述
④楞嚴四種律儀
第3章 結勸修學

이를 통해서 우리는 석전의『계학약전』찬술이 대처의 문제로 인해 한국불교의 청정 출가전통이 위협받던 혼란기를 극복하기 위한 대안이었다는 점을 분명하게 파악해 볼 수 있다.

석전의 계율에 대한 교육은 단순히 교육으로만 끝나지 않는다. 계율은 다른 학문과 달리 율원律儀라는 특성상 반드시 실천적인 면모가 겸비되어야 한다. 석전은 계행에 있어서도 철저한 면을 보인다. 문인門人인 성낙훈成樂薰은 "스님은 계행戒行이 엄정嚴淨하고 시주施主를 받지 아니하였으며 노래와 색色을 도외시하였으니「청량국사전清凉國師傳」에서 [비구니比丘尼 사찰寺刹의 티끌도 밟지 아니하고 고향 땅에 옆구리를 붙이지 않았다] 함은 곧 스님을 이름이로다"라고 〈비문碑文, 화엄종주영호당대종사부도비명병서(華嚴宗主映湖堂大宗師浮屠碑銘幷書)〉에서 적고 있다.[*48] 또 위당 정인보爲堂 鄭寅普는 '서울의 진속塵俗에 섞여 살면서도 석장錫杖은 숙연肅然하여 일찍이 누累됨이 조금도 없었다'고 평하였

* 48   禪雲寺 編,「第1章 石顚 鼎鎬스님의 生涯와 行蹟」, p.104.

다.[*49] 이는 석전이 대강백으로서 풍진 속에 살았음에도 본연의 탈속적인 기상을 갖춘, 화광동진和光同塵의 고결한 인품을 갖춘 분이라는 점을 분명히 한다.

또 석전은 한국불교의 문제점으로 과도한 선풍禪風에 의한 무애행無碍行을 질타하기도 하였다.[*50] 실제로 『선문염송禪門拈頌』의 위산 영우潙山 靈祐와 앙산 혜적仰山 慧寂의 내용을 통해 선종의 깨달음과 지계持戒의 문제를 논리적 층차를 달리해서 수용하는 면모를 보이고 있어 주목된다. 이의 해당 구절을 적시해 보면 다음과 같다.

> 일찍이 潙山이 仰山에게 '자네의 안목이 바른 것(眼正)을 귀히 여기는 것이지 자네의 行履는 말하지 않는다'는 것이 와전된 것이다. 즉, '행리를 말하지 않는다(不說行履)'가 '행리를 중시하지 않는다(不貴行履)'로 와전되어 殺 · 盜 · 淫 · 妄의 네 가지 波羅夷罪가 無碍行으로 자행되었다. '깨달음의 안목이 중요한 것이지 그 行履가 중요한 것이 아니다'라고 되었을 때, 어디 持戒의 정신이 살 수 있게 되는가. 말하지 않는다는 것(不說)이 중요시 않는다(不貴)로 된 것은 큰 잘못이다.
>
> — 『石林隨筆』[*51]

선종의 가장 큰 문제점은 주관 유심주의의 절대성에 의해서 상대적인 대상경계가 붕괴한다는 것이다. 이는 자칫 무애행과 비윤리의 문제로 연결되어, 일찍부터 신유학자新儒學者들에 의해서 비판의 대상

* 49 鄭寅普 撰, 「石顚上人小傳」, 『石顚詩鈔』. "上人持戒彌苦 晩寓城郊間 跡混塵俗 而一錫肅然 未嘗以餘自累"; 金昌淑(曉呑), 「石顚 朴漢永의 〈戒學約詮〉과 歷史的 性格」, p.136.
* 50 朴漢永, 金曉呑 譯註, 『戒學約詮 註解』, pp.236-237.
* 51 金昌淑(曉呑), 「石顚 朴漢永의 〈戒學約詮〉과 歷史的 性格」, p.130.

이 된 바 있다.[*52] 그런데 경허 성우鏡虛 惺牛, 1849~1912 이후 한국불교에 임제臨濟의 활발발活潑潑한 선풍이 새롭게 부활하면서 이와 관련된 문제가 표면화된 것이다. 이와 같은 우려는 동시대의 한암에서도 확인된다. 즉 주관적인 깨달음의 문제와 객관적인 윤리의 문제는, 논리적 층차를 달리하면서 동시에 갖추어져야 하는 것이지 하나의 당위성만이 강조되어서는 안 된다는 것이다. 이는 시대를 대표하는 대종장으로서의 우려이자 탁견이라고 하겠다.

석전의 선禪·교敎·율律을 겸비한 탁월한 능력은 송곳을 주머니에 넣어 둘 수 없는 모수毛遂와 같아서, 마침내 60세가 되는 1929년 조선불교선교양종朝鮮佛敎禪敎兩宗의 교정敎正 7인 중 1명으로 선출된다.[*53] 또 1932년에는 동국대학교의 전신인 불교전문학교의 교장, 즉 요즘의 총장에 선임되어 만년임에도 도제 양성에 최선을 다하는 훌륭한 교육자로서의 삶을 살게 된다. 이후 1945년 해방과 함께 1946년 5월 30일에 조선불교중앙총무원회朝鮮佛敎中央總務院會의 제1대 교정敎正이 되어 실질적인 현대 한국불교의 초석을 정립한다.[*54] 이렇게 두 차례의 교정을 역임하신 석전이야말로 선·교·율에 능통한 희대의 대강백이자, 한국불교의 청정성이 심하게 위협받던 시기에 '교계일치敎戒一致'를 확립한 위대한 스승이라고 이를 만하다.

••••••••••••••••••

[*52] 尹永海,「朱子의 佛敎批判 硏究」(西江大 博士學位論文, 1997), pp.264-287; 李逢春,「朝鮮初期 排佛史 硏究」(東國大 博士學位論文, 1990), pp.89-104; 張成在,「三峰의 性理學 硏究」(東國大 博士學位論文, 1991), pp.64-67; 朱熹 撰,「釋氏」,『朱子語類』126 ; 鄭道傳,「佛氏毀棄人倫之辨」,「佛氏雜辨」.

[*53] 당시 敎正은 多數 選出이 가능했고, 1929년 1월 5일 金幻應·徐海曇·方漢岩·金擎雲·朴漢永·李龍虛·金東宣의 7인이 選出되었다. 金光植,「方漢岩과 曹溪宗團」,『漢岩思想』제1집 (2006), p.160; 金光植,「曹溪宗團 宗正의 歷史像」,『大覺思想』제19집 (2013), p.134.

[*54] 金光植,「曹溪宗團 宗正의 歷史像」, p.143; 禪雲寺 編,「第1章 石顚 鼎鎬스님의 生涯와 行蹟」, p.23.

석전 영호대종사 | 한국불교의 초석을 세우다

2. 한암의 선계일치禪戒一致와 4차례의 교정教正과 종정宗正

석전이 일제강점기 가장 박학한 대종사였다면, 한암은 일제강점기 최고의 대선사였다. 한암1876~1951은 22세 때인 1897년 금강산金剛山의 4대 사찰 중 하나인 장안사長安寺의 행름 화상行凜和尙의 문하에서 출가 한다.[*55] 그 2년 후인 24세에 당시 구한말 임제선臨濟禪의 중흥조인 경 허鏡虛의『금강경金剛經』설법에서 안광眼光이 열린다.[*56] 이후 해인사선 원에서 경허를 모시다가『선요禪要』로 법담을 나누는 과정에서 지견 을 인정받게 된다. 이때 경허는 법좌에 올라 "원遠, 한암(漢岩)의 법명(法名) 인 중원(重遠)을 축약한 표현임 선화禪和의 공부가 개심開心의 경지를 지났다" 라고 공포하였다.[*57] 이후 경허에게 '지음知音'이라는 최고의 찬사를 들을 정도로 본래면목에 투철한 면모를 보인다.[*58] 사법제자에게 스 승이 지음이라는 표현을 사용하는 것은 선불교의 전등역사傳燈歷史에 유래가 없는 일이다.[*59]

한암의 높은 견처見處가 점차 세상에 알려지게 되면서, 1904년에 는 통도사 내원선원內院禪院의 조실혹 방장方丈[*60]로 추대되어 납자들을

....
*55　呑虛宅成,〈漢岩大宗師 浮圖碑銘〉,『定本-漢巖一鉢錄』上 (漢岩門徒會·五臺山 月精寺, 2010), p.486; 呑虛宅 成,『現代佛敎의 巨人, 方漢岩』,『定本-漢巖一鉢錄』下(漢岩門徒會·五臺山 月精寺, 2010), p.158.
*56　漢岩重遠,「一生敗闕」,『定本-漢巖一鉢錄』上 (平昌: 漢岩門徒會 五臺山 月精寺, 2010), p.262.
*57　漢岩重遠,「一生敗闕」,『定本-漢巖一鉢錄』上, pp.264-265.
*58　鏡虛惺牛,「鏡虛和尙餞別辭」,『定本-漢巖一鉢錄』上 (平昌: 漢岩門徒會 五臺山 月精寺, 2010), p.223.
*59　尹暢和,「鏡虛禪師의 知音者 漢岩」,『漢岩思想』제4집(2011), pp.19-27.
*60　呑虛는〈漢岩大宗師 浮圖碑銘〉에는 方丈이라고 쓰고(『定本-漢巖一鉢錄』上, p.486),『現代佛敎의 巨人, 方漢 岩』과 같은 곳에서는 祖室이라 쓰고 있다. 다른 기록들과 대조해 봤을 때, 祖室이 맞고 方丈은〈碑銘〉을 기록 함에 있어서 높여 쓴 것으로 판단된다.

지도하게 된다.[*61] 이때는 한암이 출가한 지 불과 8년, 30세라는 젊은 나이에 이루어진 일이니 한암의 치열한 깨달음과 덕행의 깊이를 능히 짐작할 수 있다.

한암은 경허의 활발발한 남성적인 임제선풍을 이어받았다.[*62] 그러나 동시에 경허의 남성적인 선풍이 주관에 함몰되면서 나타날 수 있는 윤리의 문제에 대해서도 분명하게 인식하고 있었다. 이는 오늘날까지도 자주 회자되는 경허의 무애행과 관련된 것이다. 사실 주관 절대가 파생하는 이러한 문제점은 명 말明末의 이탁오李卓吾, 이지(李贄), 1527~1602와 같은 경우에서도 살펴지는 것으로[*63] 남종南宗 임제선만의 문제는 아니다. 또 무애행의 문제점은 선종 이외에도 화엄의 조백대사棗柏大士 이통현李通玄, 635~730 등에서도 살펴진다.[*64]

이러한 한암의 문제의식은 만공의 부탁을 받고 쓴 『경허집鏡虛集』의 「서문」에서 나타난다. 한암은 이때 "후대에 배우는 이는 화상의 법화法化를 배우는 것은 옳으나 화상의 행리行履를 배우는 것은 옳지 못하다. 사람들이 믿어 이해할 수 없기 때문이다"라고 적고 있다.[*65]

....

[*61] 呑虛宅成, 「現代佛敎의 巨人, 方漢岩」, 『定本-漢巖一鉢錄』 下 (漢岩門徒會 · 五臺山 月精寺, 2010), p.164. "漢岩은 30세 되던 1905년 봄에 梁山 通度寺 內院禪院으로부터 祖室로 와 달라는 招請狀을 받고, 거기에 가서 젊은 禪僧들과 더불어 5, 6년의 세월을 보냈다." 당시 漢岩이 通度寺에 머문 것은 병 치료의 목적도 있었다. 漢岩重遠, 「一生敗闕」, p.266. "甲辰年(1904)에 다시 通度寺로 가서 용돈이 좀 생겨 병을 치료했지만 고치지도 못한 채 인연을 따라 6년 세월을 보냈다."

[*62] 尹昭庵, 「方漢岩스님」, 『定本-漢巖一鉢錄』 下 (漢岩門徒會 · 五臺山 月精寺, 2010), p.280. "鏡虛의 여러 제자 중 크게 宗風을 떨친 분으로서 北의 漢岩이라면 南에서는 滿空이라고 膾炙된 적이 있다."

[*63] 시마다 겐지, 『朱子學과 陽明學』, 김석근 · 이근우 譯 (까치, 1990), pp.203-214; 李贄, 「卓吾 李贄 先生의 年譜」, 『焚書Ⅱ』, 김혜경 譯 (한길사, 2004), pp.592-614.

[*64] 『林間錄』 上 (『大正藏』 87), p.247c. "棗柏大士. 淸凉國師, 皆弘大經, 造疏論, 宗於天下. 然二公制行皆不同, 棗柏則跣行不滯, 超放自如, 以事事無礙行心, 淸凉則精嚴玉立, 畏五色棄, 以十願律身, 評者多喜棗柏坦宕, 笑淸凉縛束, 意非華嚴宗所宜屬也. 予曰, 是大不然, 使棗柏薙髮作比丘, 未必不爲淸凉之行. 盖此經以遇緣卽宗合法, 非如餘經有局量也."

[*65] 漢岩重遠, 「先師鏡虛和尙行狀」, 『定本-漢巖一鉢錄』 上 (漢岩門徒會 · 五臺山 月精寺, 2010), p.478. "後之學者가 學和尙之法化則可어니와 學和尙之行履則不可니 人信而不解也라".

석전 영호대종사 │ 한국불교의 초석을 세우다

이는 경허의 무애행에 대한 비판이다. 이를 만공은 탐탁지 않게 여겨『경허집』을 재차 한용운에 의지해서 다른 방식으로 발행했다.[*66] 그러나 한 번 더 생각해 보면 붓다와 역대 조사들이 깨달음을 얻어서 실천한 무애행은『논어論語』의 '종심소욕불유구從心所慾不踰矩'와 같은 것이지[*67] 경허에서와 같이 세인의 의혹을 불러일으키는 무애행은 아니었다. 이런 점에서 본다면 한암은『순자荀子』「권학편勸學篇」의 '청출어람청어람靑出於藍靑於藍'의 경지를 드러냈다고 하겠다.

한암이 경허와 달리 선禪적인 깨달음을 얻었음에도 계율로 자신과 주변을 맑힐 수 있었던 것은 경학經學을 통해서 언제나 스스로를 비추었기 때문이다.[*68] 실제로 한암은 선사였음에도 불구하고 경학에 능통하여 상원사 선방에서는 언제나 선과 함께 경經 공부가 병진되었다.[*69] 또 현대 최고의 화엄종주華嚴宗主인 탄허呑虛, 1913~1983 역시 한암에게서 수학해 대성한 인물이다.[*70] 이런 한암이 교학적으로 인정한 인물이 바로 석전이다. 이는 상족上足제자인 탄허의 교육을 석

....

[*66] 『鏡虛集』은 총 4차례 발행된다. ① 1931년의 漢岩에 의한『漢岩筆寫本－鏡虛集』(과거 부산저축은행장이었던 김민영의 기증으로 2009년 五臺山 月精寺에서 影印本『漢岩禪師肉筆本 鏡虛集』으로 간행되었다), ② 1943년의 萬海 韓龍雲에 의한 禪學院本『鏡虛集』③ 1981년 鏡虛惺牛禪師法語集刊行會에서 간행한『鏡虛法語』(人物研究所), ④ 1990년 통도사 극락암 명정에 의한『鏡虛集』(梁山: 極樂禪院)이 있다.『漢岩筆寫本－鏡虛集』과 禪學院本『鏡虛集』은『韓佛全』卷11, pp.587b-701c에 수록되어 있다. 이상하,『鏡虛集』編纂, 刊行의 涇渭와 變貌 樣相」,『漢岩思想』제4집(2011), pp.132-133 · p.135. "여기서 의아한 것은 禪學院本에는 滿空이 일껏 漢岩에게 부탁하여 쓴『先師鏡虛和尙行狀도 싣지 않고 萬海가 撰述한 略譜, 즉 簡略한 年譜로 대치하였다. 게다가 萬海의 序文에서도 漢巖이 行狀을 쓰고 鏡虛의 文集을 編纂했다는 사실조차 전혀 언급하지 않았으며, 뒤에서 詳論하겠지만, 먼저 編纂된 漢巖筆寫本의 詩文 중 일부가 禪學院本에 실려 있지 않다. 저간의 사정을 지금 와서 다 알 수는 없지만, 漢巖이 쓴『先師鏡虛和尙行狀을 滿空이 탐탁찮게 여겨 刊行하지 않았을 것임은 분명한 듯하다."

[*67] 『論語』,「爲政第二」, LY0204.

[*68] 漢岩의『僧伽五則』(禪 念佛 看經 儀式 伽藍守護)는 그의 佛敎觀을 잘 나타내 주는데, 여기에는 禪과 함께 念佛과 看經이 포함되어 있는 모습이 살펴진다. 辛奎卓,「漢岩 禪師의〈僧伽五則〉과 曹溪宗의 信行」,『曹溪宗史研究論集』(中道, 2013), pp.708-723.

[*69] 金光植,「呑虛스님의 生涯와 敎化活動」,『呑虛禪師의 佛敎觀』(五臺山 月精寺, 2004), pp.268-269.

[*70] 茲玄,『呑虛, 虛空을 삼키다』(民族社, 2013), pp.51-79.

전에게 부탁하려고 했던 것을 통해서 인지된다.[71]

한암은 교학에도 능통했지만 역시 대선사로서의 위엄이 압도적이다. 그런데 이러한 한암선의 가장 큰 특색이 바로 선계일치禪戒一致이다. 즉 한암은 주관심의 수행에 집중하는 선사들이 간과하기 쉬운 계율인식에 투철했던 것이다. 이를 알 수 있는 것이 바로 한암의 좌우명인[72] 「계잠戒箴」이다.[73] 「계잠」은 '선정의이팔법이득청정禪定宜以八法而得淸淨' 8항목과 '지계이구족팔법이득청정持戒以具足八法而得淸淨' 8항목 그리고 '불방일이팔법이득청정不放逸以八法而得淸淨'으로 구성되어 있다. 이는 한암의 선계일치禪戒一致적인 관점을 잘 나타내 주는 중요한 문헌으로, 이를 제시해 보면 다음과 같다.

「戒箴」
* 禪定은 마땅히 이 여덟 가지 법〔八法〕을 실천하여 청정함을 얻는다.
1. 항상 절에 居하면서 고요히 앉아 사유(참선)할 것.
2. 사람들과 휩쓸리지 않으며 무리지어 잡담하지 말 것.
3. 바깥 세계에 대하여 탐착하지 말 것.
4. 몸과 마음에 모든 영화로움과 호사함을 버릴 것.
5. 음식에 대하여 욕심내지 말 것.

....

*71 金光植, 「呑虛스님의 生涯와 敎化活動」, 『呑虛禪師의 禪敎觀』 (五臺山 月精寺, 2004), pp.268-269.
*72 張道煥, 「上院寺行」, 『定本─漢巖一鉢錄』 下 (漢岩門徒會 · 五臺山 月精寺, 2010), pp.112-113, "漢巖老師 私室에는 그야말로 道家貧은 行者差라더니 간결한 두 칸 方丈에 質素한 書具며 經榻이 놓여 있고 戒箴을 案壁에 걸고 素人畵小幅이 걸려 있을 뿐이었다."
*73 漢岩大宗師法語集 編纂委員會 編, 「年譜」, 『定本─漢巖一鉢錄』 上 (漢岩門徒會 五臺山 月精寺, 2010), p.478. "座右銘 〈戒箴〉이 『佛敎(新)』 38호(1942년 7월호), 『佛敎(新)』 41호(1942년 10월호)와 『佛敎時報』 90호(1943년 1월호)에 각각 수록되다. 이 〈戒箴〉이 언제 완성된 것인지는 알 수 없다. 다만 이보다는 훨씬 이전일 것으로 생각된다. 그러나 이 〈戒箴〉이 世間에 알려진 것은 曹溪宗 종무원 간부들이 1943년 1월에 종무보고차 上元寺에 갔다가 보고 『佛敎(新)』 誌와 『佛敎時報』에 실린 이후부터이다. 『佛敎(新)』 誌 38호(1942년 7월호), 41호(1942년 10월호)에는 筆名 錦城(張道煥), 「上院寺行」이라는 제목으로 2회에 나누어 실렸고, 『佛敎時報』 90호(1943년 1월호)에는 筆名 釋大隱, 「總本山 太古寺 宗正 重遠大宗師의 戒箴」이라는 題目으로 실렸는데, [이 〈戒箴〉은 衲子들의 必守 〈戒箴〉으로 垂示한 것)이라는 설명이 첨부되어 있다. 두 잡지에 글자가 좀 차이가 있다."

석전 영호대종사 | 한국불교의 초석을 세우다

6. 밖으로 攀緣處를 두지 말 것.

7. 음성과 文字를 꾸미지 말 것.

8. 타인에게 부처님 가르침을 펴서 聖樂(法悅)을 얻게 할 것.

* 持戒는 이 여덟 가지 법〔八法〕을 구족하게 하여 淸淨함을 얻는다.

1. 몸과 행동을 단정하고 바르게 한다.

2. 모든 業을 깨끗이 한다.

3. 마음에 때가 묻지 않게 한다.

4. 뜻은 고상하게, 지조는 굳게 가진다.

5. 正命으로 스스로 바탕을 삼는다.

6. 頭陀行으로 자족한다.

7. 모든 거짓과 진실치 못한 행동에서 떠난다.

8. 항상 菩提心을 잃지 않는다.

* 불방일은 이 여덟 가지 법〔八法〕을 실천하여 淸淨함을 얻는다.

1. 계율을 더럽히지 않는다(계율을 지킨다).

2. 항상 깨끗이 하고 많이 듣는다.

3. 신통을 구족히 한다.

4. 반야 지혜를 수행한다.

5. 모든 선정을 성취한다.

6. 스스로 자신을 높이지 않는다.

7. 모든 爭論을 일삼지 않는다.

8. 善法에서 물러서지 않는다.

모든 부처님의 경계는 마땅히 일체 중생의 번뇌 속에서 찾아야 한다. 모든 부처님의 경계는 옴도 없고 감도 없는 것이며, 중생의 煩惱自性도 또한 옴도 없고 감도 없는 것이다. 만일 부처님 경계의 自性이 중생의 번

뇌자성과 다르다면 여래는 곧 平等正覺이 아니다.[*74]

한국불교사 전체에서 선계일치禪戒一致적인 관점을 보인 인물은 고려 말 원나라 진종晉宗. 태정제(泰定帝)의 어향사御香使로 고려에 와[*75] 고려의 혼탁함을 불교의 청정한 풍속으로 변화시킨 지공指空 정도가 있을 뿐이다. 지공과 관련해서『통도사지通度寺誌』에는 "하루는 선禪을 설하고 하루는 계戒를 설했다"는 기록이 있는데[*76] 이는 지공의 선계일치禪戒一致적인 관점을 잘 나타내 준다. 이러한 지공의 법맥은 나옹과 자초에게 전해져 한국불교의 한 흐름을 형성하게 된다. 그러나 조선 초에 들어와 이러한 선풍은 끊기고 만다.[*77] 그런데 한암은 일제강점기라는 계율의 암흑기에서 선계일치禪戒一致를 견지함으로 다시금 한국불교를 맑히고 만세의 사표로서의 위상을 드러낸다.

한암의 청정한 계행과 관련된 일화들은『정본定本 한암일발록漢岩

* * * * * * * * * * * * * * * * * * * *

[*74]　漢岩重遠,「戒箴」,『定本－漢巖一鉢錄』上 (漢岩門徒會 五臺山 月精寺, 2010), pp.132-135. 禪定宜以八法而得淸淨: 一. 常居蘭若 宴寂思惟, 二. 不共衆人 群聚雜談, 三. 於外境界 無所貪着, 四. 若身若心 捨諸榮好, 五. 飮食少欲, 六. 無攀緣處, 七. 不樂修飾 音聲文字, 八. 轉教他人 令得聖樂. 又, 持戒以具足八法而得淸淨: 一. 身行端直, 二. 諸業淸淨, 三. 心無瑕垢, 四. 志向堅貞, 五. 正命自資, 六. 頭陀知足, 七. 離諸詐僞不實之行, 八. 恒不忘失菩提之心. 又, 不放逸以八法而得淸淨: 一. 不污尸羅, 二. 恒淨多聞, 三. 具足神通, 四. 修行般若, 五. 成就諸定, 六. 不貪貢高, 七. 滅諸爭論, 八. 不退善法, 諸佛境界, 當求於一切衆生煩惱中, 諸佛境界, 無來無去, 煩惱自性, 亦無來無去, 若佛境界自性, 異煩惱自性, 如來則非平等正覺矣.
[*75]　達牧 撰,「六種佛書後誌」,「親對日角 敷揚正法 仍請往觀金剛山 因受御香東行」; 許興植,「指空의 遊歷과 定着」,『伽山學報』제1호(1991), p.92.
[*76]　韓國學文獻硏究所 編,『通度寺誌』,「西天指空和尙爲舍利袈裟戒壇法會記」(亞細亞文化社, 1979), p.43. "一日說禪 一日說戒".
[*77]　懶翁의 法脈이 自招와 涵虛로 단절되지 않고, 混修가 懶翁의 法脈을 繼承했다는 주장도 있다. 이에 대한 硏究는 다음과 같다. 許興植,「指空의 思想과 繼承者」,「겨레문화」제2권 (1988), pp.77-98; 崔柄憲,「朝鮮時代 佛教法統說의 問題」,『韓國史學(金哲埈博士停年紀念號)』제19호 (1989), pp.286-292; 許興植,「4. 門徒와 法統의 繼承者」,「懶翁의 思想과 繼承者(下)」,『韓國學報』제16호(1990), pp.68-78; 李哲憲,「懶翁 惠勤의 法脈」,『韓國佛教學』제19집(1994), pp.358-368; 李哲憲,〈Ⅴ. 惠勤의 法統〉,「懶翁 惠勤의 硏究」(東國大 博士學位論文, 1997), pp.167-208; 金昌淑(曉呑),〈Ⅴ. 懶翁法統說과 역사적 위치〉,「懶翁惠勤의 禪思想 硏究」(東國大 博士學位論文, 1997), pp.151-186; 李哲憲,「三和尙法系의 成立과 流行」,『韓國佛教學』제25집(1999), pp.447-448; 姜好鮮,〈2. 門徒의 構成과 法統의 繼承〉,「高麗末 懶翁慧勤 硏究」(大 博士學位論文, 2011), pp.259-276.

석전 영호대종사 ｜ 한국불교의 초석을 세우다

一鉢錄』전2권이나 『그리운 스승, 한암 스님』 등에 전하고 있다. 이 중 한 대목을 제시해 보면 다음과 같다.

> 선사는 부처님의 가르침에 결코 어긋남이 없다고 할 만큼 강고한 정법
> 신앙을 지녀 持戒에는 실로 엄격하였다.
> "戒를 지킬 수 없는 자는 출가득도자라 할 수 없다. 破戒僧은 俗人보다
> 못하다"고 항상 가르치셨다.*78

계행은 불교수행자의 기본덕목이다. 그러나 화엄교학이나 남종선의 주관심 중심의 사상이 발전하면서 계행은 답답하고 완고하다는 인상이 심어지게 된다. 그 결과가 바로 계율에 대한 경시이며 무애행과 같은 측면의 강조이다. 그러나 붓다께서 정각을 증득하신 이후로 45년간 계행에 철저했다는 점을 고려한다면 계행은 비단 미욱한 이의 실천만이 아닌 완성자에 의한 궁극의 실천이기도 한 것이다.

또 계행의 실천을 경시하는 이라고 하더라도 계행을 지키는 이를 존중하는 마음은 불교인이라면 피할 수 없다. 즉 자신은 그렇게 하지 못하더라도 계행에 철저한 이를 보게 되면 자신도 모르게 존경심이 일어나는 것이다. 여기에 한암과 같은 분은 선적인 깨달음까지 완성하신 분이니 만인의 사표가 되기에 부족함이 없다. 때문에 한암은 근현대불교에 있어서 교정敎正과 종정宗正으로 무려 4차례나 추대된 기념비적인 인물이 된다.

＊78　相馬勝英, 「方漢岩禪師를 찾아서－江原道 五臺山 月精寺에서」, 『定本－漢嚴一鉢錄』下 (漢岩門徒會 · 五臺山 月精寺, 2010), p.73.

한암이 처음으로 교정이 되는 것은 석전 등과 함께 7인이 함께 선출되는 1929년으로 54세 때이다. 이후 1935년 선학원禪學院에 의해서 신혜월申慧月 · 송만공宋滿空과 함께 조선불교선종朝鮮佛敎禪宗의 종정으로 추대된다.[*79] 한암의 3번째 종정 추대는 1941년 조선불교조계종朝鮮佛敎曹溪宗이 성립되면서 당시 불교계의 여론과 31본산주지의 결정에 의한 것이다.[*80] 이로써 한암은 조계종의 초대종정이 된다.[*81] 1929년의 교정과 1935년의 종정이 복수複數 추대와 상징성이 강했다면 이때의 종정은 1인체제의 실질적인 권한을 갖는 불교계의 최고 대표였다. 즉 명실상부한 한국불교의 최고 고승인 것이다.[*82] 조선불교조계종朝鮮佛敎曹溪宗은 일제강점기의 공식종단으로 한암은 광복 때까지 종정의 위치를 유지한다.

그러다 해방이 되면서 집행부가 총 사퇴하는 시점에서 한암 역시 종정에서 물러난다. 이때 새롭게 교정敎正이 되신 분이 바로 석전이다. 그러나 석전이 1948년 4월 8일 79세법랍法臘 61를 일기로 정읍 내장사內藏寺에서 입적하게 되고[*83] 그해 6월 30일에 또다시 한암이 추

[*79] 〈總本寺太古寺住持選擧會〉, 《佛敎時報》 제71호에 따르면, 당시 得票 結果는 방한암 19표, 장석상 6표, 박한영 1표, 강대련 1표, 이종욱 1표로 漢岩이 압도적이었다. 金光植, 「方漢岩과 曹溪宗團」, 「漢岩思想」 제1집 (2006), p.163; 〈佛敎首座大會〉, 《東亞日報》, 1935년 3월 13일자 ; 〈中央宗務員〉, 「禪苑」 제4호 (1935), pp.29-30; 金光植, 「曹溪宗團 宗正의 歷史像」, 「大覺思想」 제19집 (2013), pp.136-137; 金光植, 「朝鮮佛敎曹溪宗의 成立과 歷史的 意義」, 「曹溪宗史 硏究論集」 (中道, 2013), p.589.

[*80] 〈方漢岩大禪師 宗正 推戴의 承諾〉, 《佛敎時報》 제71호, 1941년 6월 15일자; 〈宗正에 方漢巖老師〉, 《每日新報》, 1941년 6월 6일자; 金光植, 「曹溪宗團 宗正의 歷史像」, pp.139-140.

[*81] 李能和, 「朝鮮佛敎曹溪宗과 初代 宗正 方漢岩禪師」, 「定本−漢巖一鉢錄」 下 (漢岩門徒會 · 五臺山 月精寺, 2010), pp.94-96; 金素荷, 「大導師 方漢岩禪師를 宗正으로 맞으며」, 「定本−漢巖−鉢錄」 下 (漢岩門徒會 · 五臺山 月精寺, 2010), p.98. "지나간 6월 5일, 總本寺 太古寺 주지 선거 때에 31본사 주지 諸位가 方漢岩 禪師를 投票 推戴케 하여, 方漢岩 大禪師께서 朝鮮佛敎曹溪宗 總本寺 太古寺 第1세 주지로 推戴되어 宗正으로 모시게 되었다 함은, 旣報한 바이지마는 方漢岩 大禪師께서 朝鮮佛敎의 宗務를 總括하시게 됨은, 가장 時宜의 適宜를 얻은 바라고 하겠다."

[*82] 金光植, 「曹溪宗團 宗正의 歷史像」, p.137.

[*83] 〈明星落地! 朴漢永老師 入寂〉, 《佛敎新報》, 1948년 6월 17일자; 禪雲寺 編, 「第1章 石顚 鼎鎬스님의 生涯와 行蹟」, p.99.

대되기에 이른다.[*84] 이렇게 놓고 본다면 한암은 일제강점기와 해방 후 조계종이 초석을 다지는 시기에 가장 중요한 역할을 한 한국불교의 정신적인 지주였다는 것을 알 수 있다.

그런데 한암이 3번째 종정으로 추대되는 1941년과 관련해서 1941년 7월 15일자 ≪불교시보佛教時報≫ 72호에는 한암이 산을 나서지 않고도 종정에 취임한다는 다음과 같은 기사가 수록되어 있어 주목된다.

그런데 余(李能和임)의 들은 바에 의하면, 대본산 마곡사 주지 安香德, 대본산 월정사 주지 李鍾郁, 경성 선학원 이사 元寶山 등 세 화상이, 상원사에 가서 方漢岩禪師에게 종정 취임을 공식으로 요청하는데 대하여, 漢岩禪師는 不出山의 결심을 설명하고 취임을 거절하였다 한다.[*85] 향덕 화상 등 3인은 할 수 없이 不出山을 조건부로 宗正 승낙을 받아가지고 귀경하여 총독부 당국에 이 뜻을 上申하였던 바 '불출산하여도 좋다'라는 당국의 內命을 承受하였다.

(……)

余는 이렇게 생각한다. 한암 선사가 不出山을 결심한 것이야말로 진정한 조계종 초대종정의 자격이다. 왜 그러냐 하면 昔唐 中宗 神龍 元年에 帝는 勅使 薛簡을 조계산에 파견하여 육조 혜능대사를 邀請하였으나, 육조는 질병을 이유로 하여 나오지 아니하였다. 薛簡 칙사가 復命하매 帝優詔를 나리사 육조를 襃美하였다. 지금 한암 선사의 行履는 조계 육조와 똑같다. 이것이 조계종 종정의 자격이 아니고 무엇인가.

조선불교가 이와 같이 거룩한 종정을 머리에 두었으니 從今 이후로는

<hr>

[*84] 金光植, 「曹溪宗團 宗正의 歷史像」, p.143.
[*85] 鄭珖鎬, 「現代佛教人列傳−方漢岩」, 「定本−漢巖一鉢錄 下」(平昌: 漢岩門徒會 五臺山 月精寺, 2010), p.237. "漢岩은 이 '공부'를 위해 실로 '敎正'이라고 하는 최고 지위도 무시해 버릴 만큼 철저한 修道人이기도 했다. 즉 한 번은 이 疊疊山中 上元寺에서 공부를 하는데, 중앙으로부터 난데없이 敎正 就任式이 있으니 서울로 좀 와 달라는 통첩을 받은 일이 있었다. 이에 대해 漢岩은 [내 敎正 노릇을 못하면 못했지, 공부하다 말고 서울엘 갈 수는 없노라]고 한마디로 그냥 거절해 버렸다는 것이다."

佛化가 더욱더욱 보급되어갈 것을 확신하는 바이다.[*86]

이 기사를 보면 한암의 청정한 수행가풍이 당시의 불교도들에게 깊은 존숭을 불러일으켰으며 일제의 총독부까지도 감화되고 있다는 것을 알 수 있다. 또 유儒 · 불佛 · 도道 및 무속巫俗과 민속문화까지 섭렵한 당시 최대의 종교학자인 이능화가[*87] 한암을 육조 혜능에 견주며 불출산의 한암이야말로 세속에 휘둘리지 않는 진정한 조계종의 종정임을 찬탄하고 있다. 이는 단연 최고의 찬사가 아닐 수 없다.

또 같은 기사에는 다음과 같은 한암의 청정한 수행가풍에 대해서도 언급하고 있어 주목된다.

> 禪師께서는 乙丑年에 廣州 奉恩寺 禪室에 계시며 납자를 提接하시다가, 距今 17년 전에 강원도 평창군 오대산 상원사로 가서서 근 20년간을 不出洞口하고, 長坐不臥 午後不食 單與話頭 焚香默禱 提接衲子 이러한 공부만을 힘써 오신 고로, 戒 · 定 · 慧 三學이 선사같이 圓具하신 분이 없다.[*88]

이 구절은 어떻게 한 명의 승려가 한국불교의 대격변기 속에서도 서로 다른 불교단체들에 의해서 무려 4차례나 교정과 종정이 될 수 있었는지를 단적으로 설명해 준다.

....

[*86] 〈方漢岩大禪師 宗正 推戴의 承諾〉, 《佛敎時報》 제71호, 1941년 7월 15일자; 李能和, 「朝鮮佛敎曹溪宗과 初代 宗正 方漢岩禪師」, pp.94-95.

[*87] 李能和의 著述은 「朝鮮佛敎通史」 · 「朝鮮神敎源流考」 · 「朝鮮儒敎之陽明學」 · 「朝鮮女俗考」 · 「朝鮮解語花史」 · 「朝鮮巫俗考」 · 「朝鮮基督敎及外交史」 · 「朝鮮道敎史」 등 광범위하고 다양하다.

[*88] 金素荷, 「大導師 方漢岩禪師를 宗正으로 맞으며」, 「定本─漢岩一鉢錄」 下 (漢岩門徒會 · 五臺山 月精寺, 2010), p.98.

석전 영호대종사 | 한국불교의 초석을 세우다

한암의 선계일치禪戒一致 선풍禪風과 관련해서 ≪불교신문≫ 논설위원이었던 윤소암尹昭庵은 1985년 10월『불교사상佛敎思想』제23호에서 다음과 같이 평가하고 있는데 매우 적절하다.

한암의 두문불출은 타파할 無門關이 있어서가 아니고 도무지 출입이나 왕래가 필요 없어진 자유인의 逍遙自在한 생활이었다고 보겠다. 우리는 한암을 통하여 엄격한 수행자의 龜鑑을 볼 수 있으며 동시에 초월적인 인격자의 풍모를 느낄 수 있다. 실제로 그는 청정한 戒行受持와 禽獸 · 草木에도 감화를 미친 수승한 善知識이었다.[*89]

이를 통해서 우리는 무애를 넘어선 진정한 무애행을 이해해 볼 수 있다. 즉 무애를 넘어선 엄격한 청정성이야말로 붓다 이래의 '사事를 넘어선 사事의 경지'라고 하겠다. 무애에 걸리는 무애 역시 또 다른 장애일 뿐이라는 점에서, 이와 같은 수행인의 자세야말로 이 시대가 요구하는 진정한 불교인이라 이를 만하다.

Ⅳ. 결론−시대적 요청과 조계종의 미래

석전과 한암은 일제강점기와 해방 직후 교정과 종정을 수차례 역임한 가장 중요한 두 분이다. 특히 1962년에 창종되는 대한불교조계종

．．．．．．．．．．．．．．．．．．．
[*89]   尹昭庵,「方漢岩스님」,『定本─漢巖一鉢錄』下(平昌: 漢岩門徒會 · 五臺山 月精寺, 2010), p.283.

이[*90] 일제강점기의 임제종과 조계종 그리고 해방 후의 대한불교를 계승한다는 점에서 석전과 한암은 현 대한불교조계종의 정초를 확립한 분들이라 이를 만하다. 특히 이분들이 계율을 통한 청정한 출가승단과 선을 지향했다는 점은, 오늘날의 조계종의 종취와 일치하는 한국불교의 가장 핵심적인 특징이다.

현대 한국사회는 선진화로 진입하면서 윤리에 대한 인식이 고조되고 있다. 이런 점에서 계율에 바탕을 둔 석전과 한암이 보인 교학과 선수행이라는 측면은 특히 더 주목된다. 현대사회는 교학이나 수행의 탁월성만으로 정당성을 인정받을 수 있는 시대가 아니다. 비단 불교와 같은 종교만이 아니라 윤리에 대한 엄격한 잣대와 강조는 정치인이나 연예인 또는 스포츠인과 같은 모든 공인들에게 해당하는 기본전제이다. 이런 점에서 석전과 한암의 계율 강조는 오늘날 한국불교가 나아갈 지남指南이 되기에 충분하다.

조계종은 경허와 성철에 의한 남성주의적인 활발발한 선풍이 일세를 풍미했다. 구한말이라는 혼란한 현실 속에서 선불교를 부흥시키기 위한 경허의 강력한 실천행과 80년대의 고성장과 비민주적인 현실 속에서 성철의 억압을 해소하는 활발발한 선풍은 충분한 타당성이 있었다. 그러나 현대는 모든 인간의 존엄 속에서 타인에게 피해를 주지 않는 가운데 고요하고 잔잔하게 자신을 드러내는 개인과 윤리의 시대이다. 이런 점에서 경허와 성철의 남성적인 선풍은 현대사

· · · · · · · · · · · · · · · · · · · ·

[*90] 大韓佛敎曹溪宗 敎育院,「Ⅳ. 大韓佛敎曹溪宗의 성립과 발전(1962~1999)」,『曹溪宗史–近現代篇』(曹溪宗出版社, 2001), pp.157-169; 崔柄憲,「韓國佛敎 歷史上의 曹溪宗–曹溪宗의 歷史와 해결과제」,『佛敎評論』통권 51호 (2012), p.394.

회의 지도이념으로서는 타당성이 부족한 면이 있다.

한암의 선풍은 남종선의 정맥임에도 불구하고 섬세하면서 타인을 배려하는 여성적인 선이다. 이는 작은 것에도 쉽게 상처를 입는 현대인들에게 가장 적합한 수행모식이 된다는 점에서 주목된다.

현대의 한국인들은 고성장의 결과에 따른 도시생활의 폐소閉所문제에 노출되어 있다. 불과 1세대 전만 하더라도 이 나라는 흙을 밟는 것이 당연시 되던 사회였다. 그러나 이제 도시에는 흙이 차지하는 공간이 없다. 대신 모든 것은 통제되며 균일한 시멘트로 상징되는 인간의 계산된 문화가 점령하고 있는 것이다. 이곳에서 성장한 현대의 젊은이들은 갑갑한 공간 속에서 인간의 궁극적인 목적인 행복의 가치를 잃어버리고 표류하고 있다. 이와 같은 문제를 바로잡고 해결할 수 있는 것이 바로 불교의 정신문화인 선수행이다.

산중불교는 지친 도시인들에게 편안함을 준다. 그러나 그것이 산중을 찾는 이에게 편안함을 줄 수는 있어도 산이라는 자연이 도시로 나갈 수는 없다. 그렇기 때문에 우리는 한암의 깨끗하고 깔끔한 선의 정신을 요구받게 되는 것이다. 이는 도시 안에서 기능할 수 있는 가장 현대적인 불교의 한 모델을 제시한다. 즉 한암의 선은 오래된 전통을 계승하였으나 현대에 맞는 새로움을 내포하고 있는 것이다. 이와 같은 양상은 선불교를 추구하는 조계종이 나아가야 할 미래방향을 시사해 준다.

오늘날의 조계종은 현대사회의 빠른 변화 속에서 옛 문화전통에 갇혀 능동적인 대처를 하지 못하고 있다. 일제강점기 때 대처문제가 한국불교의 전통을 흔들었다면 이제 현대사회의 빠른 변화는 전혀 다른 방식으로 조계종의 존립을 위협하고 있는 것이다.

　바로 이때 석전과 한암이라는 일제강점기와 해방 후의 대표적인 불교정신을 되새겨 보고 이를 통해서 오늘날의 한국불교를 반성하는 것은 매우 종요宗要로운 일이 된다. 또 이분들의 계율을 바탕으로 하는 윤리의 청정성은 오늘날의 현대사회에서는 선택이 아닌 필수라는 점에서 우리는 보다 더 이분들의 가르침에 귀를 기울일 필요가 있다. 즉 조계종의 미래는 시대적 요청을 어떻게 수용하느냐와 관련이 있으며 그 해법으로 우리는 교계일치教戒一致와 선계일치禪戒一致라는 석전과 한암의 해법을 상기해 볼 필요가 있는 것이다. 이것이야말로 현대라는 시대정신에 부합하는 조계종의 올바른 전개방향이라고 하겠다.

7장

석전 박한영의 불교적 문학관

김상일 _ 동국대학교 국어국문학과 교수

Ⅰ. 머리말

석전石顚 박한영朴漢永, 1870~1948은 전통적인 방식의 유교교육과 불교교육을 받고 불승佛僧의 길을 걸었던 근대기의 선각적 학승學僧이었다. 따라서 그의 본색이 불승이었던 만큼 그에게 문학은 부차적인 것이라 할 수 있다. 그러나 그는 스스로도 말한 것처럼 선도禪道를 즐기는 선승이면서도 시인들과 어울리며 국토를 노래한 한시를 600여 수나 남긴 시인이며, 깊이 있는 한시론을 남긴 빼어난 한시비평가로 보인다. 뿐만 아니라 그는 적지 않은 한문 산문을 남겼으며 불교잡지와 신문에 불교계가 당면한 시론이나 불교학 논설, 수필 등을 쓴 문필가였다.

이처럼 석전은 근대기의 학승일 뿐 아니라 문학인으로서도 위상이 작지 않다고 할 것인바, 그는 전대의 한문학적 소양을 잘 교육받은 한문학 작가이며 한문학비평가였다고 할 것이다. 석전의 한시풍은 이건창李建昌, 황현黃玹 등과 더불어 조선말기 3대 시인으로 불리는 강위姜瑋로부터 영향을 받은 것 같다. 또한 석전은 19세기 시승詩僧으로 이름이 있던 초의草衣 선사의 시풍에도 관심을 가졌던 듯하다. 그에 따라 초의와 교유하였던 신위申緯와 홍현주洪顯周 등의 시풍, 그리고 추사 김정희나 다산 정약용 등의 실학적 학풍과 한시풍에도 자연 관심을 가지게 된 것으로 보인다. 한편 석전은 수만 권의 책을 모아 탐독한 장서가요 독서가로 유명하였다. 특히 그는 동아시아 한문학 관련 서적에 대한 폭넓은 독서를 통해서 동아시아 전통문학에 대한 박식한 식견은 물론 한국한문학만의 특성에 대한 깊은 인식을 가졌던 것으로 생각된다. 따라서 한국한문학의 마지막을 장식한 석전의 한시나 한문, 그리고 한시론과 조선후기의 한시문학사에 대한 언급 등은 한국한문학사 연구에서 결코 간과해서는 안 될 점이다. 뿐만 아니라 전근대 동아시아 불교 시문학에 대한 그의 견해 또한 불교학과 한문학에 조예가 깊었던 그의 담론이라는 점에서 세세히 따져보아야 할 가치가 있다고 생각된다.

한편, 석전이 당대 문사로서 저명했던 것은 그의 교유관계에서도 확인된다. 한문에 대한 소양이 뛰어났던 이건방李建芳, 정인보鄭寅普, 홍명희洪命憙, 변영만卞榮晚, 한용운韓龍雲 등을 비롯해서 한국 근대문학을 열었던 최남선, 이광수, 그리고 신석정, 조종현, 조지훈, 김동리, 김어수, 서정주 등 신구 문학인에게 끼친 영향은 이루 다 말하기 어렵다.

지금까지 석전문학에 대한 연구는 그의 한시문학을 중심으로 얼마간 성과가 있었다.[*1] 그러나 그의 문학적 본령과 한국문학사에서의 위상을 가늠하기에는 턱없이 부족해 보인다. 따라서 이 글은 그의 문학적 규모를 제시하는 데 목표를 두되 그의 문학관에 대한 간략한 고찰을 시도해 본다.

....

[*1]   석전문학에 대한 본격적인 접근은 이종찬의 「석전의 천뢰적 시론과 기행시」(『한국문학연구』 12집, 동국대 한국문화연구소, 1989)에서 시작되었고, 심삼진의 「석전 박한영의 시문학론」(동국대 석사학위논문, 1989)이 뒤를 이었다. 이후 고재석이 근대문학사 연구의 일환으로 부분적으로 다루었고(『한국근대문학지성사』, 깊은샘, 1991), 그의 한시에 대해서는 서정주가 1980년대에 번역해 두었던 것을 2006년에 간행했으며(『석전 박한영 한시집』, 동국역경원), 김미선이 최근 「詩僧 鼎鎬禪師의 시세계」(『한문고전연구』 제16집, 한국한문고전학회, 2007)라는 논문을 표했다.

Ⅱ. 석전의 문학과 글쓰기의 토대

석전 박한영의 문학관을 살펴보기에 앞서 먼저 그의 문학적 토대를
알아보는 것이 순서일 것이다.

석전은 전통적인 방식으로 교육을 받았다. 그는 출가 이전에 이
미 사서삼경 같은 유가의 경전들을 익혔고 향리의 서당에서 훈장 노
릇을 한 것으로 보인다. 그러나 석전은 19세가 되던 해에 출가한 이
후로는 불승으로서 한문으로 된 불적佛籍을 읽고 공부하여 30대엔 불
교 승단에서 유명한 강사가 되었다. 이후 40세를 전후로 한 시기에
외세의 물결에 급변하는 시대 상황을 바라보면서 일본의 불교적 침
략에 맞서 싸우거나 불교잡지를 발행하여 계몽적인 문필활동을 하
였고, 1914년 이후 1938년까지 불교계의 근대적 교육 기관에서 불교
교육에 힘쓰다가 일생을 마감하였다. 한편 그는 1920년대 후반부터
해방기까지 전통적인 양식의 불교 교육기관인 강원에서 종장으로 논
강을 주도하는 등 전근대적 양식의 불교 교육도 계속하였다.[*2]

석전의 글쓰기는 위와 같은 삶의 조건들 때문에 이중적 글쓰기
형식을 띠고 있다. 다시 말해, 그가 받은 교육의 성격으로 인해 유교
적 글쓰기와 불교적 글쓰기를 한 점이 그 하나이고, 다른 하나는 문
체의 변화에 따라 한문과 국한문체로 글쓰기를 한 점이 그것이다. 여

....

[*2] 석전의 전기적 사실에 대해서는 김상일의 「근대 불교지성과 불교잡지」, 『한국어문학연구』 제52집(한국어문학
연구학회, 2009) pp.8−9 참조.

기서 유교적 글쓰기라 함은 시와 문장에 관한 글쓰기[*3], 곧 문예비평적 글쓰기를 말한다. 석전의 시문집으로는 『석전시초石顚詩鈔』와 『석전문초石顚文鈔』가 있는데[*4], 이것은 모두 한문으로 쓴 시집과 문집이다. 한편 불교계 잡지나 일반 지지紙誌에 쓴 논설 등은 대부분 국한문체한주국종체漢主國從體적 성격이 강함로 쓰인 것들이다. 그러나 석전은 어릴 때와 청년기에 전통적인 방식과 한문으로 된 서적을 읽고 교육을 받아서인지 그의 글쓰기는 한문 글쓰기가 중심에 있고 국한문체 글쓰기는 부차적인 느낌이 든다. 따라서 그의 글쓰기는 한문에 뿌리를 두고 있다고 하겠다. 그래서인지 석전의 문학에 대한 생각을 담은 글도 대부분 한문양식에 대한 것이 압도적으로 많다.

한편, 주지하다시피 우리 역사의 근대기는 문학에 대한 관념과 문체에 대한 변화가 혁명적이었던 시기이다. 그러므로 글쓰기 양식에 대한 생각도 많이 바뀌었던 것이다. 석전 또한 당시 이 땅에 들어온 새로운 서구식 문학 관념이나 문체에 적지 않게 관심을 가졌던 것 같다. 그가 불교잡지를 발행하고 거기에 수많은 글을 발표한 것은 이러한 변화에 대한 적극적 대응이라 할 수 있다. 때문에 석전은 일부 한시 작품이나 승전류僧傳類, 기문記文 등을 제외하고는 대부분 국한문체로 글을 썼다. 그 가운데 1918년 이후에 쓴 논설문 중 문학에 대한 견해를 펼친 것들이 있다. 이 글들은 불교와 문학에 관련된 것이어서

....
[*3] 유교적 질서가 엄존하던 전근대의 시와 문장에 대한 관심은 유가(儒家)가 주도하였다.
[*4] 『석전시초』는 1939년에 석전이 초한 것을 1940년에 최남선이 발간하고, 『석전문초』는 문하인 신석정의 주도로 1962년에 발간되었다.

석전의 불교적 문학관의 일면을 읽을 수 있다.[*5]

Ⅲ. 천뢰적 시선일규론과 시적 개성론

석전의 문학관은 전통적인 한문학에 대한 관념이 중심을 이룬다. 그는 한시를 적지 않게 남겼고 한시 담론도 꽤 남겼다. 때문에 석전의 한문학에 대한 관념은 한시론이 중심을 이룬다. 석전의 시에 대한 담론을 내용에 따라 분류하면 시적 본질로서의 시선일규론詩禪一揆論과 시의 풍격에 따른 시적 개성론으로 나눌 수 있다. 석전의 시선일규론은 시와 선이 같은 법도라는 담론이고 시적 개성론은 시인의 타고난 품성이 저마다 다르기 때문에 그들이 써내는 시도 풍격이 다를 수밖에 없다는 논의이다. 이러한 논의는 이미 전통적인 한시 담론에서 많이 다루어진 것들이어서 새삼스러울 것이 없다. 그러나 석전의 시선일규론은 동아시아 한시문학사에 크게 영향을 미친 남송 엄우嚴羽의 '이선유시론以禪喩詩論'을 '천뢰天籟' 개념을 동원하여 비판하고 이루어낸 것이며, 시적 개성론 또한 엄우의 '당시여선론唐詩如禪論'을 비판한 바탕에서 이루어낸 시론이다. 이 장에서는 이러한 담론의 세세한 국

··················
[*5] 석전의 문학관을 알 수 있는 글은 그의 문집인 『석전문초』의 「石林隨筆」과 「石林草」에 실려 있는데, 한시문에 대한 비평적인 글 10여 편을 싣고 있어 그의 한시문학관을 짐작케 한다. 한편, 석전은 1910년대 이후 불교계 잡지에 많은 글을 실었는데, 1918년 이후 불교잡지와 신문에 실은 글에서 불교문학의 현대적 의의를 밝힌 몇 편의 글을 남겼다. 이러한 글 또한 그의 문학관을 해명하는 데 참고가 된다. 불교잡지에 실은 석전의 글 성향은 김상일, 「근대 불교지성과 불교잡지」

면을 살펴보고 석전 시론의 체계성을 규명해 보고자 한다.

1. 천뢰적 시선일규론

석전의 본색은 선도禪道를 즐기는 선승이었다. 그러므로 강학과 참선의 여가에 시를 지었던 것이다. 그러나 그는 오랫동안 시에 관심을 두어 시단에 참여했다고 했다.[6] 그러므로 그는 시와 선에 대해 투철한 인식이 있었던 것 같다. 이러한 인식에 따라 석전은 시가의 본령과 선이 추구하는 상승선上乘禪의 경지는 다르지 않다고 보고 '시와 선은 한 법도[詩禪一揆]'라고 한 것 같다.

그러면 석전의 시선일규론을 살펴보기에 앞서, 그가 시는 무엇이라 생각하였는지를 살펴보는 것이 순서일 것 같다.

대개 시와 같은 것은 문예의 소품이다. 그러므로 도를 추구하는 자가 달갑게 여길 것이 아니다. 그러나 시 자체로서 보면 우주간의 청숙(淸淑)한 기운이 흘러나와 시가 된다고 한다. 그러므로 시인의 눈빛은 달빛처럼 천고를 비추어보며 부질없는 세상의 공명을 가볍게 보는 것이다. 시를 말함에 어찌 운율과 절주(節奏)가 없는 것으로 천지의 조화인 천뢰(天籟)에 합치되는 것이라 하겠는가? 시는 삼백으로부터 운에 따라 장구를 이루었으며 한당(漢·唐)의 즈음에 이르러서는 운어(韻語)가 크게 이루어졌다.[7]

....

[6] 「及到上乘詩禪一揆」, 『석전문초』, "石生爲沙門而悅禪道尙矣. 亦從詩班輒數十年, 粗有談詩禪之管見, 故曾於草衣禪師碑後, 略叙詩禪一揆之旨."여기서 석전은 스스로 시와 선에 대한 거친 견해를 가지고 있다는 겸양을 보인다. 그러나 수십 년간 시단에 참여했다고 하는 데서 시에 쏟은 세월과 공력을 짐작할 수 있으며, 또 시에 대한 자부심을 볼 수 있다.

[7] 「一種詩式半島體製」, 『석전문초』, "夫若詩者, 文藝之小品, 故非有道者所屑屑. 然要以詩觀之, 宇宙間淸淑一氣, 流露爲詩云, 故詩人眼光如月之曙, 照映千古, 芥視浮世功名者矣. 言詩也, 豈率諸無韻節而合於化工之天籟哉, 詩自三百之始, 有韻成章, 流及漢唐之際, 韻語大成."

석전은 이 글에서 크게 두 가지 면을 들어 시를 정의하고 있다.

첫째, 시는 기氣의 산물이라고 하였다. 시가 문예의 소품이라는 인식은 유가의 전통적인 시문관이다. 이것은 도가 근본이고 문장은 끝이라는 도본문말道本文末적 인식에 기초한 것이다. 그러나 석전은 시는 만유의 근원이라 할 수 있는 맑고 고운 기운이 흘러나와서 이루어지는 것이라고 했다. 그러므로 시인이란 그러한 기운을 느끼고 하나가 되어 그 기운을 언어로 조형해 내는 존재가 된다. 이처럼 시인이란 우주 간 기의 유로流露에 관여하는 존재이므로 천고의 역사를 비추어 볼 수 있는 눈을 가질 수 있다는 것이다. 그러므로 시인은 겨우 백 년 인생에서 얻을 수 있는 공명을 초개처럼 가벼이 볼 수 있을 것이다. 여기서 우리는 석전이 시와 시인의 존재 가치를 극대화하고 있음을 볼 수 있다. 이처럼 석전이 시와 시인을 기의 차원에서 논의하고 있는 이유는 무엇일까? 그것은 아마도 시가 무엇의 부속이 아닌 그것 자체로서의 규율과 체계가 있음을 인정하고 따라서 시인이 그저 풍류만을 일삼는 존재가 아닌 이러한 시적 체계를 구성하는 존재임을 인정하려는 의미인 것 같다.

둘째, 시는 운율의 형식을 가진다고 하였다. 특히 시는 운율과 절주節奏가 있어야만 자연의 조화인 천뢰天籟에 부합될 수 있다고 했다. 시에 운율이 필수인 것은 동서고금의 시사詩史에서 증명하고 있다. 따라서 이러한 견해는 별반 특이할 것이 없다. 그러나 여기서 주목할 것은 천뢰의 개념을 이끌어 시적 완성을 결부 짓고 있는 주장이다. 그러면 석전은 천뢰란 어떤 것이며 또 천뢰적인 시는 어떻게 이루어진다고 보는가?

석전 영호대종사 | 한국불교의 초석을 세우다

천뢰란 신운(神韻)을 나타내는 것으로 천행(天行)으로 순일(純一)
하여 마치 천화(天花)처럼 잡을 수 없고, 물속에 비친 달 또는 거울 속
의 형상과 같은 것이 이것이다. 인뢰란 정공(精工)을 보이는 것으로 인
력(人力)으로 이르는 것인데 마치 태산에 오르는 것처럼 걷고 걸어서
정상에 올라 '뭇 산이 적음을 한 번 본다'라 한 것과 같은 것이 이것이
다. 소철(蘇轍)이 어떤 사람에게 보낸 편지에, "문장이란 배워서 능할
수 없으나, 기운이란 길러서 이룰 수 있다. 맹자는, '나는 내 호연지기
(浩然之氣)를 잘 기른다'고 하였다. 지금 그 문장을 보건대 관후(寬厚)
하고 굉박(宏博)함이 천지 사이에 가득 차 있고 그 기운의 크고 작음과
어울린다. 사마천이 천하를 유람할 때 사해의 명산과 대천을 두루 관람
하고 연조(燕·趙) 사이의 호준(豪俊)들과 교유하였기에 그 문장이 송
탕(竦蕩)하고 꽤 기이한 기운이 있다. 이 두 사람이 어찌 붓을 잡고서
이 같은 문장을 짓게 되었던가? 그 기운이 그들의 가슴속에 가득 차있
어 그 얼굴에 넘치고 그 말을 움직여 문장에 드러내면서도 스스로 그러
한지를 모른 것이다."라고 하였다. 이로써 천뢰의 신운을 증험할 수 있
는 것이다.*8

윗글은 먼저 천뢰와 인뢰를 대對 개념으로 제시하여 그 경계를 설
명하고 있지만 천뢰에 대한 논의가 중심임을 볼 수 있다. 천뢰는 신
운을 나타내는 것으로 물속의 달 또는 거울 속의 상과 같아 잡을 수
없는 것이라고 하였다. 이어 소철의 편지글을 인용하고 있는데, 소철
은 맹자와 사마천이 기를 잘 기른 결과 관후寬厚하고 굉박宏博하며 송
탕竦蕩하고 기기奇氣한 문장을 지을 수 있었다고 하였다. 이에 대해 석

*8 「天籟叶人籟詩道方圓」, 『석전문초』. "天籟者, 示其神韻, 純以天行, 如天花不著, 如水中月, 鏡中像者, 是也. 人
籟者, 示其精工, 致以人力, 如登泰山, 步步躋頂, '一覽衆山小'者, 是也. 蘇穎濱與人書云, "文不可以學而能, 氣
可以養而致. 孟子曰, '我善養吾浩然之氣.' 今觀其文章, 寬厚宏博, 充乎天地之間, 稱其氣之小大. 太史公行天下
, 周覽四海名山大川, 與燕趙間豪俊交遊, 故其文竦蕩, 頗有奇氣. 此二子者, 豈嘗執筆爲如此之文哉! 其氣充乎其
中, 而溢乎其貌, 動乎其言, 而見乎其文, 而不自知也." 是可以證天籟之神韻也.(……)"

전은 바로 이런 점에서 그들의 글 속에 천뢰의 신운이 깃들어 있음을 증험할 수 있다고 하였다. 즉 작자가 문장력을 타고난다 하지만 작자의 자기 성찰적 수행과 자연과 인간사회에 대한 드넓은 체험을 통해서 길러진 기운이 넘쳐 자연스럽게 시문으로 드러날 때 천뢰의 신운이 얻어진다는 것이다. 여기서 주목되는 것은 작가가 천뢰의 신운을 드러낼 수 있는 기를 기르기 위해서는 산과 강으로 대표되는 자연 풍광을 두루 돌아보는 체험과 지역사회를 대표하는 호준豪俊한 인물들과의 드넓은 교유가 매우 중요한 것임을 강조하고 있는 양기론養氣論적 관점이다. 그것은 시인이 정공精工, 곧 정련과 기교만으로는 좋은 시를 지을 수 없기 때문이다.[*9] 석전은 앞서 '시는 우주 간에 있는 맑고 고운 기운의 산물'이라고 하였다. '우주 간 맑은 기운'이란 다른 것이 아닌, 시인이 자연과 인간사회에 대한 폭넓은 체험을 통해서 기른 기운인 것이다. 결국 시인이 이러한 기운을 자연스런 운율과 절주로 유로시킬 때 천뢰의 신운을 얻을 수 있게 된다는 것이다.

그렇다면, 시와 선은 어떠한 관계를 가지는가? 미리 결론을 말하면, 석전은 시와 선은 같다고 보았다. 하지만 그것은 상승上乘의 경지에 이르렀을 때만 가능한 것이라고 하였다. 여기서 전근대 한자문화권에서 있었던 시와 선에 대한 의론을 살펴볼 필요가 있다.

시와 선에 관련한 논의로 후대에 가장 많은 영향을 끼친 담론은

....
*9   석전이 시인의 정공을 배격한 것은 아니다. 편협하게 정공에만 힘쓰고 신운을 드러내기 위한 양기(養氣)를 무시한다면 시가 경속(輕俗)하고 섬교한 데로 흘러서 상승의 경지로 초월하지 못한다고 하였다. 물론 신운에만 집착하여 완성하지 못한다면 공소(空疎)한 구덩이로 떨어질 수도 있다고 하였다. 그러므로 천뢰에 인뢰를 맞춘 뒤에야 시도가 방원(方圓)해진다고 하였다.「天籟叶人籟詩道方圓」, pp.32-33 참조.

남송의 엄우가 『창랑시화滄浪詩話』에서 제기한 이선유시론이다.[*10] 그 것은 선을 시에 비유하여 선이 추구하는 것이 묘오妙悟라면 시의 법 도 또한 묘오에 있다고 하여 궁극적으로 선과 시는 같다고 한 논설이 다.[*11] 그리고 당시唐詩를 표준으로 삼아 선불교의 경지를 맞대어 시 의 등급을 나눈 것이다.[*12] 곧 당시를 성당시盛唐詩, 중당시中唐詩, 만당 시晩唐詩로 나누고 성당시는 최고의 경지인 최상승선最上乘禪과 같고 중 당과 만당의 시는 소승선小乘禪과 같으며 송대의 시는 논할 것도 없다 는 견해이다.[*13]

그러나 석전은 엄우가 고금을 초월하는 시가의 본령을 충분히 인 식하지 못하고 선도禪道를 모르기 때문이라고 하여[*14] 엄우의 견해를 강하게 비판하고 있다. 하지만 시적 완성도를 대ㆍ소승에 비유하여 설명한 견해는 받아들인다.

이제 시와 선의 관계에 대한 석전의 직접적인 견해를 살펴보자.

지극한 도는 말로 형용할 수 없어 전표(詮表)에 묶이지 않으나, 먹

····················

[*10] 채진초는 엄우가 『창랑시화』에서 제기한 시선 관계시론은 선종의 새로운 사유방식을 시론에 운용한 것으로 이 것은 중국 시학에서 새로운 문정(門庭)을 개척한 것이며 청대의 신운시론파(神韻詩論派)와 격조시론파(格調詩 論派)는 엄우의 시론을 추종한 것이라고 했다. 蔡鎭楚, 『中國詩話史』(湖南文藝出版社, 1988), pp.113~117 참 조.

[*11] 이선유시론은 선리(禪理)를 빌어 시리(詩理)를 설명하는 것을 말하는 것으로 엄우 시론의 주된 내용이다. 그 는 『창랑시화』 「시변(詩辨)」에서 "大抵禪道惟在妙悟, 詩道亦在妙悟."라 하여 선도나 시도가 묘오를 추구하는 점 에서 같다고 하였다. 한편 그는 "禪家者流, 乘有大小, 宗有南北, 道有邪正, 學者須從最上乘, 其正法眼, 悟第一 義"라고 하였다.

[*12] 엄우는 "盛唐諸公大乘正法眼者"(「詩辨」, 『滄浪詩話』), "借禪以爲唯推原漢魏以來, 而載然謂當以盛唐爲法."(「詩 辨」, 『滄浪詩話』)이라 하여 특히 성당시대 시인들의 시만이 시 중에 최고이며 표준이라고 하였다.

[*13] 嚴羽, 「詩辨」, 『滄浪詩話』 "(……) 論詩如論禪, 漢魏晉與盛唐之詩, 則第一義也. 大曆以還之詩, 則小乘禪也, 已 落第二義矣. 晚唐之詩, 則聲聞辟支果也."(嚴羽 著, 陳定玉 輯校, 『嚴羽集』, 中州古籍出版社, 1997).

[*14] 「及到上乘詩聊一揆」, 「石林隨筆」, 『石顚文鈔』 "南末嚴羽滄浪詩話有論詩如禪, 而只以三唐爲準, 謂盛唐詩如大乘 禪, 中晚已下, 如小乘禪, 及末也無論高, 言惑成理, 而乃開高棅瞿宗詩品彙之先河者也. 然未達詩歌超古今之本 領, 惟唐無宋之見, 實攸擔板誣漢者非輿, 其且唐詩如禪之話 (……) 滄浪不知禪道故已."

물에 실려 말로 드러내게 되면 출세자(出世者)는 그것을 '선게(禪偈)'라 하고 세상 사람들은 '시가(詩歌)'라 한다. 그러나 선과 시가 상승(上乘)에 이르게 되면 하나의 궤철(軌轍)과 다름이 없게 된다.[*15]

석전은 시나 선게 모두 지도至道를 추구하는 것이라는 전제 아래 이야기를 시작한다. 그런데 우주만유의 존재적 근거라 할 수 있는 지도는 말로는 무엇이라 명명할 수 없는 것이라고 한다. 그러나 그것을 굳이 문자로 표현한 경우 불승들은 '선게'라 하고, 세속인들은 '시가'라 부른다. 이렇게 달리 부르는 것은 그들이 각자 처해 있는 자리가 다르기 때문일 것이다. 그러나 선과 시가 상승의 경지에 이르면 그것은 '선게'이건 '시가'이건 다른 궤적이 없는 한 길이라는 말이다. 이러한 언급은 석전이 오랜 세월 동안 선정을 닦고 시를 지었던 체험에서 나온 판단일 것이다. 이러한 석전의 체험과 판단을 믿는다면 시와 선은 상승에 이르면 같은 것인데 사람들이 자신들의 처지에 따라 서로 다른 이름으로 부르는 것이 된다. 따라서 출가자와 세속인이 상승의 경지에 이르렀을 때 쏟아낸 선게와 시가도 다른 것이 아님을 알 수 있다. 석전은 다시 다음과 같은 경우를 들어서 시와 선이 하나임을 주장한다.

> 유종원이 "어옹은 밤들어 서쪽 바위 곁에서 잠을 자다가, 새벽에 소상강의 맑은 물 길어 초죽(楚竹)으로 밥을 짓네. 해가 솟고 안개 사라지자 사람은 보이지 않는데, 뱃노래 한소리에 산수가 푸르네."라고 한 것 등의 시는 천뢰(天籟)의 시를 이루었으니 선(禪)을 꾀하지 않았으나 진

....
*15 「頭輪山草衣禪師塔銘記隆」, 『石林草』, 「石顚文鈔」. "至道無言, 不繫詮表, 旣載副墨, 以道之, 出世者曰'禪偈', 在世者曰'詩歌.' 然禪與詩, 及到上乘, 若無異轍焉已."

석전 영호대종사 | 한국불교의 초석을 세우다

실로 임제 문정(臨濟門庭)의 사조용(四照用)법에 합치된 것이다.

어느 날 저녁 마조(馬祖)가 제자들과 함께 달 밝은 뜰에 모여 있다가 제자들을 돌아보며, "달빛이 매우 밝으니 각기 제 뜻을 말해 보라."라 하니, 서당 지장(西堂 知藏)이 대답하기를, "공양하기 좋겠습니다."라 하고, 백장 회해(百丈 懷海)는, "수행하기 좋겠습니다."라 하고, 남천 보원(南泉 普願)은 소매를 떨치고 나가버렸다. 마조가 이에, "경전은 지장에게 선은 회해에게 돌아갈 것이며 보원은 물외에 초탈하였구나."라고 하였다. 이러한 마조의 기상은 푸른 물결에 동요하지 아니하고 남과 다른 뜻이 절로 수승하니 유연히 사공도(司空圖)의 시품(詩品)에 "한 글자를 놓지 않았는데도, 풍류를 다했구나!"라고 한 것과 계합한 사람이 아니겠는가? 나는 이런 이유로 '상승(上乘)에 이르면 시와 선은 하나이다'라고 한 것이다.*16

석전은 두 가지 경우를 들어서 시와 선이 같은 것임을 말하고 있다. 먼저 유가 시인인 유종원柳宗元의 시를 일컬어 천뢰의 시라 하여, 그것이 당나라 말기의 고승인 임제 선사의 문정에서 참선할 때 쓰던 4가지 방법*17으로 획득한 경지에 부합하는 시라고 하였다. 유종원의 이 시는 「어옹漁翁」이란 작품인데 맑고 푸른 산수 간에서 무애자재无涯自在하는 시적 주인공의 초세적超世的인 생활양태가 말끔하면서도

••••••••••••••••••••
*16 「及到上乘詩禪一揆」, "柳柳州之 '漁翁夜傍西巖宿, 曉汲淸湘燃楚竹, 燃消日出無人見, 欸乃一聲山水綠'等, 天籟詩成, 不謀諸禪, 而允合臨濟門庭之四照用等法也, 一夕馬祖弟子等, 會于明月堂前, 顧謂曰, '月正明, 盍言其志', 西堂藏云, '正好供養', 百丈海云 '正好修行', 南泉願, 拂袖以去, 馬祖, 曰, '經入藏, 禪歸海, 惟普願獨超物外, 這馬祖氣象, 不動靑波意自殊, 悠然合詩品之, 不著一字, 盡得風流者, 非耶', 余故曰, '及到上乘詩禪一揆'."
*17 임제의 사조용(四照用)은 다음과 같은 의미이다. "照, 指對客體之認識; 用, 指對主體之認識。係根據參禪者對主客體之不同認識, 所採取不同之敎授方法, 旨在破除視主體‧客體爲實有之世俗觀點。(一)先照後用, 針對法執重者, 先破除以客體爲實有之觀點。(二)先用後照, 針對我執重者, 先破除以主體爲實有之觀點。(三)照用同時, 針對我‧法二執均重者, 同時破除之。(四)照用不同時, 對於我‧法二執均已破除者, 卽可應機妄物, 或照或用, 不拘一格。"(佛光大藏經編纂委員會 編, 「佛光大辭典」, 臺灣 佛光山寺出版社, 1988, '四照用' 항목 참조)

그윽하게 묘사되어 있다.[*18] 작품 속의 어옹과 작자가 구별되지 않는다. 이는 작자가 시적 대상과 하나가 된 경지에서 지은 시이기 때문이다. 이러한 이유로 석전은 이 시를 상승의 경지에 이른 것으로 보고 천뢰의 시라고 한 것이다.

다음은 마조가 그 제자들과 선문답을 하고 있는 모습을 들어 보인 것인데, 석전은 이때 마조의 기상氣象이 사공도司空圖의 『이십사시품二十四詩品』의 시구인 '不着一字盡得風流한 글자를 쓰지 않았는데도 풍류를 다하였네' 구절에 계합한다고 하였다. 여기서 '부착일자진득풍류'는 24시품 중의 하나인 '함축含蓄'을 설명한 구절로 '함축'의 강령이다. 주지하듯이 작시에서 비유나 상징, 암시 등의 수법을 써서 함축을 추구하는 것은 여운餘韻, 곧 운외지치韻外之致, 언외지의言外之意 등을 의도하기 때문이다. 그런데, 깨달음을 얻은 선승이 하는 말은 언표대로 겉으로 드러난 무엇을 직접 가리키는 말이 아니다. 말 밖의 뜻이나 그 이면의 뜻을 보지 않으면 알아볼 수 없다. 이러한 점에서 위의 마조와 그 제자들 간의 대화와 행위는 '언외지의'를 함축한 경지를 보여 주고 있다. 구체적으로 무엇을 지시하는 말은 한 마디도 하지 않았지만 그들 저마다 하고 싶은 말은 유감없이 다한 것이다. 특히 마조는 그 제자들의 대답과 행위에 대한 반응에서 주객을 초월하는 선적 경지를 보여 주고 있다. 석전은 아마도 마조의 이러한 기상을 두고 '부착일자진득풍류'에 계합된다고 한 것 같다.

일반적으로 시인은 언어 너머에 있는 언어를 찾아서 시를 쓰려고

* 18 왕문록(王文祿)은 「詩的」이란 글에서 이 시는 기운이 맑아 표일한 느낌을 준다고 하였다. 王國安 箋釋, 「氣淸而飄逸」, 『柳宗元 詩 箋釋』(上海古籍出版社, 1993), pp.251-254에서 재인용.

한다. 일반 언어에 갇힌 세계는 시적 진실의 세계가 아니라고 보기 때문이다. 그것은 마치 선승이 선을 통해 말을 여의고 생각이 끊어진 이언절려離言絕慮의 경지에 있다고 하는 진리를 찾는 것과 같다고 할 수 있다. 아마도 시와 선의 실상이 이와 같기 때문에 석전은 상승에 이른 시와 선은 같다고 본 것 같다. 때문에 석전은 유종원이 좋은 시를 지으려다 상승의 경지에 이른 시를 지은 것이나 마조 선사가 상승의 경지에 이르러 제자들과의 선문답을 통해 보인 경지가 서로 다르지 않다고 본 듯하다.

한편, 유종원이 시적 대상과 일체되어 맑은 운율을 쏟아 내는 것이나 마조가 상승의 경지로 쏟아 낸 언어 양태는 결국 석전이 주장하는 천뢰적 언어 개념과 별개가 아닌 것으로 판단된다. '부착일자진득풍류'란 말은 말로는 다 말할 수 없는, 언어가 끊어진 자리이다. 한편 천뢰란 신운을 보이는 것으로서 물속의 달이나 거울 속의 형상처럼 잡을 수 없는 것이라 하였다. 그렇다면 이 또한 언어로서는 설명할 수 없는 영역이다. 그러므로 위에서 마조가 보인 언어 양태와 유종원이 맑고 푸른 산수 사이를 노니는 어옹과 일체되어 쏟아낸 시는 모두 천뢰의 기운을 체화한 경지에서 그려낸 것이라 생각된다. 따라서 석전의 시관은 천뢰적 시선일규론으로 부를 수 있다.

2. 시적 개성론

한편, 석전의 시선일규론의 관점에서 볼 때, 궁극의 경지에서 시와 선이 모두 같게 된다면 선사나 시인이 쏟아 낸 선게나 시는 모두 동어반복적일 가능성이 있다. 그러나 경지로서 최상승을 상정할 수 있지만 그 경지를 드러낸 선사의 선게나 시인의 시는 각자 다른 미의식과 풍격을 드러낸다고 보는 것이 석전의 관점이다. 그것은 선사와 시인이 저마다 타고난 근기根機와 천품天稟이 다르기 때문이라는 것이다.

> 그러나 예부터 시인의 품성은 달라서 어떤 이는 신운(神韻)으로 표일(飄逸)함을 드러내고, 어떤 이는 정공(精工)으로 심묘(深妙)함을 드러냈는데 그 바라밀에 이르러서는 오히려 물가의 난초나 울타리가의 국화가 저마다 절로 향기를 내는 것과 같다. 당·송(唐宋)과 같은 경우로 미루어 보면 이백(李白)과 소식(蘇軾)은 천행(天行)이 승하였고 두보(杜甫)와 황정견(黃庭堅)은 인력이 뛰어났는데 그들의 공력이 이루어져 원대로 된 것이면 어느 것인들 비로자나가 아니겠는가?*19

윗글의 뜻을 굳이 풀면 이렇다. 예로부터 어떤 시인들은 신운의 표일한 미감을 드러내고, 어떤 시인들은 정공으로 심묘한 미감의 시를 지었다고 하였다. 예를 들어 이백과 소식은 타고난 창조 능력에 따른 신운으로 시를 지었고, 두보나 황정견은 인력에 의한 정련된 기교로 시를 지었는데 이들 두 부류의 시인들이 지은 시 중에 바라밀, 곧 최고의 경지에 이른 것은 저마다 아름다운 모습과 향기를 뿜어내고 있다는 것이다. 다시 말해 작품에 따라 질적 수준은 차이가 날 수 있으나, 누구의 작품이든 바라밀의 경지에 이른 작품 가운데 풍격상의 우열은 있을 수 없다는 것이다.

그런데 여기서 주의할 것은, 석전이 보기에 바라밀의 경지에 이

----

*19 「及到上乘詩禪一揆」. "然從古詩人之裏性殊別, 或顯神韻以飄逸, 或顯精工以深紗, 及其婆羅蜜猶如汀蘭籬菊, 各自馨香, 以若唐宋, 而抽觀, 李靑蓮, 蘇東坡, 以天行勝, 杜少陵, 黃山谷, 以人力勝, 其若功成願滿, 孰非毘盧遮邪."

석전 영호대종사 | 한국불교의 초석을 세우다

른 시인들은 시대와 무관하게 출현하여 나름의 시적 풍격을 드러낸다고 하는 점이다. 이른바 '시는 당시唐詩'라는 말이 있지만 당시만을 최고로 칠 수 없으며 나아가 성당시대의 시인들만이 상승의 경지에 이른 시를 짓는다는 법은 있을 수 없다는 것이다. 다시 말해 최고의 경지에 이른 작품의 풍격의 우열을 나눌 수 없는 것처럼 시작품과 시인의 우열을 시대에 기준을 두어 나눌 수 없다는 것이다. 이 점은 성당시를 표준으로 삼아 시대별로 시인의 우열을 나눈 엄우의 견해를 정면에서 반박한 것이다. 그것은 송대의 시인인 소동파나 황정견을 통해서도 최상승에 이른 시작을 볼 수 있기 때문이라 하였다. 다만 그들은 천품과 시작 성향이 다르기 때문에 그들의 시가 주는 미감이 다를 따름이라는 것이다.

이처럼 석전이 한 시인의 시적 개성을 강조한 것은 자신만의 감성과 진정을 담은 시만이 진정한 시라고 보았기 때문이다.

홍양길(洪亮吉)의 『북강시화』에, "(……) 근래의 시인들이 백거이와 소식의 시풍을 좋아하여 거의 열에 아홉은 이를 배우고 있다. 그러나 나는 그들의 시에서 저속하고 매끄러운 맛만을 보았을 따름이다. 이는 백거이와 소식 두 사람의 잘못이 아니라 잘못 배우는 사람들의 잘못인 것이다. (……) 만일 시를 짓고자 할 때 왕유와 맹호연, 소식의 시를 배우지 않는다면 반드시 또 다른 수완과 안목을 갖추어 스스로 성정(性情)의 뜻을 따라서 짓게 될 것이다. 이런 점을 나는 빨리 보고자 한다."라고 하였는데, 이것은 모두 하나의 수완과 안목을 갖추고서 자신의 성정(性情)을 따라서 토로한 것은 보기 드물고 의관을 빌려 쓰고서 스스로 과대하다고 하는 사람을 실컷 볼 수 있다는 말이다. 이는 마치 선종의 암두 선사가 설봉에게 보이기를 "남의 문을 따라 들어간 사람은 자신의 보배

가 아닐지니."라고 한 것과 같은 것이다.[*20]

위 인용문에서 석전은 청淸 홍양길의 시화를 들고 그의 시적 개성을 주장하는 견해에 찬동하고 있다. 많은 사람들이 백거이와 소식, 또는 왕유와 맹호연 등 유명 시인들의 시작을 모방한다. 그런데도 그들과 같은 뛰어난 작품을 쓰지 못하는 것은 시적 대상에 대한 자신들만의 생각과 감정을 이끌어내 쓰지 못하기 때문이라는 것이다. 그것은 마치 선종에서 말하는 것처럼 깨달음의 차원은 개인의 것이지 남의 것을 빌 수 없기 때문인 것과 같다는 것이다. 여기서 석전이 강조하는 것은 모방을 해서는 결코 좋은 시를 생산할 수 없는 것이며, 때문에 시에 대한 작자 스스로의 깨달음이 무엇보다 중요한 것임을 강조한 점이다.[*21]

요컨대, 석전은 사람은 누구나 깨달음의 경지에 도달할 수 있는 점에서는 같다고 전재하고 있는 것으로 보인다. 그러나 그 깨달음은 저마다 다를 수밖에 없다. 깨달음의 차원은 모방해서 이를 수 있는 경지가 아닌 개인의 영역이기 때문이다. 시 또한 누구나 상승의 작품을 지을 수 있다. 그러나 훌륭한 시인의 시를 모방한 것이 상승의 시가 되는 것은 아니다. 시란 시인이 일반 언어 너머에 있는 저마다의 느낌과 생각을 이끌어서 이루어낸 것이 본령이기 때문이다. 그러므

. . . .

[*20] 「天籟叶人籟詩道方圓」, "北江詩話云, "(……) 近時詩人, 喜學白香山, 蘇玉局幾於十人而九, 然吾見其俗耳, 吾見其滑耳, 非二公之失, 不善學者之失也 (……) 若言詩, 能不犯此二者, 必具手眼, 自寫性情意, 是又余所急欲觀者也." 此皆罕見其手眼而流露性情, 厭看假衣冠而自大者, 如禪宗巖頭示雪峰云, '從佗門入者, 不是自家珍者歟.'"

[*21] 석전은 「阮堂詩評敢下頂鍼」이란 글에서도 "堂堂風神, 莊嚴自淨土, 而稱毘盧尊也, 竊勿效復初齋牙後慧而又放掩卑之氣息矣."라 하여, 모방을 경계하고 자신만의 깨달음을 강조하고 있다.

석전 영호대종사 | 한국불교의 초석을 세우다

로 남의 작품 속의 시상이나 양식을 모방해서 지은 시는 진정한 시라고 할 수 없다는 것이다. 따라서 석전의 시적 개성론 또한 시선일규론에 근거하고 있음을 알 수 있다.

Ⅳ. 전통시대 불교문학에 대한 담론과 그 현대적 의의

19세기 말 20세기 초의 우리 사회는 근대에서 현대로 넘어오는 전환기적 성격을 갖는다. 그것은 정치 · 경제 · 사회 · 문화 일반에 일대 변혁이 일어나 세계를 보는 관점이나 문화 현상이 서구적인 문명관과 문화관으로 대체되어 가고 있었기 때문이다. 여기에는 종교계도 예외가 될 수 없었다. 다시 말해 한반도는 성리학적 지배체제의 붕괴, 기독교를 앞세운 서구제국주의 세력의 진입, 서구화한 일본의 근대적 종교조직으로 바뀐 일본불교를 앞세운 일제의 침략 등으로 새로운 종교적 환경이 조성되었다. 이러한 환경은 우리 불교계에도 변화를 불러 일으켜 '개화'라는 이름의 사회 일반의 대응과 더불어 '유신'이란 이름으로 대응한다. 이와 같은 불교계의 변화와 대응에서 주목되는 것은 변화된 언어관과 새로운 글쓰기 양식이다. 특히 전통적인 방식의 불교 교육을 받은 백용성白龍城, 1864~1940, 한용운韓龍雲, 1879~1944 등의 고승들조차 구태에 절은 불교 양식을 새로운 모습으로 변화시켜 대응하려는 노력을 보이고 있다. 그들은 그 일환으로 불교잡지를 발행하여 국한문체로 글을 쓰고 한문 경전을 근대적 형태로 변형시키거나 한글로 번역하기도 하였다. 석전 또한 1910년대 이후 불교의 유신에 신명을 걸었던 근대 한국불교의 고승이었다.[*22]

그런데 석전은 불교를 어떻게 생각하였기에 유신을 도모하고 그것에 신명을 걸었던 것인가? 과연 옛 종교사상인 불교가 20세기 신문명의 세계에도 빛을 보여 줄 수 있다고 생각한 것인가? 그렇다면 왜 그런가? 이러한 질문에 대해 석전은 지나칠 만큼 당당하게 말한다. 그는 「설창한화雪窓閑話」[*23]란 짧은 수상에서도 역사적으로 불교가 인류문화와 인도·중국·한국의 문학에 끼친 공헌이 실로 막대하였기에 불교에 대해 깊이 깨달아 자신감을 잃지 않는 것이 중요하다고 했다. 「설창한화」는 불교가 과연 현 시대의 조선 문화에 큰 공헌을 할 수 있는가, 당시 조선의 불교도는 어떤 방면에 그 역량을 집중해야 하는가에 대한 질문에 짤막하게 답한 글이다. 그는 이에 대해 불교도가 진정한 역량을 집중한다면 당대의 세계 문화를 우리 손으로 지배할 수 있다고 했으며, 문학 방면으로 한정하여 말하더라도 인도·중국은 물론 우리의 불교문화와 불교문학이 찬란한 역사를 가지고 있는 만큼 불교가 조선민족에게 끼칠 문화적 공헌의 크기는 말할 필요조차 없다고 보았다. 다만 그것은 불교의 진리에 대한 밝은 깨달음과 세계 사조思潮에 대한 깊은 성찰을 바탕으로 고해苦海의 부생浮生을 계도하겠다는 원력을 확립할 때 가능하다고 했다. 그러므로 물 위에 떠 있는 한 거품에 불과한 서구문화를 맹종하여 입각점을 잃어야 하겠

....

[*22] 당시의 한국불교사가인 이능화는 "석전은 불교의 改良을 자신의 임무로 삼고 있으며 세속의 전적을 섭렵하는 데 餘力을 남기지 않는다"라고 하였다. 李能和, 「朝鮮佛敎通史」 下(경희출판사, 1968. 1918년판 영인본), p.954 '朴漢永'조 참조.
[*23] 「一光」 3호(중앙불교전문학교, 1930).

냐고 당대의 피상적 서구문화 추수주의와 그 현상을 강력하게 비판한다.

이와 같은 석전의 언급에서 확인할 수 있는 것은 불교철학에 대한 확고한 믿음이다. 불교야말로 인류 문화에 가장 크게 공헌할 수 있는 사상이며 당면한 문제는 물론 다가올 신시대의 좌표를 세우는데도 더 없이 훌륭한 철학이라고 하였다. 석전의 이러한 신념은 불승으로서 당연한 발언이라 할 수 있다. 그러나 그의 신념은 맹목이 아닌 불교적 수행을 통한 깨달음과 광범위한 동서사상과 문화에 관련된 독서, 그리고 그것을 바탕으로 이루어진 고구와 성찰의 결과였다.

석전은 이처럼 불교가 당대의 조선 문화에 공헌할 수 있음은 물론 세계문화에 크게 기여할 수 있다는 신념을 가지고 있었고, 따라서 그의 문학관 또한 이러한 불교에 대한 확고한 믿음을 바탕으로 펼친다. 그래서 석전은 불교문학이 다른 문학을 방해하지 않을 뿐 아니라 불교문학의 성질이 심려고엄深麗高嚴하므로 그 오도문학悟道文學을 반드시 실현하기 위한 의지로 불교문학론을 서술한다고 하였다.[*24]

석전의 불교문학론이라 여겨지는 글[*25]에는 ①「陁古兀의 詩觀」『惟心』제3호, 1918, ②「佛敎와 文學」『一光』제6호, 1934, ③「佛敎文學으로 靑年諸君」『一光』제7호, 1935, ④「朝鮮佛敎와 文學」『佛敎時報』제8호, 1936년 3월호 등이 있다. ①은 한용운이 창간한 『유심惟心』에 게재한 것으로 문학론이

....

[*24] 「佛敎文學으로 靑年諸君」, 『一光』제7호(중앙불교전문학교, 1935).

[*25] 석전의 문학에 대한 언급은 1930년대 초 그가 교수와 교장으로 있었던 중앙불교전문학교(동국대학교 전신)의 학생들과 그가 강사로 있었던 서울 성북 대원암 강원의 원생들이 그에게 한국문화의 한 축인 불교문화와 불교문학의 현대적 의의에 대해 물은 데 대한 답변 형식의 글이 학교 교지나 신문에 게재된 것이다. 1926년도 창건된 대원암 강원에는 정인보, 홍명희, 변영만, 최남선, 이광수 등이 찾아와 한국학·동양학·불교 등에 대해 자문을 구했고, 승속(僧俗)을 막론하고 전공을 달리한 많은 젊은이들이 석전에게 몰려들어 불교와 한국 전통문화 그리고 불교문학을 수강했다고 한다.

라기보다는 문명론적 성격의 글이다. ②는 불교가 인도로부터 중국에 전해져 이룩된 불교문학에 대한 시대적 개관이다. 역경譯經문학과 경전의 문학성, 법사나 조사들의 문학, 당대唐代의 불교시문학, 성리학에 영향을 끼친 불교문학 등을 개관하고, 원·명시대에 발달한 불교계 소설문학인『수호전』,『서상기』,『서유기』의 불교문학적 성격과 그 가치에 대해서 언급하고 있다. ③은 당시 청년들에게 주는 불교문학에 대한 이론적 언급이다. ④는 제목대로 우리나라의 불교문학을 시대별, 인물별, 양식별로 개관한 것이다. ②, ③, ④ 모두 불교문학의 현대적 의미를 중심으로 논의한 글이다. 본고에서는 ③을 중심으로 석전이 본 불교문학의 이론적 측면을 살펴보기로 한다.

석전은 ③에서 먼저 문학이란 무엇인가에 대해 짧게 말하고, 문학의 표현 수단인 언어문자에 대한 견해를 펼친다. 그리고 문학의 갈래를 나누고 참된 문학이 무엇인지에 대해 언급하고 있다. 이어 동아시아문학사에서 유명 작가나 명작이 불교와 밀접하게 관련되어 있음을 밝히고 있다.

석전은 문학이란 어떤 것에 대해 '바탕을 세운 것'[立質]이라 했다. 그것은 포함하지 않는 것이 없고 대응하여 비추지 않는 것이 없으며 처함에 마땅하지 않는 것이 없다고 하였다. 그리고 세계가 저마다 다르고 사용하는 언어와 풍속이 다르더라도 문학이 사람들의 문명을 피우는 데 있어서는 서로 다르지 않을 것이라고 하였다.[26] 여기서

----

*26 「佛敎文學으로 靑年諸君」 "大抵文學이란 立質이 無不包含하며 無不應照하며 無處不當으로된 그것이다. 世界가 各異하며 言語와 禮俗이 殊異할지언정 文學그것이 人道의 文明을 發越식힘에 對하야 同然無別하리라 생각한다."

석전 영호대종사 | 한국불교의 초석을 세우다

석전은 문학이 어떤 유기체적 구조물임을 말한 것 같다. 이처럼 석전의 문학에 대한 정의는 바탕을 중심에 놓으면서도 그 기능과 역할을 언급한 것으로 보아 효용론적이라 할 수 있다. 이런 점은 그가 뒤에서 문학의 갈래를 우리寓理, 서사敍事, 논정論情 셋으로 나누고, '우리'를 중시한 것과도 맥이 통한다고 하겠다. 한편 석전은 문학이 그것을 담는 언어나 지역을 초월해서 인간 사회의 문명을 조장할 수 있다고 하여 문학의 보편성을 인정하고 인문적 기능을 매우 긍정하고 있다.

석전은 문학의 표현 수단인 언어와 표기매체에 대해서는 저마다 특수성이 있다고 했다. 그러므로 서로 다른 문자와 언어로 드러낸 문학이 위에서 말한 문학의 속성과 역할을 벗어나지 않는다고 하였다. 그러므로 자타의 문자를 막론하고 능통해서 잘 사용하는 것이 중요하다고 했다. 다만 주객을 변별하여 사용해야 한다고 했다. 석전의 이러한 언어관은 그로 하여금 어려서 배운 한문을 쉽게 청산하지 않고 한시집과 한문집을 내면서도 국한문체 글쓰기를 병용하게 한 것 같다. 그렇기에 그는 표기매체로서 훈민정음을 인정하고 지금 시대에는 훈민정음을 써야 한다고 했다. 설총이 이두 체계를 창설한 것이나 언해문학의 가치를 인정한 것도 같은 맥락이라고 생각된다.

한편 석전은 문학의 갈래와 그 성격을 아래와 같이 설명하고 있다.

대저 문학은 우리(寓理)와 서사(敍事)와 논정(論情)하는 기구(器具)이다. '서사'와 '논정'은 차치하고 '우리'의 일변(一邊)만을 말하고자 한다. 문학을 섬리(剡利)하고 기굴(奇崛)하게 할 것만을 주장하고 도리(道理)에 가깝게 하지 않는다면 진문학(眞文學)은 아니다. 비교하면 병

녀(病女)가 도분(塗粉)한 것이라 일컬을 수 있다.[*27]

여기서 '서사'와 '논정'은 오늘날 흔히 일컫는 산문문학과 운문문학에 상통하는 개념으로 보인다.[*28] 그리고 "문학을 섬리하고 기굴하게 할 것만을 주장하고 도리에 가깝게 하지 않는다면 진문학은 아니다"라고 한 것은 문학적 장치나 수사에 있어 지나치게 날카롭게 하고 신기하게 함을 추구한다면 도리에서 멀어져 그것을 참 문학이라 할 수 없다는 것이다. 석전은 바로 이어 '달리達理'를 중시한 송대의 작가 장문잠張文潛의 「논문論文」을 인용하여 문학 창작에 있어 '우리'가 중요하며 '달리'한 후라야 문학의 가치가 있다고 하였다.

이처럼 석전이 창작에 있어 '우리' 또는 '달리', '도리'를 중시한 것은 무엇 때문일까? 일차적으로 '달리'한 작품이 문학적 감동을 가져올 수 있게 한다는 관점이다. 그런데 이런 점은 불경에서도 그 원재료적 가치와 모범을 볼 수 있다는 것이다. 곧 '달리'의 종극점에 '불리佛理'가 있는데, '불리'가 들어 있는 불교 경전을 읽으면 다양한 아름다움과 감동을 느낄 수 있다는 것이다. 예를 들어 『능엄경』은 불리가 풍부하여 승묘勝妙한 맛이 넘치고, 『정명경』은 쾌절快絶한 맛이 나며, 『화엄경』은 왕양충융汪洋沖融한 맛이 나고 『선문염송』은 쇄락풍청灑落風淸한 맛이 느껴진다는 것이다. 기실 여기서 석전이 거론한 경전들은 대승경전이거나 선적禪籍의 정수로서 이치가 승한 경전들로 알려져

....

[*27] 「一光」제7호(중앙불교전문학교, 1935)에 게재한 「佛敎文學으로 靑年諸君」에서 해당 부분을 지금의 어법에 맞게 고쳐 정리한 것이다.

[*28] 이종찬, 「석전의 천뢰적 시론과 기행시」, 『한국문학연구』 12집(동국대 한국문화연구소, 1989).

있다. 그렇다면 석전은 이理가 뛰어날수록 작품의 아름다움이나 감동도 더하다는 것을 주장한 것인데, 이러한 주리적 문학관의 의의에 대해서는 더 따져 보아야 하겠으나 불교문학 전반에 대한 이러한 갈래적 통찰은 석전 당시의 문학이론가들에게서 보기 쉽지 않은 담론이 아닌가 한다.

한편, 석전에 따르면 중국의 명작이나 우리의 명작 중엔 불리佛敎의 이치가 끼어들지 않은 것이 없다고 했다. 중국의『서유기』,『수호전』,『서상기』등과 신라의 최치원의「사산비명四山碑銘」같은 명문들부터 김만중의「구운몽」,「옥루몽」,「토끼전」,「심청전」등 모두 불교의 이치가 녹아들어 명편이 될 수 있었다는 논리를 펴고 있다. 작가의 측면에서 보면 작가 중에 불교를 크게 배척했던 당대의 한유韓愈 또한 승려 태전太顚과 사귀고 불교를 다시 보게 되었다는 점을 송대의 시인 황정견黃庭堅의 말을 인용해 증거하고 있다. 그리고 역대 유명 작가 또한 불교를 수용한 이들이 훨씬 뛰어난 문학적 성취를 보인다고 했다. 또한 시대로 보면 당대에 시가 번창했는데 그것은 당의 지배층과 문인들이 불교를 적극 수용했기 때문이라고 하였다. 근대 중국의 유명 희곡작가인 매란방梅蘭芳의〈천녀산화天女散華〉극 또한『유마경』에서 남본藍本되었음을 고찰하고 있다.

이상에서 석전의 문학론은 '불교문학 지상주의'적인 성격이 강하다. 그러나 석전의 이러한 논의는 근대에 들어 서구의 문예사조에 휘둘리는 이 땅의 지식인들에게 문화적 주체성을 갖도록 한 데 그 의미가 있을 것이다. 이런 점에서 석전의 문화 · 문학 담론은 21세기를 사는 지금의 우리에게도 여전히 유효하다고 할 것이고, 따라서 더욱 세

심한 고찰을 요한다고 생각된다.

V. 맺음말

이상에서 논의한 것을 요약하여 결론하면 아래와 같다.

석전의 문학관은 크게 두 영역으로 나누어 볼 수 있다. 한문을 익혀 글을 읽고 쓴 한문세대로서 한문문학에 대한 관념과 전통적 불교문학의 현대적 의의를 밝히는 과정에서 바라본 문학관이 그것이다. 전자는 한문으로 써서 문학에 대한 견해를 밝힌 것이고, 후자는 국한문 혼용의 현대국어 글쓰기로 그 관념을 밝힌 것이다. 그런데 위 둘은 크게 보아 불교적 관점에서 바라본 것이다. 따라서 그의 문학관은 불교적 문학관이라 할 수 있을 것이다.

석전의 한문문학관은 구체적으로 한시론이 중심을 이룬다. 그것은 시와 선을 하나로 보는 '시선일규론'과 시적 개성론이다. 석전은 지극한 도는 말이 없고 주석으로 드러내는 데 한계가 있다고 했다. 하지만 언어문자로 표현하게 되면 그것을 불교인은 '선게'라 하고 세속인들은 '시가'라 부른다고 했다. 이처럼 하나인데도 다른 이름으로 부르는 것은 불교인과 세속인의 처지가 각기 다르기 때문이라는 것이다. 그리고 시는 우주 간의 맑고 고운 기운이 흘러나와 이루어지는 것인데 그 기운이 천뢰를 통해서 신운으로 드러나려면 작가가 상승의 경지에 이르러야 한다는 것이다. 이때 천뢰의 기운을 기르는 것이 중요한데 그것은 수양 또는 산수 공간과 인간사회에 대한 체험을 통해서 기를 수 있다고 하였다. 그러므로 시와 선은 궁극적으로 같다고 하였다. 따라서 시적 본질론에서 보면 석전의 시관은 '천뢰적 시선일규론'이 된다.

한편, 석전은 시인의 천품이 저마다 다르기 때문에 그들 작품의 풍격 또한 다를 수밖에 없다고 했다. 때문에 어떤 시인은 신운으로 표일의 미를 드러내고, 어떤 시인은 정공으로 심묘한 미를 드러낸다는 것이다. 그런데 시와 선은 상승에 이르게 될 때 하나가 된다고 하였다. 그러나 깨달음은 작가 개인의 차원이기 때문에 그 깨달음이 작가 자신만의 언어적 표현을 획득할 때 자신만의 향기를 지닌 천뢰의 시가 된다고 했다. 그러므로 바라밀의 경지에 이른 작품은 물가의 난초와 울타리가의 국화처럼 저마다 향기를 내뿜는다는 것이다. 따라서 이것은 '천뢰적 시선일규론'에 바탕을 둔 것으로서 작가의 작품에 드러난 풍격을 논한 '시적 개성론'이다.

석전은 한시문을 짓는 한편 불교계의 현안 문제를 다룬 시사성 논설문, 또는 불교적 문화담론이나 수상 등을 국한문체로 써서 신문이나 잡지에 발표했다. 특히 석전은 중앙불교전문학교 교수와 교장을 오랫동안 지냈고, 대원강원에서도 20여 년간 전통적인 방식으로 불교교학을 전강傳講하였는데, 승속을 막론하고 많은 청년들이 모여들었다. 이때 석전은 청년들로부터 불교가 민족문화와 근대문학에 기여할 수 있는가에 대한 질문을 받는다. 석전이 여기에 답한 글에서 불교의 전래로 이룩된 중국과 우리나라의 전통적인 불교문학작품의 문학성을 논하고, 문학의 갈래를 우리, 서사, 논정 등의 개념으로 나누어 문학론을 펼친다. 그는 이 가운데서도 '우리'의 문학을 중시하고, '달리'가 깃든 작품이 문학작품으로서 가치가 있다고 했다. 여기서 '달리'가 '불리_{불교의 이치}'일 때, 작품이 미적 승화를 이룬다고 했다. 문장의 수사와 기교가 지나치게 기이한 작품보다는 바람직한 주제의식을 형상화한 작품에 더 가치를 둔 것이다.

　이상에서 석전의 문학관은 불교를 통해서 문학을 바라본 점에 그 특징이 있다고 하겠다. 불승으로서 이는 당연한 것이라 할 것이다. 때문에 그의 문학론은 불교문학론으로서 자칫 종교적 특수문학론에 떨어질 수 있다. 그러나 석전은 불교가 추구하는 세계와 시가 추구하는 그것이 궁극적으로 깨달음인 점과 그 깨달음 또한 개인성에 있음을 설파하여 그것의 보편성을 획득하였다. 오늘날 석전의 문학론을 다시 살펴서 그 의미를 찾아야 한다면 바로 이런 점이 아닐까 한다.

8장

석전 영호대종사의 항일운동

오경후 박사 _ 동국대학교 불교학술원 연구원

Ⅰ. 서론

1917년 5월 8일 일본 영원사파永源寺派 관장 노진蘆津이 한국불교의 일본화를 독려하기 위해 조선승려접견회를 열었을 때다. 그가 조선의 승려들이 모인 자리에서 "조선선종은 임제종臨濟宗인가 조동종曹洞宗인가"를 묻자 박한영은 "조선 선종은 전부 임제종이며, 조동종은 일체 무一切無하다."고[1] 단호히 대답했다. 박한영은 1910년 10월 6일 한국불교를 일본의 조동종에 연합시킨 매종賣宗행위를 잊을 수 없었다.

영호映湖[2] 박한영朴漢永, 1870~1948은 한국 근현대의 혼란과 격동기를 살다간 불교계의 선구자다. 백파 긍선白坡 亘璇, 1767~1852과 설유 처명雪乳 處明, 1858~1903의 법을 잇고 교학과 선에 정통하여 금봉錦峰·진응震應과 함께 3대 강백으로 세칭하던 인물이기도 하다.[3] 동시대 인물이었던 이능화는 "그 마음을 조복하였으니 마치 백리해百里奚가 소를 길들인 것 같고, 연설은 구방고九方皐가 말을 고르는 법과 같았다."고 했다. 아울러 "불교개량을 자기 임무로 하였으며, 세속의 전적까지 섭렵하느라 남은 힘 하나도 헛되이 버리지 않았다."고[4] 박한영을 평가하였다. 그는 암울한 일제하에서 쇠락한 조선의 불교를 쇄신하

······················

[1] 《매일신보》, 1917년 5월 8일자, 2면.
[2] 흔히 박한영의 호를 석전石顚이라고 쓴다. 본인 역시 『석림수필』의 서문에 '石顚沙門 鼎鎬'로 표기했다.(박한영, 『石顚文鈔』, 법보원, 1962, p.1) 그러나 후학 정인보는 "석전이란 시호(詩號)니, 이름은 정호며, 호로 말하면, 영호라고 하였다.(최남선, 「석전스님행략」, 『영호대종사어록』, 동국출판사, 1988, p.20) 아울러 석전스님의 승적부 역시 법호를 '영호(映湖)'로 명기하였기에 영호로 표기하였다.(법만, 『석전 정호스님의 행장과 자료집』, 선운사, 2009, p.28 승적부 원본 사진 참조)
[3] 金映逢, 「故太古禪宗教正映湖和尙行蹟」, 『石顚文鈔』(법보원, 1962).
[4] 이능화·이병두, 『조선불교통사』 근대편(혜안, 2001), p.114.

석전 영호대종사 | 한국불교의 초석을 세우다

고자 유신운동을 펼치기도 했으며, 교육과 포교혁신을 위한 그의 노력은 주목할 만하다.

박한영의 호법운동과 항일운동은 조선불교의 현실비판과 개혁의지만큼이나 적극적이었다. 1910년대 한용운 등과 주도한 임제종운동은 한국불교의 전통을 수호하는 대표적인 사건이자 자주화운동이었다. 이후 그가 참여한 불교운동은 임제종운동의 정신을 계승 · 발전시키는 것이었다. 또한 일제의 침략과 탄압에 대항하여 한성임시정부 발족과 세계평화회의에 한국의 독립을 호소하는 일에 참여하기도하였다. 아울러 그는 최남선 정인보와 함께 우리 역사와 문화를 수호하는 일에도 적극적이었다.

박한영에 관한 연구는 한국 근현대불교사에서 그가 차지하는 위상이나 가치만큼[5] 활발하게 이루어지지 않았다. 그의 불교사상[6]이나 유신운동[7]에 관한 단편적인 연구가 시도되었지만, 호법과 항일운동에 대한 검토는 이루어지지 않고 있다. 이것은 한국 근현대불교사 연구가 부진을 면치 못하는 이유도 있겠지만, 불교계 인사들의 항일운동 자료가 활발하게 발굴되지 못한 결과이기도 하다.

본 논문은 박한영의 호법과 항일운동을 검토하는 것이 목적이다.

....

[5] 박한영의 불교사상과 일제하 불교개혁에 대한 입장은 『石顚文鈔』, 『石顚賸抄』 등의 시문집과 『戒學約詮』, 『拈頌新篇』 등의 저술, 그리고 일제하에서 간행한 불교계 잡지 『海東佛報』와 『朝鮮佛敎月報』에 수록되어 있다.

[6] 정광호, 「난세를 어떻게 살아갈 것인가」(새밭, 1980).한종만, 「불교유신사상」, 『한국불교사상사-숭산박길진박사화갑기념』(숭상박길진박사화갑기념사업회, 1975). 노권용, 「박한영의 불교사상과 유신운동」, 『한국근대종교사상사-숭산박길진박사고희기념』(숭산박길진박사고희기념사업회, 1984). 김종관, 「석전박한영선생행략」, 『전라문화연구』 3(전북향토문화연구회, 1988). 김상일, 「자비와 거울 마음으로 영혼을 씻겨주던 석전 박한영선생」, 『스승』(논형, 2008).

[7] 김광식, 「근대불교개혁론의 배경과 성격」, 『종교교육학연구』 7(한국종교교육학회, 1998).이재헌, 「근대한국불교개혁 패러다임의 성과와 한계」, 『종교연구』 18(한국종교학회, 1999).김상현, 「1910년대 한국불교계의 유신론-불교개혁운동탐구」, 『불교평론』 (2000).조현범, 「종교와 근대성 연구의 성과와 과제」, 『근대 한국봉교문화의 재구성』(한국학중앙연구원종교문화연구소, 2006).

다만 박한영의 수행자적 면모와 불교철학이 일제하 호법운동과 항일
운동의 기초인 만큼 그의 선교학과 유신운동을 포함한 불교개혁운동
의 면모를 살피고 항일운동을 다루고자 한다.

Ⅱ. 호법護法과 항일운동抗日運動의 기초

박한영의 호법과 항일운동의 기초는 불교 근본정신의 진면목을 실현
하는 일이었다. 불교유신을 위한 왕성한 기고활동이나, 임제종운동,
독립운동의 참여 등 일제하 암울한 불교계의 개혁과 일본불교의 침
투에 대한 적극적인 대응은 화엄사상을 비롯한 선교학의 수행과 현
실적 실현의 의지를 반영한 것이었다.

> 我世尊이 菩提樹下에 正覺始成하사 海印三昧努力으로 世界를 圓彰
> 하실새 時處無碍와 依正莊嚴과 因果交徹과 主伴無盡한 十玄六相等이
> 常綱分布는 最初華嚴道場에 常說備說한 根本法輪이 如是如是라 하였으
> 나. 愚의 所觀測은 曠古以來에 未曾有한 理性融通을 徹了하신 初地에
> 不思議莊嚴解脫境界는 世界의 所悟하신 理想的 大言論이오 化生의 善
> 方便而已오 一切事相海의 究竟圓滿은 隱而不現하심이라. 究竟華嚴世界
> 의 目的到達한 時節因緣은 卽世界海에 箇箇人文과 箇箇人智와 社會秩
> 序는 如何한 宗敎的과 如何한 哲學的과 如何한 科學的 種種方面으로 薰
> 陶而하며 刮磨而하며 淘汰之하며 啓迪之한 結果로 常克異彩를 各放普
> 放하야 晃然明하며 昱然盛하야 圓圓通通한 眞境은 左右逢原하는 是日
> 이라. 于是也에 究竟華嚴과 最初華嚴이 是同興아 是不同與아 是故로 佛

敎는 過去現在의 佛敎는 아니오(世界海未盡莊嚴) 미래의 불교라 하노라
(究竟圓滿莊嚴)[*8]

　인용문에서 박한영은 불교는 과거와 현재의 불교가 아니라 구경
원만장엄究竟圓滿莊嚴의 미래불교라고 단언했다. 예컨대 구경화엄법계
가 도달한 시절인연은 '인문과 인지와 사회질서를 종교, 철학, 과학
등 갖가지 방면으로 사람을 감화시키고, 갈고 닦으며, 도태시키고 가
르쳐 길을 열어준 결과로서, 항상 이채로움을 널리 놓아, 그지없이
밝고 빛나서 두루 통달한 참된 경계를 좌우 어디에서나 만나게 되는
그날'이라고 하였다. 때문에 박한영은 "過去의 佛敎時代는 說理와 說
事를 널리 실험해 보지 않은 시대요, 現代와 未來佛敎는 理事圓融을
實見해서 事事에 全彰할 중대한 시대라 보면서 물질문명과 과학이
발달할수록 천天을 초월한 경지에 바탕해서 사람의 실상에 묘전妙詮
하는 불교야말로 중대한 과업을 안고 있는 것"이라[*9] 보았다.
　요컨대 현재와 미래는 이理와 사事를 바로 보고 온전하게 밝힐 수
있는 시대이며, 실상에 미묘한 도리를 갖추고 있는 불교가 중대한 과
제를 해결할 수 있다고 하였다. 결국 박한영은 화엄철학을 문화와 종
교, 그리고 과학이 개방적이고 다원화되어가는 현대사회에 가장 필
요한 가르침으로 귀결시켰다.

　오늘날 講論家는 漸敎에 치우쳐 나타내고, 參禪을 하는 이는 頓門에

* * * * * * * * * * * * * * * * * * * *
*8　박한영,「讀敎史論」,「海東佛報」제2호, pp.82-84.
*9　朴漢永,「多虛는 不如少實」,「海東佛報」제2호, pp.87-89.

치우쳐 전파하므로 禪師와 講伯이 서로 만나면 마치 北胡南越의 간격이 있는 듯 하다고 하니 그윽히 말씀하신 뜻을 살펴보면 규봉 선사는 禪敎가 全盛한 시기에 있어서, 그 偏見을 화회하여 圓妙함을 이룩하고자 하였다. 그러나 수백 년이 지난 오늘날, 선 교가 쇠퇴하고 미약하여, 화회할 여지마저도 없다. 한편에서는 枯木死灰를 고수하면서, 모두 "나는 성인이다."고 말하며, 講論하는 이는 金文과 貝葉에 束閣되어 별다른 지름길로서 달려 나아가니, 佛海에 흘러온 찌기를 어찌 다함이 있겠는가. 이는 한갓 "불립문자"에 그치는 것이 아니니 이 통탄할 恨을 이길 수 없노라.[*10]

박한영의 선교관은 선교겸수禪敎兼修의 입장이다. 육조 혜능도 『금강경』 한 구절로 활연히 깨우쳐 오조五祖의 법인法印을 전수받았고, 드디어 선종의 육조가 되었다고 했다. 반면 그는 "선종의 무리들이 많은 동지를 형성하여 講論家를 멸시하니 비록 唐代의 淸凉 圭峰, 宋代의 長水・鐔津과 같은 講伯일지라도, 門外輩의 무리로서 배척하는 과실을 범했다"[*11]고 통탄하며 이와 같은 사정은 중국도 예외가 아니라고 지적했다. 이른바 율사나 강사는 있는 듯 없는 듯하였고, 『화엄경』과 『능엄경』, 『능가경』을 강구講究하였던 곳은 쓸어버린 듯이 전혀 남아 있지 않고 오직 선원만이 남았는데, 선원의 방장과 화상은 대부분 객을 꺼려 찾아볼 수도 없었고, 어리석은 범부여서 서로 안부만 묻고 견문에는 전혀 도움이 되지 않는다고 하였다. 박한영이 선사들의 강론에 대한 경시풍조를 지적한 것은 우리나라도 예외는 아니었다.

[*10] 朴漢永, 「禪之不立文字功不補過」, 『石林隨筆』(『映湖大師語錄』, 동국출판사, 1988), p.108.
[*11] 朴漢永, 「禪之不立文字功不補過」, p.107.

석전 영호대종사 | 한국불교의 초석을 세우다

오늘날의 禪流들은 한번 깨친 후에 다시는 수행의 일이 없이 망녕되게 無碍의 일을 하니 이 어찌 가르칠 수 있겠는가. 그러므로 그 사람이 깨달음의 邪正과 깨달음의 淺深을 누가 있어 내치고, 누가 있어 바로 잡겠는가. "깊은 산, 큰 골짜기에 용이 사라지고 범이 없으니, 미꾸라지가 춤추고 여우가 법석 댄다"는 감탄이 길게 나올 뿐이다. (……) 語錄 등을 어찌하여 참관하지 아니하고, 上人法을 얻었다고 自稱하여 한번 깨친 후에 無事히 增上慢과 魔眷屬이 되기를 좋아하는가. 이는 가히 불쌍한 사람이라고 말할 만하다.[*12]

박한영은 납자들이 한번 깨친 이후에는 수행할 일이 없어 무애자재하다고 믿어 버리기 때문에 오도悟道의 깊이를 알고 지적해 줄 수 없다고 한 것이다. 때문에 용과 범이 사라지고 미꾸라지와 여우만이 춤춘다고 비유했다. 그러므로 이들은 최상의 교법과 깨달음을 얻지 못하고서 이미 얻은 것처럼 교만하게 우쭐대거나 마구니 무리를 자처하니 불쌍하다고 했다. 결국 박한영은 선교화회禪敎和會와 선교겸수禪敎兼修, 그리고 깨치고 난 이후의 수행을 강조했던 것이다. 삼장강설三藏講說과 경사자집經史子集, 노장학설老莊學說까지도 겸통兼通했던 대종장大宗匠의 눈에는 『화엄경』「출현품出現品」의 '개구원각皆求圓覺'이나 『대반열반경大般涅槃經』의 '개증원각皆證圓覺'은 아무런 차이가 없어 "위없는 대원각은 허공처럼 원대하여 부족함도 남음도 없다"고[*13] 인식하였다.

貢高, 懶散, 爲我, 慳吝, 藏拙[*14]

....

*12 박한영, 「證悟亦不爲衆禍門乎」, 『石林隨筆』(『映湖大師語錄』, 동국출판사, 1988), pp.98~99.
*13 朴漢永, 「皆具皆證何碍圓覺」, 『石林隨筆』(『映湖大師語錄』, 동국출판사, 1988), pp.54~55.
*14 박한영, 「불교강사와 정문금침」, 『조선불교월보』 9호(『映湖大師語錄』, 동국출판사, 1988), pp.353~354.

박한영은『해동불보海東佛報』를 통해 한국불교사를 개관하여 삼국시대는 배태胚胎시대, 나려羅麗시대는 장성壯盛시대, 조선시대는 노후老朽시대라 했고, 암울한 일제시대는 오히려 미래의 불교진흥을 위한 절호의 기회라는 점에서 부활시대라고 규정하고 있다.[*15] 그러나 불교인들은 전대의 낡은 유풍遺風에 젖어 있고, 공덕公德은 양성하지 않고 미래불교의 진흥책을 강구하지 않음을 통탄하였다. 특히 미래사회를 주도할 것으로 믿었던 불교계 내부의 모습은 심각했다.

그는 부처님의 가르침과 선교학을 중심으로 한 인재육성의 최일선에 있는 강사들의 문제를 5종류의 병에 걸려 있는 것으로 규정하고 정문일침頂門一鍼을 놓아야 한다고 지적하였다. 첫째는 '공고貢高'로 새로운 문명이 이루어져 모든 교의와 학술이 심산유곡에도 미쳐야 하는데 통달한 대가의 지견을 얻으려 하지 않고 오직 자기의 자고심自高心이나 자신력自信力에 만족하고 있음을 지적하고 허심박학虛心博學의 정신이 그 효능임을 강조하였다. 둘째 '나산懶散'은 불교도들이 고목과 같은 형상과 죽은 재와 같은 마음을 지녀 게으르다고 지적하고 용맹정진을 당부하였다. 셋째 '위아爲我'는 자기만을 내세우고 이타심이 없음을 지적하고 일침一鍼으로 자신을 잊고 타인을 이롭게 하는 길을 제시하였다. 넷째는 '간린慳吝'으로 당시 불교도들이 화식貨殖의 이양利養에만 급급하여 인색하고 사욕으로 충만해 있음을 지적하고 희사만행喜捨萬行을 당부하였다. 다섯째는 '장졸藏拙'로 자기의 부족함을 숨기지 말고 성찰해서 능력 있는 불교인이 되어 줄 것을 당부했다.

....

*15 박한영,「佛敎의 興廢所以를 探究할 今日」『海東佛報』 제4호, pp.239~242.

석전 영호대종사 | 한국불교의 초석을 세우다

박한영이 지적한 강사들의 5가지 병폐는 단순히 교육에만 국한되지 않는다. 조선시대 이후부터 일제시대에 이르기까지 누적되어 온 한국불교의 구조적인 모순이기도 했다. 또한 그의 화엄 및 선교관을 바탕으로 한 불교개혁과 일본불교의 침투에 대항한 호법운동과 우국지사들과의 항일운동의 중요한 기초이자 배경이 된다.

Ⅲ. 박한영의 호법운동

박한영의 호법운동은 불교계의 항일운동이었다. 또한 그가 전개한 교육과 포교를 중심으로 한 유신운동과 분리시켜 검토할 부분이 아니다. 이것은 다음『매일신보』기사를 통해 알 수 있다.

> 全南來人의 傳說을 聞한즉 今月 6日에 全南 諸寺 代表人 金鶴傘, 金寶鼎, 金栗庵, 阿檜城, 趙信峯, 金淸浩, 張基林, 朴漢永, 陳震應, 申鏡虛, 宋宗憲, 金鍾來, 金錫演, 宋鶴峰, 都振浩, 等 十五人이 光州郡 瑞石山下 證心寺內에 特別 總會를 開하였는데 臨濟宗門을 一層 擴張하고 湖南 諸寺의 新塾諸生을 勸勉하야 新舊의 敎學을 刷新하야 信敎 自由의 目的地에 期達하는 것이 新世界 宗敎人의 光偉한 義務라고 諸山塾內에 布告하였다더라.[16]

----

*16   《매일신보》, 1911년 2월 2일자, 2면.

인용문은 『매일신보』「佛敎一新의 機」라는 제목으로 소개된 글이다. 1910년 이회광이 원종圓宗과 일본의 조동종을 합병하기로 한 매종賣宗 책동 이후인 1911년 1월 6일 전남 불교계의 대표자들이 모여 결의한 내용이다. 박한영을 비롯한 여러 스님들은 불조의 정맥正脈을 계승하고 한국불교의 정통성과 독자성을 지킨다는 취지에서 탄생시킨 임제종을 더욱 공고히 하고 확장할 것을 다짐했다. 아울러 호남불교계의 인재육성을 위해 신구의 교학을 쇄신할 것도 결의하였다. 궁극적 목적은 '신교자유信敎自由의 목적지'에 도달하는 것이었는데, 불교혁신을 통해 일본불교에 종속되는 일이 있어서는 안 된다는 의미가 강한 것이었다. 때문에 박한영의 교육운동과 포교운동은 호법운동의 출발이기도 했다.

> 바르고 실다운 佛敎를 이어 받아 衆生을 爲하여 布敎하는 願力이 너르고 깊을진댄 四分律의 綱要가 있으니
>
> 첫째는 靑年徒弟를 빨리 길르되 참된 敎料로 밝게 學을 넓히게 해서 닥아올 時代에 布敎人을 涵育시킬 것.
>
> 둘째는 敎壇의 밝고바른 敎材를 씹으면서도 要領을 따게 편찬해서 大乘敎理를 더욱 많이 開然할 것.
>
> 셋째는 布敎하는 사람의 資格은 悲·智·願 三心이 하나도 缺하지 않게 하고 我를 버리고 大我로 敎體로 自身을 昇華시킬 것.
>
> 넷째는 布敎人이 身과 口業과 意業이 典雅하고 俗되지 않으며 짝을 지어 反對되는 사람들을 헐뜯고 排他하는 野卑한 見解를 쓸어버리고 耿介한 學術로 和氣있게 接人할 것.[17]

....
[17] 박한영, 「將何以布敎利生乎아」, 「海東佛報」 2호, 2-4쪽 ; 『映湖大宗師語錄』(동국출판사, 1988), p.358.

박한영은 이와 같은 교육과 포교의 강조는 과거 불교의 퇴폐함에서 기인한다고 하였다. 예컨대 "大法運數나 조정의 압제 또는 儒生들의 침회 등 외부적 요인도 무시하지 못하지만 고려시대부터 그 病根이 안에서 싹터 왔으니 그것은 다름 아닌 '眞相敎育의 不安全'이라 규명하였다. 불교의 전성시대 이후 불교의 쇠퇴는 외부의 탄압도 작용했지만, 내부의 자기모순이 원인임을 지적하였다. 결국 박한영은 청년도제를 육성하지 않으면 미래불교를 지키지 못할 뿐만 아니라 죄인이라고 하였다.[18] 포교인을 함육涵育하고, 대승교리를 개연開然하는 일이 일제하 불교계를 지키는 일이고 미래불교를 확장시키는 일이라고 확신한 것이다.

지금의 조선의 불교는 전혀 림제종의 계통으로 내려온 것인 즉 림제종을 설립하여야 하겠다고 주장하는 리회광이가 그 때는 조선의 불교는 圓宗인대 일본의 曹洞宗과 연합할 필요가 있다. 주창하고 일본에 드러가서 비밀히 일본 조동종과 아래와 가튼 일곱가지 맹약을 태결하얏섯소. (……)

이와 가튼 밀약을 매져서 조선의 불교를 전부 일본 조동종에 부속케 하려고 하얏소. 그러나 그때는 한국이 일본에 처음으로 합병되는 때이라 조선사람은 무슨 말을 할 수 없슬만치 시세형편이 흉흉하얏소. 그러나 이와가튼 중대문제를 그대로 둘 수 없어서 지금 사십칠인의 한사람으로 서대문 감옥에 들어가 있는 한용운과 나와 두 사람이 경상도 전라도에 있는 각 사찰에 통문을 돌리어 반대운동을 하는데 물론 우리의 주의는 역사적 생명을 가진 우리불교를 일본에 부속케하는 것이 좋지 못

····················
[18] 박한영, 「佛敎의 興廢所以를 探究할 今日」, pp.239-242.

하야 그래하는 것이었으나 그때 형편으로는 도저히 그러한 사상을 발표
할 수 업슴으로 조선 현재 불교의 연원이 임제종에서 발하였은 즉 조동
종과 연합할 수 없다는 취지로 반대하였었오. 그때는 삼십본산이 없었
오. 순천 송광사와 동래 범어사와 지금 사동 포교당에 임시로 종무원을
설립하였었더니 (……)[19]

인용문은 1920년 당시 조선불교회 이사 소임을 맡고 있었던 박
한영이 동아일보와 가졌던 인터뷰 기사다. 1910년 10월 6일 일본에
서 한국의 불교종단인 원종의 대종정 이회광과 일본 조동종 종무대
표 히로쓰[弘津設三]가 조동종 맹약을 체결하였다. 이 맹약은 외형적으
로는 연합이었지만, 한국의 원종이 조동종의 승려를 고문으로 둔다
거나2조, 조동종은 원종의 인가를 얻는 데 도움을 주고3조, 원종은 조
동종의 포교사를 초청하여 포교 및 교육에 활용한다는4·5조 조항은
[20] 종속의 의미가 강한 것이었다. 더욱이 원종이 조동종의 포교에
적극적인 도움을 주어야 한다는 측면과 함께, 조동종이 필요로 인하
여 포교사를 파견할 경우에는 원종 측에서 기숙사까지 제공해야 한
다는 것 등은 원종이 일본불교의 침투를 지원한다는 의미를 지니고
있다.[21]

이 사실이 불교계에 알려지자 그 반발은 광주의 증심사 대회로
시작되었다. 임제종운동의 주역이었던 박한영은 이회광의 맹약이 한
국불교를 일본불교에 부속시키려는 것으로 이해하고 경상·전라의

....
[19] 《동아일보》, 1920년 6월 28일자.
[20] 《동아일보》, 1920년 6월 28일자.
[21] 김광식, 「1910년대 불교계의 曹洞宗 盟約과 臨濟宗 運動」, 『韓國近代佛敎史硏究』(민족사, 1996), p.68.

석전 영호대종사 | 한국불교의 조석을 세우다

각 사찰에 통문을 돌리고 반대운동을 전개하였다.

> 此盟約이 實施되면 朝鮮佛教의 寺院은 完全히 曹洞宗의 手에 들어
> 가고 마는 것인즉 그때의 朝鮮佛教는 實로 一絲九鼎 一髪을 용납하기
> 어렵은 危機에 있엇다. 朴漢永 陳震應 韓龍雲 金鍾來 等은 此 危機一髪
> 의 機를 乘하야 奮然蹶起 먼저 湖南一帶에 反抗의 旗를 세우고 朝鮮佛
> 教의 復興을 圖할새 圓宗의 締盟을 破壞하기 爲하야는 他宗을 別立하야
> 圓宗을 自滅케 함이 捷徑이라는 見地에서 朝鮮 固有의 臨濟宗을 唱立하
> 야……*22

박한영과 임제종운동을 주도했던 한용운 역시 맹약 체결이 조선
불교의 위기 상황임을 인식하고 원종을 자멸케 하기 위해서는 임제
종을 창립해야 함을 강조하기도 하였다. 1911년 1월 15일 송광사 총
회에서 임제종 임시 종무원을 송광사에 두고 대체적인 조직을 수립
하고 광주부 내에 임제종 포교당을 설치하기로 하였다. 임제종운동
을 확장하고 임제종 종무원을 한국불교계의 중심기관으로 인정받으
려는 노력은 1911년 10월 무렵에는 통도사, 해인사, 범어사 등의 사
찰을 임제종의 삼본산三本山으로 정하고 임제종 임시 종무원을 범어
사에 두기로 정하기도 하였으나 일제의 사찰령 제정·공포와 강압으
로 지속되지 못하였다. 결국 1912년 6월 17일부터 개최된 30본사주
지회의의 5일차인 6월 21일, 일제 당국이 임제종 종무원 측의 책임

*22   이능화, 「朝鮮佛教通史」 하(민속원, 1992), p.939.

자를 소환하여 임제종의 문패 철거를 명했던 것이다.[*23] 임제종운동
이 일제의 외압에 의하여 지속되지 못했음을 의미하는 것이다.

> 七月二十二日에 院長 李晦光師가 朴漢永師를 東門外 住持會議院으
> 로 請激하여 過去事는 先天에 幷附하고 今日爲始하여 吾敎未來의 共同
> 的으로 進行하자함에 朴永漢師는 滿足한 歡心으로 快許하여 今秋부터
> 本院 내에 高等佛敎專門講堂을 設立하고 該氏는 講師가 되기로 內定하
> 였다더라.[*24]

인용문은 임제종운동이 미완에 그치고 난 후 조동종 맹약의 주동
자 이회광이 박한영을 초청하여 불교의 앞날을 준비하는 데 함께 활
동하자는 제안을 한다. 박한영은 이에 흔쾌히 허락하고 고등불교전
문강당을 설립하고 강사가 되었다. 이와 같은 박한영의 변화에 대해
김광식은 "이러한 그의 이력에서 우리는 그의 개혁론의 논조가 자연
교단 및 일본불교 침투에 대한 비판과 일제의 사찰정책에 반하는 것
은 나올 수 없음을 알게 된다."[*25]고 하였다. 즉 박한영이 초기에는
조선불교의 주체성과 독자성을 천명하고자 진력했지만, 일본불교의
침투와 압제에 굴복하고 말았다는 의미로 해석된다. 그러나 박한영
의 화엄학을 기초로 한 세계관과 선교겸전禪敎兼全의 선교관, 아울러
불교계 간행잡지와 강사 소임을 통해 조선불교의 현실을 신랄하게
지적하고, 불교도의 자질, 불교의 미래를 구체적이고 체계적으로 제

....

[*23] 「雜報」 "門牌撤去", 『朝鮮佛敎月報』 6호. 김광식, 「1910년대 불교계의 曹洞宗 盟約과 臨濟宗 運動」, p.83에서
     재인용.
[*24] 「雜報」 "朴漢永歡心", 『朝鮮佛敎月報』 7호.
[*25] 김광식, 「근대불교개혁론의 배경과 성격」 p.60.

시한 점 등을 면밀히 살폈을 때 민족불교에 대한 박한영의 모순적 체질개선으로 해석하는 것은 재검토의 여지가 있다고 생각한다. 이것은 이회광이 불교고등강숙을 책임지고 있던 박한영에게 사직할 것을 요구한 것에서도 나타난다. 고등불교강숙 학생들이 불교개혁을 주장하고 30본산주지회의 친일적 태도와 무능한 교육시책에 반발했기 때문이다.[26] 박한영의 이후의 행적에서도 드러난다.

3·1운동 이후 불교계는 사찰령 시행 이후 불교계의 여러 가지 모순과 한국불교가 지닌 정체성이 상실되어 감을 인식하고 사찰령 철폐운동 등을 청년 승려 중심으로 전개하고 있었다. 조선불교청년회와 조선불교유신회와 같은 단체는 일제의 사찰정책을 부정하고 불교계를 혁신하려는 움직임을 보인 것이다. 1920년 6월 20일 조선불교청년회의 창립은 박한영과 밀접한 관련을 지니고 있었다. 이미 1919년 그가 전임학장의 소임을 맡고 있었던 중앙학림의 학생들이 중심이 되었고, 그 정신적 기초는 박한영과 한용운이 주도했던 임제종운동이었기 때문이다.

朝鮮佛敎靑年運動의 濫觴은 約 二十年前에 비롯한 것이니 朝鮮佛敎維新史의 開宗明義 第一章에 가장 큰 光明을 놓을 만한 有名한 臨濟宗運動 당시에 그 臨濟宗運動에 加擔한 寺刹 특히 嶺湖兩南의 有數한 寺刹에는 佛敎靑年運動을 開始하게 되얏으니 勿論 團體的 訓練이 없는 靑年 僧侶로 團體의 組織이 츰인만치 種種의 形式으로 나타나는 團體의 形式과 內容은 實로 萬事가 初創하였다. 그러나 그 精神만은 潑剌하고

....
*26 동국백년사편찬위원회 편, 『동국백년사』(동국대학교, 2006), pp.96-97.

氣槪만은 森凌하얏다. 이것이 곧 朝鮮佛敎靑年運動의 嚆矢가 되는 것이
다.[27]

한용운은 불교중앙학림 학생을 중심으로 조선불교청년회가 성립
되어 불교청년의 구체적 집단이라고 정의하였다. 또한 청년운동의
효시를 임제종운동으로 규정하였고, 그 운동에 주도적 역할을 했던
통도사, 범어사, 백양사, 송광사 등 영호남 사찰들의 청년 승려들이
개시하였음을 언급하였다. 박한영 등이 주도한 임제종운동과 그 주
축이 되었던 영호남의 사찰이 9년 후 박한영이 학장으로 있는 중앙
학림에서 다시 호법을 위한 항일운동을 점화한 것이다.

1921년 12월 20일 불교유신회가 조선불교청년회의 별도 조직으
로 구성되었다. 당시 박한영은 불교유신회가 창립되자 의장의 소임
을 맡았다. 불교유신회는 1921년 12월 경 창립 준비 작업이 활성화
되어 이미 1,000여 명의 회원을 가입시키는 등 불교혁신운동을 본격
추진하였다. 불교유신회는 창립 직후 1922년 1월 3일 30본산 주지총
회에 참가하여 회의양식을 조선승려대회로 하자고 하여 주지들과의
논쟁뿐만 아니라 충돌도 벌어졌다.[28] 이 건의는 1월 6일 다시 개최
된 주지총회에서 '불교총회佛敎總會'로 변했다. 당시 일제와 타협하고
있었던 기득권적인 주지들이 불교유신회의 건의에 동의할 수 없었기
때문이었다. 불교유신회는 1922년 3월 25일에는 각황사에서 불교도
총회를 열고 총무원의 기초를 공고히 할 것과 교육과 포교를 힘쓸 일

....

*27 萬海,「佛敎靑年同盟에 對하야」,『佛敎』86호(1931. 8). 김광식,「조선불교청년회의 사적 고찰」,『韓國近代佛敎
      史硏究』(민족사, 1996) p.195 주 8 재인용.
*28 《동아일보》, 1922년 1월 5일자.

석전 영호대종사 | 한국불교의 초석을 세우다

을 상의하기도 하였다.[*29] 이와 같은 불교유신회의 일련의 운동은 일제에 타협적인 주지들이 만든 총무원이 현실 타협의 방안에 경도되었기 때문이었다. 불교유신회 회원들은 급기야 '佛敎界 大惡魔 姜大蓮 鳴鼓逐出'의 기를 들고 소고小鼓를 강대련의 등에 지우고 종로를 지나 동대문으로 향하다가 주모자들이 종로경찰서에 체포되기도 하였다.[*30]

조선불교의 쇠퇴한 것을 분개하야 조선전국에 널너잇는 불교청년들이 유신회(維新會)를 조직한 후 여러 가지로 불교유신을 운동 중이라 함은 임의 누차 보도한 바이어니와 그 회에서는 금번에 그 회원 유석규(劉碩規)씨외 이천이백팔십사명의 련서로 댱문의 건백서(建白書)를 조선총독에게 뎨출하얏는대 그 요지는 먼저 됴선불교의 이천여년 동안의 력사를 들어 그 간난한 경로를 말하고 그와 가튼 중에도 그 시대에는 각각 자유가 잇섯슴으로 교화상에 큰 공헌이 잇섯스나 총독부에 조선을 통치하게 된 후로 사찰령을 발표하야 삼십본산의 제도를 만드럿는대 그 후로 본산주지 사이에는 각각 가튼 권리를 밋고 서로 디위를 다토기에 골몰할 뿐아니라 본산주지는 말사주지를 압박하야 부질업시 서로 다투고 서로 미워하고 원망하는 폐단이 생기엇스며 이에 따라서 불교의 사업이라는 것은 말이 못되게 황폐 되얏슨 즉 당국에서는 속히 본산과 말사의 뎨도를 폐지하고 금후부터는 각 사찰에 자유를 주어 경성에 통일긔관을 두고 모든 일을 하야 나가도록 하게 하야 주기를 바란다는 것이더라.[*31]

....

[*29] 《동아일보》, 1922년 3월 27일자.
[*30] 《동아일보》, 1922년 3월 27일~4월 11일자.
[*31] 《동아일보》, 1922년 4월 21일자.

불교유신회 회원 2,284명이 사찰령을 폐지해 달라고 제출한 건백서의 대강의 내용이다. 예컨대 이들은 사찰령 발표 후 본산 주지들의 지위 다툼과 말사 주지에 대한 횡포로 우리나라 불교사에서 대대로 내려온 자유와 교화의 공헌이 사라져 급기야 불교가 황폐해졌다고 지적했다. 아울러 그 대표로 박한영을 비롯한 15명을 선출하기도 했다. 이 건백서는 1922년 1월 7일 조선불교유신회 제2회 총회에서 토의되었고, 동년 3월 24일에는 제출하기로 결의되었다.[32] 그러나 해결된 것은 아무것도 없었다.

> (……) 총독부에서 종교의 자유를 인정한다 하면서도 조선불교에 대하여 종래 가혹하게 간섭하여 오던 조선사찰령을 폐지하여 달라는 문제의 건백서에 대하여 토위하였는데 그간 백서를 제출한 뒤에 당국에서도 하등의 연락이 없으며 그 會 간부들도 그동안 아무런 대책이 없었으므로 다시 朴漢永 金敬弘 兩氏 외에 7인을 위원으로 선정하여 1주일 안으로 당국에 다시 질문하기로 (……)[33]

불교유신회의 건백서는 제출된 이후 당국으로부터 답변이 없었다. 그러자 1923년 이종욱의 사회로 진행된 총회에서 박한영을 위시한 8인의 위원을 선정하여 다시 질문하기로 결의하였다.

한편 박한영을 위시한 불교유신회는 불교총회에 대한 총독부의 외압과 불교유신회의 부정에 항거하여 불교유신을 지속적으로 전개하고자 하였다. 1922년 1월 11일~12일 개최된 주지총회에서는 동광

....
[32] 《동아일보》, 1922년 1월 7~9일자. 「韓國近世佛敎百年史」 제3권 「各種團體編年」, p.15~17.
[33] 《동아일보》, 1923년 1월 8일자. 「韓國近世佛敎百年史」 제3권 「各種團體編年」, p.19~20.

석전 영호대종사 | 한국불교의 초석을 세우다

학교 폐지를 결정하였다. 당국에서는 법령으로 인증한 회의에 청년 중에서 회의를 방해하는 일이 있으면 경찰권의 발동으로 제재를 가한다고는 하여 관권으로 불교유신회를 압박하려는 의도가 강했다. 그러나 동광학교의 폐지는 불교개혁과 불교사업을 확대해야 하는 시점에서 절대 수용할 수 없는 일이었다. 급기야 총무원은 1922년 1월 14일 박한영이 사회를 맡아 임시 불교총회를 개최하여 동광학교 문제 해결에 적극적인 움직임을 보였다. 우선 불교유신회원이면서 총무원 부원으로 선출된 유석규劉碩規를 동광학교로 보내 학교를 유지한다고 통고하였다. 아울러 불교유신사업에 동참하는 10본산은 사찰의 재산 3분의 1을 총무원에 납부하기로 서명까지 하는 등 총무원사업에 적극 나서기로 하였다. 여기 10본산은 통도사, 송광사 등 임제정운동 당시 적극적인 활동을 전개했던 사찰들이다. 당시 총무원 의사회議事會의 의사원은 강도봉姜道峯, 기석호奇石虎, 정광진鄭光震, 강신창姜信昌, 이지광李知光, 박한영朴漢永, 김석두金石頭 등 7명으로 이들은 대부분이 불교유신회의 핵심인물이기도 했다. 이와 같이 총무원은 불교유신회와 깊은 유대 속에서 운영되었으며, 조선불교유신회 역시 본산과 말사의 제도를 폐지하고 각 사찰에 자유를 주어 경성에 통일기관을 설립할 것을 촉구하였다.

近日 朝鮮佛教中央教務院내에서 財團法人을 完成하기 爲하야 日本臨濟宗 妙心寺 僧侶 祝谷宗一(妙香山普賢寺監務現任)을 邀聘한 結果에 今月 十二日(日搖) 慶北 道廳內에서 同院代表者와 會同하고 管下 各本山住持를 招致하는 通牒을 發하엿더라. 嗚呼라. 中央教務院은 三十本山 住持聯合會事務所의 後身으로 住持位置 卽 勢力을 確固하기 爲하야 公

正한 輿論으로 中心된 朝鮮佛敎總務院(現 新派)에 對立的으로 設置되야 美名을 帶한 財團法人을 成立한다 하니 其實인즉 狐假虎威에 不過함이다. 其本體의 內容이 名實이 相府할 것 가트면 相當한 寺有公財로 出資하야 神聖한 社會的 事業을 經營하는데 對하야 어떠한 寺刹僧侶가 異議를 生하야 發起한지 一年동안에 尙今까지 完成을 不告할 理由가 잇스리오. 中央敎務院의 諸君들은 아모조록 內德은 反省할 줄 不知하고 俊碨曲逕을 緯覓한 바 즉 日本僧侶로 顧問을 邀聘하게 됨이라. 아모리 朝鮮佛敎徒를 무시하고 一般社會의 注目을 不拘한들 日新又日新하는 現時代에 誰를 欺瞞하며 誰가 受諾할 者이냐 日本僧侶도 別人은 不是라. 道理와 正義를 持하고 財團法人을 必成하기로 하야 甘言利說로 勸誘에 不過한 것이다. (……) *34

인용문은 당시 조선불교유신회의 대표자였던 박한영이 일본인 묘심사 승려 가미야 소이치[神谷宗一]를 교무원 고문으로 초빙한 사실을 두고 그 반민족성과 반불교성을 비판한 것이다. 총독부는 10본산 중심의 총무원이 불교유신회와 깊은 유대 속에서 운영되고 있음을 간파하고 이를 저지하기 위해 '조선불교중앙교무원'이라는 새로운 중앙기관을 설립하게 하였다. 또한 불교사업 경영을 위한 60만 원의 재단법인을 만들기로 결의하는 과정에서 총무원 측을 배제하였다. 급기야 총무원과 교무원의 갈등은 심화되어 가고 교무원은 일제의 사찰정책을 인정하는 노선을 가고 있었다. 교무원은 1922년 12월 28일에 총독부로부터 재단법인의 정식인가를 얻었다. 1923년 11월 경에는 재단법인을 완성시키기 위해 급기야 가미야 소이치를 교무원 고

....
*34 「조선불교유신회 대표자 박한영, 佛敎中央敎務院에 顧問을 致하는데 대하야」, 《동아일보》, 1923년 11월 18일자.

문으로 초빙하였다.

박한영의 지적과 비판은 일본인을 고문으로 초빙하지 않더라도 중앙교무원이 노력한다면 소속관청이 고문일 것이며, 조선불교도 중에서도 교무원의 고문이 될 자격이 있다는 것이다. 그는 "여러분들이 상식이 충분하다면 이에 대해 분노하고 조롱해야 한다. 부디 여러분들은 중앙교무원을 조선불교의 총기관으로 오해하지 말며, 주지의 단독기관인 것만 주의해야 할 것이다."라고 당부하고 있다. 박한영은 단순히 교무원의 일본인 고문 초빙만을 지적한 것이 아니다. 궁극적으로 한국불교가 일본의 사찰령과 그 정책의 압제하에 종속될 수밖에 없는 암울한 상황을 명확하게 인식하고 경계할 것이며, 적극적으로 대응할 것을 당부한 것이다.

이후 박한영이 직간접적으로 주도적인 역할을 했던 조선불교청년회와 조선불교유신회는 적극적인 활동에도 불구하고 운동자금의 결핍, 운동 추진의 과격함으로 비롯된 불교 내외의 경원, 3본산만 참여하는 조직기반의 취약성으로 쇠퇴의 길에 접어들었다.[35] 1924년 조선불교유신회가 해체되고, 조선불교청년회는 1931년 조선불교청년동맹으로 전환했다. 박한영이 한용운과 주축이 되어 시작한 보종(保宗)운동이었던 임제종운동이 1920년대부터는 조선불교청년회와 조선불교유신회를 통해 그 정신이 계승되었고, 그것은 불교개혁과 한국불교의 정통성을 지키기 위한 호법운동으로 전개되었다.

....

[35] 김광식, 「韓國近代佛教史研究」, p.236.

Ⅳ. 박한영의 항일운동

박한영이 중심이 되어 참여한 임제종운동과 이후 불교청년회와 불교유신회 활동은 불교계의 보종운동이자 불교개혁의 성격을 강하게 지니고 있다. 아울러 일본불교의 침투에 대항한 또 다른 항일운동이기도 하였다.

한편 박한영은 이와 같은 보종운동과 불교개혁운동을 전개하면서 1919년 3·1운동을 계기로 임시정부 수립과 대동단 활동 참여 등 우국지사들과의 국권회복에도 적극적인 활동을 펼치기도 한다. 1919년 3월 1일 전 국민의 대대적인 국권 회복과 민족수호운동이 있었지만, 독립선언이나 만세운동으로 실제적인 독립이 이루어진 것은 아니다. 계통 있는 조직과 지속성 있는 대내외 활동이 필요하였다. 따라서 민족대표자들을 위시한 많은 애국지사 가운데 일부 지사들은 독립운동의 장기화·체계화를 위해 임시정부의 수립을 계획하게 되었다.[36] 당시 국내외에는 8개 정도의 임시정부조직이 공포되거나 구상 중에 있었다. 적어도 노령 대한국민의회1919. 3, 한성임시정부1919. 4, 상해임시정부1919. 4가 수립되었다. 이 가운데 한성정부 수립은 향후 민족운동을 이끌어 갈 영도기관이 될 것이라는 점에서 민족구성원의 합의라는 절차가 중시되었다. 이런 점에서 국민대회는 합의의 절차로 간주되었다. 즉 국민대회가 갖추어야 할 요건은 국내를 기초로 13도

....
[36] 독립운동사편찬위원회 편, 『독립운동사』 제4권(1973), p.133.

석전 영호대종사 | 한국불교의 초석을 세우다

'국민대표'로 조직되어야 하며 임시정부의 정치형태는 민주공화정이어야 한다는 것 등이었다. 때문에 한성정부는 1919년 4월 23일 13도 대표들이 참석한 국민대회라는 절차를 통해 조직된 3·1운동의 공식적인 법통을 이어받은 것으로 인정받았다.[37] 그러므로 3·1운동 → 한성정부 → 대한민국임시정부의 체계가 성립되었고, 우리나라의 정부 수립 역사로 자리매김되어 있다.[38]

> … 오호라 일본이 우리 민족의 생명력에 인한 이 문명적 행동에 대하여 야만적인 무력으로 殘虐을 肆行하는 것이 압박으로 해서 枯盡되는 것이 아니다. 우리 2천만 민족의 誠忠熱血은 이런 不正理的 압박으로 해서 枯盡되는 것이 아니다. 만일 일본이 종시 改悟함이 없다면 우리 겨레는 부득이 최후의 행동으로 나가서 최후의 1인까지 완전한 조선독립을 期成할 뿐이다. 정의와 인도로 勇進하는 우리 겨레 앞에 무슨 적이 있으리오. 다만 최대의 성의와 최선의 노력으로 국가적 독립과 민족적 자유를 세계에 주장하노라.[39]

인용문은 당시 배포된 「국민대회취지서」의 일부분이다. "일본이 改悟함이 없다면 최후의 행동으로, 최후의 1인까지 최대의 성의와 최선의 노력으로 국가적 독립과 민족적 자유를 세계에 주장하겠다"고 천명하고 있다. 이 취지서의 끝에는 13도 대표 25명의 명단이 첨부되어 있는데, 불교계를 대표하여 박한영과 이종욱李鍾郁이 참여하였다. 박한영과 이종욱은 불교 승려이자 전북과 강원도를 대표하고

....
*37   高珽烋, 「世稱 漢城政府의 組織主體와 宣布經緯에 대한 檢討」, 「한국사연구」 97(한국사연구회, 1997), p.168.
*38   신용하 외, 「일제강점기하의 사회와 사상」(신원문화사, 1991), p.119.
*39   독립운동사편찬위원회 편, 「독립운동사」 제4권(1973), p.136.

있었다.[*40] 한성임시정부 수립은 1919년 3월 중순 이후부터 몇몇 지사들을 중심으로 추진되다가 동년 4월 2일 인천 만국공원에서 처음으로 회합하여 정부 수립 문제 등을 결정하기로 하였다. 이때 이규갑감리교, 장붕장로교, 박용희장로교, 김규유림, 홍면희변호사 등 각 종교계를 대표하는 인사들도 참석했는데, 이종욱은 불교계를 대표해 참석했다. 이 회합에서 대표들은 다음과 같은 결의사항을 도출했다.

> 臨時政府組織의 件, 日本政府의 大韓統治權의 撤去와 軍備의 撤退 要求의 件, 파리講和會議에 出席시킬 人員選定의 件, 韓國人은 日本官廳에 各種 納稅를 禁止할 것. 一般民은 日本官廳에 대한 一切의 請願 및 訴訟行爲를 하지 말 것.[*41]

13도 대표들은 3·1독립선언 이후 임시정부를 수립하고, 일본의 한국 통치를 철거하고 군사시설을 비롯한 군대 해산과 철퇴할 것을 요구하였다. 또한 대한독립을 세계에 천명하기 위한 파리강화회의에 출석할 인사를 선정하는 결의도 있었다. 이후 4월 16일에는 13도 대표자들이 서울에서 비밀회의를 갖고 국민대표 25명과 임시정부 각원을 확정지었고, 4월 23일에는 국민대회 이름으로 임시정부 기구와

····················

[*40] 高珽烋, 앞의 논문, p.175. 당시 한성정부 수립을 둘러싸고 종교계에서는 각기 입장차가 있었다. 예컨대 천도교·기독교의 주도적 역할은 독자적 기구발족을 염두에 두고 있었으며, 儒林에서도 3·1운동 참여가 미약했지만 뒤늦게 임시정부 수립에 대한 준비를 착수했다.(「黙菴 李鐘一先生 備忘錄(5)」, 이현희 역, 『韓國思想』 제20집(韓國思想研究會, 1985), p.151. 高珽烋, 「世稱 漢城政府의 組織主體와 宣布經緯에 대한 檢討」, 『韓國史研究』 97(韓國史研究會, 1997), p.170.) 이것은 국민대회를 통해 구성된 한성임시정부의 요직에는 이승만을 비롯한 기독교계 국외 망명인사들로 구성되었고, 국내 천도교 인사들은 완전 배제되었다. 이승만, 이동휘, 박용만, 이동녕, 이시영, 김규식, 안창호 등이 독실한 기독교인이거나 기독교단체에 가입하여 활동한 인물들이었다는 사실을 통해 알 수 있다.(韓圭茂, 「尙洞靑年會에 대한 연구 - 1897-1914」, 『歷史學報』 126(1990), pp.84-85.)

[*41] 독립운동사편찬위원회 편, 『독립운동사』 제4권(1972), p.137.

석전 영호대종사 | 한국불교의 초석을 세우다

명단이 발표되고, 한성정부의 수립이 선포되었다.

이와 같은 13도 대표들의 독립을 위한 결의사항은 박한영 등이 중심이 되어 전개하고 있는 보종운동의 연장선상에 놓여 있었다. 조선불교청년회나 불교유신회가 임제종운동의 정신을 계승하여 한국불교의 정통성과 독자성 구현을 위한 활동이었다면 임시정부 수립과 같은 국권회복운동은 불교계 보종운동의 당위성과 함께 그 위상을 격상시키는 계기가 된 것이다.

한편, 국내에 한성임시정부가 수립되자 박한영은 1919년 9월 이종욱, 송세호, 정남용과 함께 대동단 사건에 참여하여 활동하였다.[*42] 대동단은 일제하 점조직의 비밀결사로 정식명칭은 조선민족대동단이다. 1919년 3·1운동이 실패하자 회한에 빠진 전협全協을 비롯한 몇몇 선각자들이 민족의 전면적인 참여를 통하여 다시 한 번 독립운동을 전개하고자 전국의 각계각층을 망라한 11개 사회대표자가 만든 단체다.[*43]

> 일본은 재래의 착오를 개혁하지 않고, 인류양심의 희망을 유린하고 세계 평화의 위신을 무시하여 비인도적인 慘毒한 무력으로써 우리 문명적 생명력의 發作을 학살하는 것은 세계의 모든 인류가 용인할 수 없는 公憤된 일이다. 하물며 우리 2천만 민족은 죽음을 맹세한 최후의 결심을 했다.[*44]

··················
[*42]   독립운동사편찬위원회 편, 『독립운동사』 제8권 문화투쟁사(1972), p.885.
[*43]   신복룡, 『대동단실기』(선인, 2003), pp.5~6.
[*44]   신복룡, 「선언서」, 『대동단실기』(선인, 2003), p.71.

대동단은 한국의 국권회복과 독립을 위해 죽음을 맹세한 최후의 결심을 선언하고 조선의 영원한 독립과 평화, 그리고 자유를 3대 강령으로 채택하였다.

대동단 사건은 의친왕 이강李堈 공을 상하이로 탈출시켜 임시정부 조직에 참가시키려다 실패해 간부 대부분이 체포되고 실형을 선고받은 사건이다. 당시 일제는 임시정부가 무뢰배와 하층민들이 모여 만든 불온단체라고 폄하하고 있었다. 당시 이종욱은 임시정부의 위상을 높이기 위한 취지로 지명도 있는 인물을 국외로 탈출시켜 상해임시정부에 참여하게끔 적극적인 활동을 전개하고 있었다.[*45] 임시정부의 국내 특파원이기도 했던 그는 왕자 이강과 대신 출신의 김가진金嘉鎭과 같은 유력한 인물을 상해로 탈출시키기 위해 대동단 총무 전협에게 타진했다. 그러나 동시 망명은 어렵다고 판단, 1919년 10월 10일 김가진은 그의 아들 김의한金義漢과 일산역을 출발하여 경의선을 타고 신의주를 거쳐 안동역으로 탈출하는 데 성공하여 10월 29일 상해임시정부에 도착하였다.[*46] 임시정부는 농상공부 대신, 중추원 의장 등을 지낸 바 있는 김가진의 망명으로 대외적 위상과 입지를 크게 높일 수 있었다.

이후 대동단은 왕자 이강의 탈출 임무를 수행했지만, 실패했다.

••••••••••••••••••••

[*45] 박한영과 임시정부 수립이나 대동단 활동과 같은 항일운동을 전개한 인물은 이종욱으로 그에 대한 연구는 다음의 논고가 참고된다.
　　　신복룡, 『대동단실기』, 양영각, 1982 : 신복룡, 『대동단실기』, 선인, 2003.
　　　박희승, 「이종욱의 「초혼문」」 『대동단활동의 동기』, 「불교평론」 vol3 No1, 통권 6(2001. 3).
　　　박희승, 「일제강점기 상해임시정부와 이종욱의 항일운동」, 「대각사상」 제5집(대각사상연구원, 2002).
　　　이현희, 「대한민국 임시정부와 지암 이종욱」, 「대각사상」 제10집(대각사상연구원, 2007).
[*46] 신복룡, 『대동단실기』, pp.83~84 : 재상해일본영사관, 『조선민족운동연감』, 1932, p.34(박희승, 「일제강점기 상해임시정부와 이종욱의 항일운동 연구」, 「대각사상」 제5집(대각사상연구원, 2002), p.239 주 52 재인용)

석전 영호대종사 | 한국불교의 초석을 세우다

1919년 11월 10일 이강 일행이 변장한 채로 수색역에서 경의선 안동행 열차를 탔다. 그러나 김가진의 망명으로 상황을 주시하고 있던 일제는 이강의 행방불명을 탐지하고 국경지대에 비상령을 내렸다. 급기야 이강은 안동역에 도달할 무렵 일제에 적발되어 체포되었고, 이 사건으로 대동단도 붕괴되었다.

박한영과 함께 대동단 단원으로 활동했던 이종욱李鍾郁, 송세호宋世浩, 정남용鄭南用은 모두 승려들로 이들의 활약은 단연 돋보였다. 이종욱은 월정사의 승려로 3·1운동 참여 후 곧바로 27결사대를 거쳐 한성임시정부에 박한영과 함께 불교계 대표로 참여하여 상해임시정부로 이어지는 대한민국 정부 수립의 정통성을 부여하는 데 불교계 대표로 참석한 인물이다. 안창호와 활동하였으며, 임시정부의 국내 특파원에 임명되어 전국을 무대로 연통제 조직의 총책임자로 활동하였다. 그는 청년외교단과 대한부인회, 대한적십자사를 조직하여 활동하기도 하였다.[*47]

정남용은 강원도 고성 출신으로 봉명소학교를 마치고, 11세에 승려가 되어 서울로 올라와 1917년에 휘문의숙을 중퇴하고 북간도로 건너가 한국인들을 위해 교사생활을 하다가 귀국했다. 독립의 희망이 사라지자 절망하다가 이종욱과 한용운을 만나 감화를 받고 건봉사에서 수행생활을 하였다. 그 후 3·1운동 소식을 듣고 서울로 올라왔다. 그는 독립운동자로서는 매우 적극인 인물로 동지 규합에도 적

....

[*47] 박희승, 「일제강점기 상해임시정부와 이종욱의 항일운동 연구」, 『대각사상』 제5집(대각사상연구원, 2002),
        p.256. : 신복룡, 『대동단실기』 pp.49−50.

극적이었다.[*48]

송세호는 정남용이 대동단에 가입시켰는데, 경북 구미 출신으로 1914년에 출가하여 도리사, 금강사, 석왕사, 월정사 등에서 수행하였다. 그는 이종욱의 권고에 따라 1919년 4월 펑톈[奉天], 톈진[天津]을 거쳐 상해임시정부를 찾아가 서병호徐丙浩, 김철金徹, 그리고 불교중앙포교당 시절부터 알고 지냈던 신상완申尙琓과 백성욱白性郁을 만났지만, 한때 일진회가 경영하던 광무학교 출신인 탓에 밀정으로 의심을 받기도 하였다.[*49] 귀국 후 이종욱의 지휘를 받으며 연통제에 가담하여 함경남북도와 전라남북도의 조직을 담당했다.[*50]

韓國人民致太平洋會議書

금년 11월 11일에 워싱턴에서 열리는 태평양회의는 正義人道에 근거하여 세계의 평화를 옹호하고 민족의 공존을 計圖하려는 것으로 믿는다. 우리 한국 인민은 이것을 열성으로 환영함과 동시에 세계 열국이 우리 한국정부위원의 출석을 용인할 것을 간절히 바란다. (……) 우리 한국이 근대의 失政으로 인하여 국력이 쇠약해짐을 틈타, 일본은 군국주의를 일으켜 평화를 교란하고 침략을 자행하여 마침내 한국에 손을 대고 한국을 병탄하였다. 일본이 한국을 병탄함으로써 그 시행하는 정치는 가장 악독하며, 동시에 위장 粉飾을 일삼아서 안으로는 압박을 가하여 우리 한인 2천만은 생명이 위태롭게 되었으며, 정신적 물질적 기타

....

*48 신복룡, 『대동단실기』, pp.48-50. 신복룡은 정남용에 대해 승려라기보다는 혁명가의 기질을 타고났으며, 활동적 인물로 평가하였다. 정남용에 대해서는 『대동단실기』에 수록된 「정남용에 대한 경찰 조서」와 경성지방법원의 「대동단경성지법일심판결문」을 참조 바람

*49 신복룡, 『대동단실기』, p.51.

*50 신복룡, 『대동단실기』, pp.50-52. 송세호에 대해서는 『대동단실기』에 수록된 「송세호에 대한 경찰조서」와 「동단사건에 대한 경성지방법원검사국 의견서」 등을 참조 바람.

모든 방면이 전에 비하여 참담하였다. (……) 이에 의하여 열국을 향해 파견된 우리 한국위원의 출석권을 요구하고, 동시에 열국이 일본의 무력정책을 방지하고, 세계의 평화와 한국의 독립 자유를 위하여 노력할 것을 바람.

건국 기원 4254년 9월[51]

인용문은 1921년 11월 11일 미국 워싱턴에서 개최된 군축회의에 제출된 「한국인민치태평양회의서」의 중요 내용이다. 태평양회의는 군축 문제와 극동 문제를 주된 의제로 한국인의 관심을 끌었던 것이다. 임시정부는 중국의 산동 문제를 다루면서 한국 문제도 포함해 줄 것을 요구하는 외교를 펼쳤다. 즉 "列國이 일본의 무력정책을 방지하고, 세계의 평화와 한국의 독립 자유를 위하여 노력해 줄 것"을 희망하는 회의서를 보낸 것이다. 이 「한국인민치태평양회의서」에는 이상재李商在, 양기탁梁起鐸과 같은 국민대표를 위시하여 국내의 민족·종교·교육·경제단체, 그리고 각 군의 대표 등 109명의 서명과 명단이 수록되어 있는데, 박한영과 홍보룡洪莆龍 역시 불교 대표로 참여하였다. 이승만은 태평양회의에서 한국 문제가 잘 결정되면 모든 문제가 쉽게 풀릴 것이라고 하며 이상재에게 경비 20만 원을 보내 줄 것을 부탁하고 임시정부에게도 모든 역량을 태평양회의에 집중할 것을 지시했다. 1922년 2월 태평양회의는 이승만이나 정부옹호파의 기대와는 달리 아무런 성과 없이 끝나고 말았다. 그러나 박한영 등 불교계의 국권회복에 대한 관심은 지대하여 조선불교회이능화, 김태흡, 불

....
[51] 《독립신문》 대한민국 3년(1921) 11월 19일자, 1면 : 독립운동사편찬위원회 편, 『독립운동사자료집』 9 임시정부자료집(독립유공자사업기금운용위원회, 1975), pp.664-665.

교진흥회김홍조, 신미균, **불교청년회**김상호, 도진호와 같은 단체가 적극적으로 참여하기도 하였다.

이밖에 박한영은 민족문화 창달과 국학 발전에도 기여하였다. 1929년에는 한글 통일을 위해 조선어사전편찬위원회가 창립되어 조선어 사전을 만드는 작업을 착수했는데, 당시 발기인이었으며[52] 진단학회 찬조회원의 소임도 맡고 있었다. 진단학회는 1934년 5월 7일 한국과 그 인근지역의 역사와 문화를 연구할 목적으로 설립된 학술단체다. 당시는 조선의 역사와 문화가 후진적이고 낙후되었다는 타율성론과 정체성론을 대전제로 하는 식민주의 사관에 입각한 일본인들의 역사 연구가 대세를 이루었다. 이러한 상황에서 1910년대 말부터 전문적 역사교육을 받고 1920년대 후반부터 연구와 저술활동을 시작한 국학 연구자들은 일본인들의 시각과 서술방법에서 크게 벗어나지는 못했으나, 한국학자들에 의해 한국어로 이루어지는 한국역사 한국문화 연구가 필요하다는 생각으로 학회를 설립하게 되었다. 박한영은 20인의 찬조회원과 함께 진단학회의 지속과 발전을 위해 힘썼던 것이다. 박한영과도 깊은 관계를 맺고 있었던 최남선, 정인보 등도 역사수호를 위해 우리 상고사부정론을 반대하며, 상고시대 우리 문화의 발전 사실을 내외 문헌자료를 들어 서술하기도 했다.[53]

이상 박한영은 임시정부였던 한성정부 수립, 세계에 한국의 독립을 호소했던 워싱턴회의, 그리고 대동단 사건 등 독립운동사에서 적지 않은 규모와 의미를 담고 있었던 항일운동에 참여하였다. 또한 교

....

[52] 《동아일보》, 1929년 11월 2일자.
[53] 독립운동사편찬위원회 편, 「독립운동사」 제8권 문화투쟁사(1970), pp.964−970.

석전 영호대종사 | 한국불교의 초석을 세우다

육과 포교를 통해 한국 불교의 정체성 확립과 개혁을 실현하고자 했던 만큼 국학 진흥과 같은 문화운동에도 적극적으로 참여했다.

V. 결론

영호 박한영은 수행자이자 불교개혁가이며, 우국지사다. 그가 살았던 시기는 혼란하고 암울했다. 법문을 듣고 홀연히 감명 받아 출가했던 만큼 수행에만 전념할 수 있었던 일생이 아니었다. 깨달음과 중생의 평안함을 향한 염원은 불조의 정맥을 지키고 한국불교의 정체성회복을 위한 동분서주로 바뀌었다.

박한영은 쇠퇴한 지 오래된 한국불교가 중흥할 수 있는 길은 불교계의 인재양성과 포교에 있다고 확신했다. 그는 불교가 미래사회에 가장 적합한 종교이며, 이사원융理事圓融의 화엄철학이 문화와 종교, 과학의 다원화를 통합할 수 있을 것이라고 생각했다. 아울러 선교겸수를 강조하여 당시 만연했던 선 우위의 풍토를 비판하기도 했다. 그는 한국불교의 성숙과 발전을 저해하는 것은 자만심과 게으름, 이기심과 인색함, 그리고 정진의 부족함이라고 지적하기도 했다.

이와 같은 박한영의 선교관과 당시 불교계에 대한 비판은 교육과 포교를 중심으로 한 불교개혁으로 이어졌고, 호법과 항일운동으로 전개되었다. 그가 한용운과 함께 진행한 임제종운동은 단순히 매종행위인 조동종맹약을 부정하는 데 그치지 않았다. 일본불교의 침투와 일본불교에 경도되어 가던 한국불교계의 각성과 함께 앞으로의 적극적인 대응을 주문하고 있었다. 그것은 불교청년회와 그 별도 조직인 불교유신회의 활동으로 구체화되었다. 이들 단체는 그가 학장으로 몸담고 있었던 중앙학림의 학생들이 조직한 단체로 박한영이 주도했던 임제종운동을 저항의 정신적 기초이자 이념으로 상정하고 있었다. 불교청년회는 30본산 주지회의 친일화에 저항했고, 불교유신회는 불교계를 분열시키고 황폐화시키는 사찰령 철폐를 위해 활동하였다. 박한영 역시 사찰령을 폐지하라는 건백서를 제출하고, 일본인을 교무원 고문으로 초빙한 사실을 비판하는 논설을 써서 일제의 책동에 기만당하지 말 것을 당부하기도 하였다.

한편 박한영은 국권회복과 나라의 독립을 위한 저항운동에도 참여하였다. 한성임시정부 수립 당시에는 이종욱과 함께 13도 대표이자 불교계 대표로서 국민대회취지서에 서명하였다. 국민대회취지서에는 "최후의 1인까지 최대의 성의와 최선의 노력으로 국가적 독립과 민족적 자유를 세계에 주장하겠다."고 하였다. 한국불교의 정통성과 자주권을 지키고자 했던 박한영의 의식은 독립운동의 기조와 일치한 것이었다. 그가 이종욱과 함께 활동했던 조선민족대동단의 활동 역시 같은 맥락에서 이해할 수 있다. 이 대동단의 활동은 비록 11개의 사회대표자가 만든 단체이기는 하지만, 박한영, 이종욱을 비롯한 송세호와 정남용 등 불교계 인물들의 활약이 두드러졌다. 박한영은 1921년 미국 워싱턴에서 개최되는 세계회의에 한국의 독립과 자주를 희망하는 「한국인민치태평양회의서」에 서명하기도 했다. 국민대표와 각계의 지도자들이 참여한 이 회의서에는 "세계 여러 나라

석전 영호대종사 | 한국불교의 초석을 세우다

가 한국의 독립자유를 위해 노력해 줄 것"을 희망하고 있었다.

　박한영의 국권회복운동은 국학진흥사업에서도 나타났다. 한글통일을 위해 창립한 조선어사전편찬위원회의 발기인으로, 한국의 역사와 문화를 연구할 목적으로 설립된 진단학회의 찬조회원이 되기도 하였다. 결국 자신의 소임을 불교개혁이나 호법운동에만 국한시키지 않고 민족수호운동으로까지 확장시켰다.

석전 영호대종사의 법맥과 제자

Ⅲ. 석전 영호대종사의 재가문인들

본 항은 禪雲寺 編, 『石顚 鼎鎬스님 行狀과 資料集』(高昌: 禪雲寺, 2009)에 수록된 내용을 재정리한 것임.

Ⅰ. 석전 영호대종사의 법맥

1. 금산 화상錦山 和尚

석전 스님의 출가 은사인 금산 스님은, 행장이나 사상을 파악할 수 있는 자료가 부족하여 정확하게는 알 수 없다. 승적부에 나와 있는 자료를 보면, 1886년 2월 15일을 전후해서 강원도 고성 신계사에서 머물렀으며, 계사년인 1893년에 석왕사에서 열반한 것으로 추정된다. 석전 스님이 쓰신 책이나 논문에도 금산 스님에 대해서는 그다지 언급을 하지 않고 있다.

다만 자신의 수행 이력을 술회하는 시 「비 속에 눈발 속에」에 스승인 금산 스님과 함께 금강산을 여행한 내용을 기록하고 있어 주목된다.

비 속에 눈발 속에

경인庚寅년 봄도 저물어,
운문을 찾아가 환응스님 만났네.
한 여름『능엄경』을 읽노라고,
쌍계 언덕을 내려갈 줄을 몰랐네.
8월에 조계를 건넜는데,
세 노인이 한가하게 앉아 있더군.
경운스님이 웃어른으로,
먹 글씨를 한창들 쓰고 있는데.
제봉霽峰과 금봉錦峰스님이 마주 보고 있고,

재민在敏과 찬의贊儀스님이 흰출하더군.

쓴 글발이 번지르르 뛰어나더군.

진응震應스님은 끝자리에……

화산華山도 여기 계셨지.

나의 스승 금산錦山이 금강산으로 가자고 해

봄바람에 천리 길을 따라도 갔었네.

계사년에 나의 스님 돌아가시자,

나도 그만 석왕사를 떠나서

느지막이 신계사로 왔었지.

한 여름을 불경佛經을 배우려,

건봉사와 명주사를 번갈아 들며,

구름다리 강원을 찾았었나니,

눈앞을 가리는 건 대밭뿐.

귀에는 그 경 읽는 소리뿐이었네.[*1]

2. 함명 태선涵溟 台先

함명 스님1824~1902의 법명은 태선台先이고 함명涵溟은 법호이다. 성은 밀양 박씨이며 전남 화순 출신이다. 어머니는 동복 오씨인데, 스님을 잉태할 때 인도 스님을 만나는 꿈을 꾸고 나서 옥동자를 낳았다. 함명 스님은 어릴 적부터 비린 음식을 싫어했고, 성장하면서 스님 되기를 소원하더니, 마침내 열네 살이 되던 해에 장성 백양사로 들어가 풍곡 덕인豊谷 德仁 선사의 문하로 출가하여 스님이 되었다.

함명 스님은 뒷날 도암道庵 선사의 계단에서 구족계를 받고 침명枕

....

*1 이 시는 석전 스님이 입산하여 처음 공부할 때의 일들을 기억해 쓰신 것이다.

석전 영호대종사 | 한국불교의 초석을 세우다

溪 강백의 강좌에서 선참을 받았다. 또 은사인 풍곡 법사의 법당에서 향불을 지피고 법인을 전수받았다. 함명 스님의 강의규칙은 엄격하고 명백하였으며, 학인들을 지도한 지 30년에 이르자 함명 스님의 명성이 제방으로 알려져 사방팔방에서 뭇 스님들이 모여와 한마음이 되어 공부하였다. 이는 아마도 선대의 고승인 백암栢庵과 무용無用의 유풍인 것 같기도 하고, 설암雪岩과 상월霜月의 영향인 것 같기도 하다.

함명 스님으로부터 법인을 전수받은 제자는 경붕 익운景鵬 益運이며, 경붕은 또 법인을 경운 원기擎雲 元奇에게 전하고 대한제국 광무 6년1902에 입적하니 향년 79세였다.

3. 환응 탄영幻應 坦泳

환응 스님1847~1929은 한말의 율사로, 호는 환응幻應이며 법명은 탄영坦泳이다. 속성은 김씨로 전북 무장에서 태어나 14세에 선운사로 출가하여 성일性鎰 스님을 은사로 득도하였다. 19세에는 율사 서관瑞寬 스님에게 구족계를 받았다. 그 후로 8년간 전국의 고승들을 찾아 교학과 선학을 닦았고, 특히 계율을 엄격히 실행하여 율사로서 명망이 매우 높았다. 서관 스님에게 입실하고 법을 이은 뒤, 백암산 운문암에서 강단을 열어 화엄대교를 선양하여 학인들을 지도하였다. 이곳에서 10여 년 동안 교학을 전수하다가 노령이 되자, 운문암 옆에 따로 별당을 조성하여 '우은난야遇隱蘭若'라고 이름 짓고 이곳에서 주로 참선 정진하였다.

시문조차 수행에 방해가 된다고 하여 짓지 않았을 정도로 율행에 청정하였으며, 관세음보살과 영산 16아라한에게 조석으로 분향 · 공양하기를 만년에까지 게을리 하지 않았다. 1912년 일제의 사찰령으로 전국의 사찰이 31본산체제로 개편된 뒤, 대중들의 간청으로 백양사 주지를 맡아 3년간 승풍과 기강을 바로잡았다. 1917년 선운사로 와서 율전을 강의하였고, 1928년에는 조선불교중앙종회에서 교정으로 추대되었다. 4월 7일에 목욕재계하고 조용히 선운사에서 입적하셨는데 사리 수백 과가 나오고 방광放光을 사흘이나 하였다. 이때 세수는 83세요, 법랍 70세였다. 법맥은 상언尙彥 → 긍선亘璿 → 도봉 국찬道峰 國燦 → 정관 쾌일正觀 快逸 → 경담 서관鏡潭 瑞寬 → 환응 탄영幻應 坦泳으로 이어지며, 대표적인 제자로는 호명 가성浩溟 佳成 등이 있다.

4. 경운 원기擎雲 元奇

경운 스님은 1852년 1월 3일 경남 웅천에서 태어났다. 속성은 김씨. 석옹石翁이라는 호를 사용하기도 했다. 17세에 구례 연곡사에서 환월幻月 스님을 은사로 출가했다. 사미계는 해룡海龍 스님에게, 비구계는 화산華山 스님에게 받았다. 순천 선암사 대승강당에서 경붕景鵬 스님에게 교학을 배웠으며 30세 되던 해에 강석을 승계했다. 그 후 후학 양성에 전력을 다해 근세 대강백으로 명성을 떨쳤다. 스님의 강의를 듣기 위해 전국 각지에서 학승들이 선암사 대승암으로 모여 들었다.

경운 스님은 순천에 포교당을 건립한 데 이어, 1910년에는 경성에 중앙포교당이 설립되자 교화사업에 뛰어들었다. 세속으로 들어가 중생들을 제도하는 입전수수의 삶을 몸소 보였던 것이다. 1911년 1월 15일 만해·석전 스님 등이 일제에 맞서 조선불교임제종을 만들 때, 임시관장으로 추대될 만큼 존경을 받았다. 또 1917년에는 조선

석전 영호대종사 | 한국불교의 초석을 세우다

불교선교양종교무원 창립 당시 교정으로 추대되기도 했다. 평생 후학을 기르는 데 헌신하던 경운 스님은, 1936년 11월 11일 오전 11시 순천 선암사 대승암에서 원적에 들었다. 세수 85세이고 법랍 68세였다.

경운 스님은 제자인 석전 스님을 평생의 도반이나 지기처럼 대해 주셨다. 경운 스님과 석전 스님이 주고받은 편지와 시를 보면 스승을 존경하는 제자의 마음, 제자를 아끼는 스승의 마음을 잘 알 수 있다. 회갑을 맞은 스승을 위해 지어 보낸 석전 스님의 시를 보면 다음과 같다.

경운 큰스님 회갑을 맞아

조계산 제일가람,
하늘 꽃 고운 비에 문이 아직 닫혔구나.
가는 바람 밭두렁에 향기 더욱 불어나고
남은 눈 뜰 가운데 대순이 솟는구나.

날카로운 말씀은 누구보다 뛰어나고
거룩한 스님 사이 부처님 비슷하네.
후생들 가르침에 믿을 곳 없어
영산의 마지막 말 다시 두드리다니.

그리고 후일 회갑을 맞은 제자 석전 스님을 위해, 스승인 경운 스님 역시 한 편의 송을 지어 보냈다경오년, 1930년 8월 19일. 한문으로 된 편지인데 『근세고승명인서한집』에 실린 한글 풀이는 다음과 같다.

영호 스님의 환갑에 한 편에 송을 지어 보내다
京城開運寺講師映湖公壽鸌

옛날 남순에선 나를 따라 다니더니	昔在南巡從我遊
소요함에 한결같이 놓인 배와 같아라.	逍遙一似不維舟
용 서린 바리대엔 항상 짐 가득하고	龍盛鉢底擔常重
호랑이 새긴 지팡이엔 명성이 드러났네.	虎釋筇頭名益浮
그윽한 향기 찾아보면 반드시 이유가 있고	香潔睿源應有泒
텅 빈 지혜 넓은 기량 짝할 이 없네.	虛靈材器更無儔
세월은 빨라 마치 북치는 듯 하는데	光陰迅若投梭裏
촌음을 아껴 경을 본지 벌써 40년이 흘렀어라.	惜寸看經四十秋

불기 2957(1930)년 경오 8月 19日
전남 순천군 조계산 선암사
79세 김경운

이 외에 경운 스님의 편지를 받고 대답한 석전 스님의 시 한 편을
더 살펴보자.

따듯한 햇발에 매화 피고 기러기 날제
편지는 옷깃 여며 두 손으로 받았습니다.
글씨는 진정 강가에 뿌려진 구슬과 같고
시구는 향기로워 골짜기에 사무치고 남습니다.

아슬한 묘한 솜씨 구름을 어루만지신 듯해서,
저와 같은 막돌로는 다잡기가 어렵습니다.
제자는 거나하게 마시며 옛처럼 지내오니

뭣하시면 산문을 나아갔으면 합니다.

5. 설유 처명雪乳 處明

설유 스님1858~1903은 호가 설유雪乳이며 법명은 처명處明이다. 성은 배씨로 충남 공주에서 태어났다. 1872년 15세에 부모님을 여의고 관북 안변 석왕사의 도운道雲 스님에게 출가하였다. 출가한 이듬해 도운 스님을 따라 호남으로 내려가 영구산 구암사 설두雪竇 스님의 문하에서 불법을 닦았다. 설두 스님이 입적한 뒤 강석을 이어받아 20여 년간 수백 명의 후학을 지도하였으며, 1895년 강석을 석전 스님에게 물려주고 은거하였다. 1903년에 세수 46세, 법랍 32세로 입적하였다.

시문에도 조예가 깊어, 당시의 명사인 황매천黃梅泉 · 정운남鄭雲藍 등과 깊이 교유하였으며, 저술로는 『설하집雪下集』이 있으나 간행되지는 않았다. 석전 스님은 「영구산설유당 처명대사행략」에서 설유 처명 스님에 대하여 자세하게 밝히고 있다.[*2]

6. 진하 축원震河 竺源

진하 스님은 법명이 축원竺源이고 진하震河는 법호이다. 1861년 1월 19일 강원도 고성군 수동면 수잠리에서 태어났다. 1872년 12살의 나이에 금강산 신계사로 출가해, 석주 상운石舟 常運 선사에게 사미계를 수지했다. 이후 1884년 금강산 신계사에서 벽암 서호蘗庵 西灝 스님에게 구족계를 받았다. 용호 해주龍湖 海珠 스님의 선등禪燈을 잇고, 대응

····················
[*2] 「조선불교총보」15호.

탄종大應 坦鐘 스님의 법을 계승하였다.

1873년부터 1884년까지 간경과 참선수행을 겸비한 정진에 몰두했다. 1886년 금강산 신계사 보운암에서 강講을 설한 후 17년간 후학을 제접했다. 1911년 대선사법계를 받았으며, 1911년과 1914년에 법주사 주지로 선출되었다. 스님은 1925년 8월 6일 제주도 포교당인 아라교당에서 입적하셨는데, 세수는 65세이며, 법랍은 54세였다.

스님 문하에서 공부한 제자로는, 석전 스님을 비롯하여 만해卍海 · 진응震應 · 청호晴湖 · 석상石霜 스님 등이 있다. 저서로는 선에 대한 당신의 견해를 담은 『선문재정록禪門再正錄』이 있다.

Ⅱ. 석전 영호대종사의 전등제자

석전 스님의 상좌와 가르침을 받은 제자들은 매우 많다. 이는 스님께서 한국불교에서 한 획을 긋는 교학의 대종장이시기 때문에 당연한 결과이다. 그러나 이들을 모두 수록할 수는 없으므로 업적이 뛰어난 대표적인 분들만을, 전등제자라는 이름으로 정리하였다.

1. 운기 성원雲起 性元

운기 스님1898~1982의 법명은 성원性元이며, 아호는 운기雲起이다. 속성은 배씨이며 이름은 화수華洙로 전북 고창 출신이다. 1915년 선운사의 경암昮庵 선사에게서 득도하였으며, 1924년에 서울중앙고등보통

석전 영호대종사 | 한국불교의 초석을 세우다

학교를 졸업하고 개운사 대원암의 석전 스님 문하에서 공부하였다. 1936년 장성 백양사 강원의 강주가 되었으며, 같은 해에 백양사에서 석전 스님을 법사로 대덕법계를 받았다. 1934년부터 선운사 주지로 취임하여, 1937년에 화엄종주인 설파雪坡 · 백파白坡 · 설유雪乳 · 영호映湖 큰스님들의 교지를 계승하는 전강강백이 되었다.

1970년부터 동국역경원의 역경위원으로서 불경 번역에 주력하였으며, 1975년부터 1982년까지 해남 대흥사와 경주 불국사 강원에서 강주를 맡아 후학 양성에 전념하였다. 1982년에 세수 84세, 법랍 68세로 입적하였다.

운기 성원 스님의 제자들

기산基山 · 정산定山 · 재정在正 · 혜산慧山 · 계진戒眞 · 재진在進 · 대오大悟 · 대우大愚 · 대각大覺 · 계원戒元 · 법철法哲 · 범여梵如 · 운산 재선 · 남주 혜남 · 연호 응각 · 호운 도정 · 철웅 · 보윤 도일

---

2. 석농 명식石濃 明湜

석농 명식 스님1901~1968은 1901년 전북 고창군 아산면 죽림리에서 출생하였다. 속명은 김상수로 1915년 순창 구암사로 출가했으며 1916년 전북 위봉사에서 석전 스님을 은사로 득도하였다. 1920년 서울 개운사 강원에서 대교과를 수료하였으며, 이후 일본으로 건너가 1926년 일본 구택대학 영문학부를 수료하였다.

1948년 금산중학교 교장에 취임하고, 1955년에는 선운사 주지 소임을 맡았다. 1959년에는 선운사 도솔암의 강사를 지냈으며, 1968년

전주 위봉사에서 세수 68세로 열반하셨다. 석전 스님은 석농이 일본에 유학을 갈 때, 「명식 사미를 일본에 보내며」라는 전별시를 지었다.

> 윤 가을에 떠나가는 그대 위하여
> 이슬방울 새초롬히 무더위 식혀 주나.
> 숲 사이에 서슴없이 도시락 먹고
> 바릿대 걸머지고 바다를 건너가니.
> 가슴 속에 응어리 말 한없이 쌓여
> 눈물이 피어난 꽃 홍루에 와 닿는다.
> 앵주 가거들랑 먼 구름 바라 밖에
> 무궁화 피는 옛 조국을 잊지 말아다오!

석농 명식 스님의 제자들
경산 · 상묵

---

3. 운성 승희雲惺 昇熙

운성 스님1908~1995은 속명이 이수동으로, 운성雲惺은 법호이다. 강화도 강화읍 출생으로, 아버지가 부처님께 기도하여 태어났다고 한다. 11살까지 서당을 다닌 뒤, 4년제 신교육기관인 합일학교현 초등학교에 입학하여 14살인 1921년에 졸업하였다.

아버지의 권유로 보문사에서 2년간 동학들과 함께 한학을 공부하였다. 서울에 고학생을 지원하는 단체가 있다는 말을 듣고 그 단체인 '칼로페'와 인연을 맺고, 1924년에 칼로페 회장의 소개로 서울 개운사에 들어가게 되었다. 당시 대운암 강원의 학인이었던 청담靑潭 스님의 눈에 띄어 대원강원에 들어가게 되었는데, 스님들의 추천으로 대원강단 조실인 석전 스님을 만나게 되었다. 이를 인연으로 19세인 1926년 출가하여 석전 스님 문하에서 2년간 불법을 배웠다. 당시 강원의 학인들, 보성전문학교 학생들과 함께 독서회를 조직하여 학문적인 토론과 민족자존을 위한 활발한 교류가 있었으나, 불순단체로 몰려 일본경찰에 끌려가 심한 고문을 당하기도 하였다. 이후 여러 강원에서 강사를 거쳐 1982년부터 법주사 승가학원의 교수로 재직하였다. 1995년 열반에 들었다.

> 운산 재선 스님의 제자들
>
> 운산 재선雲山 在禪 · 재수 · 재범 · 재법 · 대오

4. 석문 윤명石門 允明

스님1913~1983의 법호는 석문石門이고 아호는 남곡南谷이며, 법명은 윤명允明이다. 속성은 김해 김씨이고 속명은 남현南鉉이다. 1931년에 장성 백양사에서 석전 스님을 은사로 만암曼庵 스님을 계사로 득도하였다. 1934년에는 만암 스님으로부터 구족계를 받았다. 이듬해 백양사 강원에서 대교과를 졸업하고 백양사 선원에서 불법을 닦다가 광복과 함께 선운사 주지로 임명되었다. 특히 불교정화운동이 격렬했던 1963년에는 두 진영을 화합시키는 데 주력하였다. 대한불교조계종 총무원의 재무부장 · 교무부장 · 동국학원 이사 · 조계사 주지 등을 역임하면서 불교계의 발전에 기여하였다. 1966년 제24교구 본사로 승격된 선운사의 초대 주지직을 다시 맡아, 사천왕문과 산내 도솔암 대웅전 등을 창건하였다. 1983년에 조용히 앉아서 열반하니 세수

73세, 법랍 54세였다.

5. 청우 경운廳雨 景雲

스님1912~1971의 법명은 경운, 법호는 청우이다. 속성은 양씨로 평안남도 성천에서 출생하였다. 동명학교를 졸업하고 1923년 순창 영구산 구암사에서 석전 스님 문하로 출가를 하였다. 1934년에 서울 안암동의 대원암에서 대교를 마침과 동시에, 석전 스님의 법을 이어 당호를 청우로 받았다. 그 외에 건봉사 법우경원 등을 이수하였으며, 안국사·건봉사·조계사·대흥사·법왕사 등의 주지와 대한불교조계종 총무원 총무부장·종회의원 기획위원을 역임하였다.

주지시절에는 건봉사 토지 확보 및 사우 이전, 대흥사의 도제 양성을 위한 서산보은회 설립 등에 힘썼다. 1971년 대흥사에서 속납 60세, 법랍 49세로 입적하였다.

석전 영호대종사 | 한국불교의 초석을 세우다

청우 경운 스님의 제자들				
동성東星	혜운惠雲	산其山	재덕在德	법정法政
재원在圓	재성在性	도월道月	도홍道弘	도훈道薰
도열道悅	정원正元	재건在乾	정봉正奉	길남吉南
도수道守	도윤道輪	철한哲漢	법진法眞	재상在祥
정각正覺	상호相浩	정용正龍		

6. 운허 용하耘虛 龍夏

운허 용하1892~1980 스님은 전주 이씨로, 속명은 학수였다가 시설로 개명하였다. 법호는 운허耘虛이고, 용하龍夏는 법명이다. 평안북도 정주 출신으로, 1905년까지 한학을 공부하다가 1910년 평양 대성학교에 입학하여 공부하였다. 1912년 만주로 건너가서 봉천에 있는 한인 교포교육기관인 동착학교에서 학생들을 가르쳤으며, 1920년까지 봉천에 거주하면서 홍유자흥동학교 배달학교를 설립하고 독립군정기관지 ≪한족신보≫의 간행 및 광한단 조직 등을 통해 독립운동에 전념하였다. 1921년 귀국하여 강원도 봉일사에 은신한 것을 계기로 불교와 인연을 맺어 이듬해에 유점사에서 경송慶松 스님을 은사로 출가하고, 이후 유점사 강원과 범어사 강원에서 사교과를 마쳤다.

1926년 청담靑潭 스님과 함께 전국불교학인대회를 조직하였으며, 1928년 개운사 강원의 강백에 있던 석전 스님으로부터 대교과를 배우면서 삼현三玄과 십지十地를 논하였다. 1929년 다시 만주 봉천으로 건너가 보성학교장에 취임하고 조선혁명당에 가입하여 조국의 광복을 위해 활동하였다. 1936년에는 양주군 봉선사에 강원을 설립하여 후진양성에 힘썼으며, 1945년 조계종 경기도 교무원장 · 양주군 광동 중학교 교장 등을 역임하였다.

이후 동학사 · 통도사 · 연화사 · 해인사 등에서 강사 및 포교사로 활동하다가, 1959년에 봉선사 주지에 취임했다. 이에 앞서 1953년에 는 애국동지원호회에서 주관한『한국독립운동사』의 편찬에 참여하 였고, 1957년부터는 불경을 번역하기 시작하여 평생의 사업으로 삼 았다. 1961년에 최초로『불교사전』을 편찬하고, 1964년에 동국역경 원을 설립하여 초대원장에 취임하여 대장경의 국역사업에 힘썼다. 1980년에 세수 89세, 법랍 59세로 입적하였다.

1962년 평생을 불경번역에 힘쓴 공로를 인정받아 문화훈장을 추 서 받았고, 또 1963년에는 독립운동에 이바지한 공로로 대통령표창 을 받았다. 그리고 1978년에는 동국대학교에서 명예철학박사 학위를 수여받았다.

저서와 역서로는『불교사전』·『불교의 자비』·『불교의 깨묵』·『한 글금강경』·『자비수참』·『자비도량참법』·『수능엄경주해』·『보현행 원품』·『대교지문』 등이 있다.

운허 용하 스님의 제자들

법공 제학 · 월운 해룡 · 가산 지관 · 운조 홍법 · 세주 묘엄

---

7. 청담 순호青潭 淳浩

청담 스님1902~1971의 법명은 순호淳浩로 경남 진주에서 태어났다. 한 학을 공부하다가 17세가 되어 진주제일보통학교에 입학하였고, 20세

에 진주고등농림학교에 진학하면서 결혼했다. 고등농림시절에 불교와 인연을 맺게 되어, 25세에 일본으로 건너가 불법을 배운 뒤 이듬해에 귀국하여 고성 옥천사에서 출가하였다.

1930년에 서울 개운사 강원에서 석전 스님에게 대교과를 수학하였다. 1934년에는 만공 스님으로부터 견성했다는 인가를 받았으나, 자신의 부족함을 탓하며 충남 정혜사 선원에서 수거 안거한 이후 20여 년간 전국 선원에서 참선에만 몰두하였다. 1954년에는 서울 선학원에서 전국비구승대회를 주도하며 불교정화운동을 전개하여, 400여 명의 승려들과 단식투쟁을 벌이는 등 한국불교의 정통을 바로 세우기 위해 맹렬히 활동하였다. 이듬해에 대한불교조계종 초대 총무원장에 취임하였으며, 이후 조계종 중앙종회 의장 · 해인사 및 도선사 주지 · 동국학원 이사장 등을 거쳐 1966년 대한불교조계종 통합종단 제2대 종정에 취임하였다. 또 1970년 조계종 총무원장에 재임하고 세계불교연합장로원장을 역임하였다. 1971년 11월에 세수 69세, 법랍 46세로 입적하였다. 저서로는 『신도수경信徒手鏡』·『잃어버린 나를 찾아』·『반야심경강설般若心經講說』·『신심명강의信心銘講義』·『나의 인생관』·『현대의 위기와 불교』 등이 있다.

청담 순호 스님의 제자들

정천正天 · 혜명慧明 · 혜정慧淨 · 혜성慧惺 · 현성玄惺 ·
법화法華 · 혜운慧雲 · 혜자慧慈 · 동광東光 · 보인寶忍 ·
광복光福 · 정혜定慧 · 혜덕慧德
사법상좌 : 원명圓明 · 도우道雨 · 상오尙悟 · 일암一庵 ·
혜광慧光 · 설산雪山 · 묘엄妙嚴 · 도현道賢

---

8. 철운 종현鐵雲 宗玄

철운 스님1906~1989의 호는 철운이며, 성은 조씨이다. 전남 고흥에서 태어났으며, 순천 선암사에서 경운의 문하인 보광에게 출가하였다. 1927년 항일독립운동을 위해 조선불교청년동맹과 조선불교학인대회 총연맹에 가담하여 독립운동을 벌였다. 1927년 시인으로 문단에 데뷔했다. 1929년 개운사에서 대교과를 마치고, 일본에 유학을 하여 고마자와 대학에서 불교학을 공부했다. 1939년부터 공주 마곡사·대구 동화사·선암사 등의 강주를 11년 동안 역임했다. 또한 전남 벌교상업고등학교와 광주 제일고등학교, 서울 보성고등학교에서 교편을 잡기도 했다.

1984년에는 노산문학상을 받았으며, 1989년 3월에는 관음종 종정에 취임하여 관음종의 발전에 힘썼다. 1989년 8월 31일 세수 84세, 법랍 60년으로 입적했다. 저서로는『법화경 강설 요지』·『선문염송 강의』와 시집으로『나그네길』등이 있다.

III. 석전 영호대종사의 재가문인들

석전 스님과 교류를 하였던 문인들은『석전시초』에 기록되어 있는 이름과, 석전 스님이 지으신 글 및 석전 스님을 시봉하였던 운성 스님이 증언한 자료를 토대로 중요인물들을 선정하였다.

운성 스님의 증언에 의하면 "당시 재주 있기로 소문난 정인보·

최남선·이광수 씨 등은 1주일에도 몇 번을 찾아 올 때도 있었고, 그 외에도 기억에 많이 나는 사람이 안재홍·홍명희·홍종인·안오성·모윤숙·고희동·조각가 김복진·관재 이동영·김동리·오세창·이당 김은호를 비롯하여 일본인 불교학자 다까하시 등이 있었다."고 하였다. 특히 이당 김은호는 대원암 큰방에 후불탱화를 그려 모시기도 했으며, 석전 스님의 초상화도 그렸다.

1. 청운 강진희靑雲 姜晉熙

청운 강진희1851~1919는 서화가로 본관은 진주이며 호는 청운이다. 1886년 일본공사접응관차를 거쳐 1887년 박정양이 첫 주미 전권공사로 워싱턴에 갈 때 수행원으로 미국에 다녀온 뒤 법부주사를 지냈다.

1905년에는 학부위원을 역임하였으며, 1911년에 설립된 서화미술회書畵美術會의 교수진에 조석진·안중식 등과 참여하여 글씨와 전통화법을 가르쳤다. 1917년에는 민족서화가들의 단체로 서화협회가 창립될 때에는 13명의 발기인 중 한 사람으로 참가했다. 글씨는 전서와 예서에 능했고 그림에서는 매화를 즐겨 그렸으나, 전하는 작품은 그리 많지 않다.

석전 스님과 청운 강진희와의 친분과 교류를 잘 나타내주는 것으로는 『석전시초』에 다음과 같은 시가 있다.

강청운의 소하록에 짓다

남쪽 언덕엔 솔과 계수나무 북쪽 냇가에는 꽃이 한창 피었구나.

누가 그대의 남은 슬기를 가져올까?

중향에서 맺은 싹이 등잔 앞에 감감하고

성근 비 빈 성터에 봄소식이 울리는구나.

붓끝으로 쓰는 말이 늙을수록 더 굳세도

요임금 그때 글을 요즈음은 볼 수 없네.

시냇가 다리 위에 웃고 이야기할 때 고기들도 즐거워하는데,

비야성 유마힐이 병상에 누운 것 말하지 말라.

2. 고환 강위古懽 姜瑋

강위1820~1884는 조선 말기의 한문학자·개화사상가이다. 자는 중무仲
武·요장堯章 등이며, 호는 추금秋琴·고환당·자기 등을 사용하였다.
무반신분의 집안에서 태어나 병兵·형形·전錢·곡穀 등 각 방면의 학
문을 닦았고, 민노행閔魯行·김정희金正喜에게 영향을 받았다.

당대의 대시인으로 전국을 방랑하며 술과 시로 세월을 보내다
가, 판서 정건조에게 초빙되어 삼정의 폐단에 대한 혁신적인 장문
의 시정책을 적어주었다. 후에 연행사를 따라 청나라의 문인들과 교
류하였으며, 뒤에 수신사 김홍집金弘集을 수행하여 일본을 다녀왔다.
1876년고종 20에는 박영선朴永善과 함께 박문국을 설치하고 일본인 이
노우에 가쿠고로를 초빙하여, 한국 최초의 신문인 ≪한성순보≫를
간행하였다.

김택영金澤榮·황현黃玹과 함께 구한말 3대 시인으로 불리며, 특히
비분강개가 서린 격조 높은 율시를 잘 썼다. 이건창李建昌·황현의 시
풍에 영향을 주었고 벼슬은 감역을 지냈다.

저서에 『동문자모분해』·『용학해』·『손무자주평』·『고환당집』 등

이 있다.

3. 춘곡 고희동春谷 高羲東

고희동1886~1965은 우리나라 최초의 서양화가이다. 20세에 조선말 궁중화가였던 심전 안중식의 문하에 들어가 처음 화필을 잡은 그는, 1909년 일본 도쿄예술학교 양화과로 유학을 떠난 뒤 6년 만에 귀국했다. 당시 ≪매일신보≫는 고희동을 '서양화가의 효시'로 소개했다.

1918년 서화협회를 창립하고, 광복 후에는 대한미술협회장 등을 역임하며 한국미술발전에 공헌했다.

그의 〈아회도〉는 술과 손님을 좋아한 고의동의 성품을 알 수 있는 작품으로, 위창 오세창 · 육당 최남선과 함께 담소를 나누는 모습을 담고 있다.

4. 우당 권동진憂當 權東鎭

권동진1861~1947은 3 · 1운동 민족대표 33인의 한 사람이다. 본관은 안동이며, 호는 애당愛黨 · 우당憂當을 사용하였다. 일본에서 손병희孫秉熙의 영향으로 천도교에 입교했으며, 1919년 3 · 1 운동 때 천도교 측 15인 중의 한 사람으로 참여했다. 이로 인하여 일제 경찰에 체포되어 3년형을 선고받았다. 출옥한 뒤에는 천도교에서 발간하던 잡지 『개벽』의 편집진으로 활동했고, 신간회를 조직하여 부회장으로 활동하면서 항일운동을 전개했다.

해방 후에는 신한민족당 당수와 민주의원 등을 지냈으며, 1947년

87세를 일기로 사망하였다. 이후 1962년에는 건국훈장 대통령장이 추서되었다.

5. 국헌 김승규國憲 金昇圭

김승규는 본관이 안동이며 자가 평여平如이다. 좌의정 김병학金炳學의 양자로 1882년고종 19 경과별시문과에 병과로 급제하여, 1885~1895년에 선교관·이조참의·대사성·좌승지·대사헌·회계원장 등을 역임하였다.

1898년광무 2에는 궁내부특진관·친위제1연대장을, 그리고 1899년 시위 제1연대장이 되었으며, 1902년 일본·영국·벨기에 주차전권공사를 차례로 지냈다. 1904년에는 육군참장과 군부군무국장을 그리고 1905년 군제의정관과 군부협판을 지냈으며, 1907년에는 육군연성학교장이 되었다. 1910년 8월에는 정2품 규장각 제학에까지 올랐다.

6. 성당 김돈희惺堂 金敦熙

김돈희1871~1937는 서예가로 본관은 경주이다. 자는 공숙公叔, 호는 성당, 한말에 법부 주사와 검사를 거쳐 중추원 촉탁을 지냈다. 1919년 서화협회 창립 때 13인의 발기인 중의 한 사람으로 참여하였으며 1921년에는 제4대 회장으로 추대되었다. 제자로 소전 손재형이 있다.

7. 김동리金東里

김동리1913~1995는 김임수의 5남매 중 막내로 태어나, 경주제일교회 부설학교를 졸업하고 대구계성중학교에서 2년간 공부했다.

1933년 서울에서 김달진 · 서정주 등의 시인부락 동인들과 사귀면서 시를 쓰기 시작했다. 같은 해 조선일보 신춘문예에 시 「백로」가 입선되었다. 1935년에는 조선중앙일보 신춘문예에 「화랑의 후예」가 당선되었는데, 이때 받은 상금으로 다솔사 · 해인사 등을 전전하며 쓴 소설 『산화』가 1936년 동아일보 신춘문예에 다시 당선되었다. 또 이해 대표작인 『무녀도』를 중앙일보에 발표하게 된다. 해방 이후인 1947년 경향신문 문화부장을 지냈으며, 한국문학가협회 소설분과위원장 등을 역임했다.

1955년 아세아자유문학상을 1958년에는 대한민국예술원상을 수상했다. 또 1976년에는 3 · 1문화상을 그리고 1968년에는 국민훈장 동백장을 받았다. 그리고 1970년에는 서울특별시문화상을 수여받기도 했다.

8. 김복진金復鎭

김복진1901~1940은 1920년 배재고등보통학교를 졸업하고, 도쿄미술학교 조각과에 입학하여 우리나라 사람으로서는 처음으로 서구식 조각 교육을 받았다. 1925년에 귀국한 뒤 근대조각계에서 거의 독보적인 활동을 했다. 1927년에는 종로청년회관에 미술연구소를, 1936년에는 허백련 · 박광진 · 김은호와 함께 조선미술원을 창설하여 조각과를 맡아 지도했다.

1928년 9월에는 이른바 '경성학교 세포사건'으로 검거되어 6년 동안 옥고를 치렀다. 1933년에 출옥한 뒤, 김제 금산사 미륵대불 등을 조성하고 보은 법주사 미륵대불을 제작하던 중 사망하였다.

9. 모윤숙毛允淑

모윤숙1910~1990은 1931년 이화여자전문학교 문과를 졸업하고, 배화여자고등학교 교사를 거쳐 삼천리 기자 · 경성방송국 기자 등을 지냈다. '시원'의 동인이었던 김광섭 · 김상용 · 오일도 · 노천명 등과 사귀면서 본격적인 창작활동을 시작했다. 해방 후인 1948년 국제연합UN 총회 한국대표로 참가했고, 1949년에는 순수문예지『문예』를 펴내기도 하였다. 이후 1955년에 서울대학교 강사 및 전국문화단체총연합회 최고위원 등을 역임했다.

저서로『빛나는 지역』등의 시집과『회상의 창가에서』등의 수필집 다수가 있다. 1974년에는『모윤숙 전집』이 출판되기도 하였다.

10. 산강 변영만山康 卞榮晚

변영만1889~1954은 법률가이면서 학자이다. 1905년 관립법관양성소에 입학해서 이듬해에 졸업하고 보성전문학교에 들어갔다. 1908년 졸업과 동시에 법관이 되어 광주지방법원 판사로 부임하였다가, 사법권이 일본에 이양되자 법관직을 사직하고 신의주에서 변호사업을 개업하였다.

광복 후 성균관대학의 교수로 후진양성에 힘썼으며, 저서로는
『산강재문초』·『20세기 삼대괴물론』 등이 있다.

석전 스님이 산강에서 다음과 같은 시를 지어 보낸 것이 있다.

산강 변영만 선생께 드리는 게송

문장의 귀신이 되기를 바라지 말고
도솔천 궁궐에 나가길 도모해야지.
빛은 오직 앎의 정수리까지 통하여
끝이 없으니 공 또한 공일세.

은혜든 원한이든 결국 어디에 붙겠는가.
호랑이와 악어도 양처럼 길들여졌지.
오색의 경계에서 수고로움을 잊었으니
하늘 밖에 뜬 달이 시원하구나.

11. 변영로卞榮魯

변영만의 동생인 변영로1897~1961는, 1920년대 감상적이며 병적인 허
무주의에서 벗어나 시를 언어예술로 자각하고 기교에 중점을 두었
다. 1915년 조성중앙기독교청년회학교 영어반을 6개월 만에 수료하
고, 1918년에는 모교인 중앙학교 영어교사가 되었다. 1919년 3·1운
동 때는 독립선언서를 영문으로 번역해 해외에 발송하는 일을 맡았
으며, 1920년 '폐허'의 동인으로 문단활동을 시작했다. 1931년 미국
캘리포니아 주 산호세대학에 입학해 2년 동안 공부했으며, 해방 후
인 1946년에는 성균관대학교 영문학과 교수로 취임하기도 했다.

12. 안재홍安在鴻

안재홍1891~1965은 1910년 한일합병 후 일본으로 건너가, 1911년 와세다대학 정경학부에 입학, 1914년 졸업했다. 1929년 1월 ≪조선일보≫ 부사장을 거쳐 1931년 5월 사장이 되었으며, 해방 후인 1945년 9월 24일에는 국민당을 창당하고 당수가 되었다. 1946년에는 ≪한성일보≫를 창간하여 발행인 겸 사장이 되었고, 1947년에는 미군정의 민정장관을 지냈다. 이후 1950년에는 제2대 총선에서 고향인 평택에서 출마하여 당선되었으나, 한국전쟁 중 납북되었다.

저서로 『조선상고사감』·『신민족주의와 신민주주의』·『한민족의 기본노선』 등이 있다.

13. 위창 오세창葦滄 吳世昌

오세창1864~1953은 3·1운동 민족대표 33인 중의 한 사람으로, 그의 부친은 초기 개화파의 한 사람이었던 역관 오경석吳慶錫이다. 그는 아버지의 영향으로 20세에 역관이 되었으며, 김옥균·윤치호 등 개화파 인사들과 접촉하게 된다. 1902년 6월 개혁당 사건으로 일본에 망명하게 되는데, 이때 손병희孫秉熙의 권유로 천도교에 입교하여 참모의 역할을 하게 된다. 이후 손병희·최린·권동진과 더불어 천도교 대표로 독립선언서에 서명하고, 일제에 체포되어 3년간 옥고를 치렀다.

출옥 후에는 서화에 전념하면서 은둔생활을 하게 되는데, 이때 아버지와 자신이 수집한 역대 서화가의 사적을 토대로 삼국시대부터 근대에 이르기까지 서화가들에 관한 기록을 총 정리하여 『근역서화

석전 영호대종사 | 한국불교의 초석을 세우다

징樺域書畵徵을 찬술하게 된다. 이외에도 그의 『근역인수樺域印藪』・『근역서휘樺域書彙』・『근역화휘樺域畵彙』 등은 모두 서화사 연구에 없어서는 안 될 귀중한 자료들이다. 그의 글씨는 합천 해인사의 〈자통홍제존자사명대사비慈通弘濟尊者四溟大師碑〉의 전서를 비롯하여 전국 여러 곳에 남아 있다. 1962년 건국훈장 대통령장이 추서되었다.

14. 이동녕李東寧

이동녕1869~1940의 자는 봉소鳳所 호는 석오石吾 · 암산巖山 등으로, 대한민국임시정부 국무총리 · 대통령대리 · 주석 · 국무위원장 · 국무위원을 지냈다. 1896년 독립협회에 가담하여 개화민권의 기수로 구국운동을 전개하였다. 일제강점기에 여러 독립운동에 주도적으로 가담했으며, 1921년에는 이승만이 미국에서 돌아와 국무총리로 지명하자 사양하다가, 임시정부에서 국무총리대리를 맡기도 하였다. 1924년 국무총리로 정식 취임하였고 군무총장도 겸임하였다. 1926년 임시정부의 헌법이 대통령중심제에서 국무령제도로 개정되자 국무령이 되었으며, 법무총장도 겸임하였다. 다음해 임시정부의 주석이 되어 약화된 임시정부의 기반을 튼튼하게 확립했다.

1939년에는 임시정부의 네 번째 주석1939~1940이 되어, 김구와 합심, 전시내각을 구성하고 시안에 군사특파단을 파견하였다. 그 뒤 급성폐렴으로 쓰촨성 치장에서 사망하였다. 1962년 건국훈장 대통령장이 추서되었다.

15. 가람 이병기嘉藍 李秉岐

이병기1891~1968는 어린 시절 조부에게 한문을 배웠다. 1906년 김문수와 결혼하고 1910년 전주공립보통학교를 거쳐, 1913년 한성사범학교를 졸업했다. 그 후 전남남양공립보통학교 등에서 교편생활을 하면서 고문헌 수집 및 시조 연구와 창작을 시작했다.

해방 후인 1946년에 미군정청 편수관과 서울대학교 문리대학 교수 재직했다. 1956년 중앙대학교 교수로 있으면서 『국어국문학』에 논문 「별別 사미인곡」·「속續 사미인곡」을 발표하기도 했다. 가람이 쓴 일기를 보면 석전 스님과의 일화가 잘 나타나 있다.

> 1921. 7. 5. (화) : "아침나절 구름 끼었다. 저녁나절 비가 온다. 오늘도 기상예보(氣象豫報)는 틀렸다. 구름만 끼리라던 것이 비가 온다. 불교회로 가서 글씨를 쓰고(붓글씨를 쓰고, 서예를 하고) 한충 군과 바둑을 두고 석전과 이야기를 하고, 불교회에 있는 외투 하나를 얻어 두르고 돌아오다. 밤새도록 비가 쏟아지다.

16. 월남 이상재月南 李商在

이상재1850~1927는 충청남도 서천군당시 한산군의 가난한 선비 집안에서 태어났다. 자는 계호李皓, 아호는 월남月南이다. 젊어서 승지 박정양의 문하생이 되었는데, 1881년 박정양이 신사유람단의 한 사람으로 일본에 갈 때 그의 수행원으로 동행하였다. 이때 홍영식·김옥균·어윤중 등의 개화파 지식인 및 이들의 수행원이었던 유길준·윤치호·고영희들과 사귀게 되었다.

석전 영호대종사 | 한국불교의 초석을 세우다

1896년 서재필·윤치호 등과 독립협회를 조직하고 대중계몽집회인 만민공동회 의장과 사회를 맡아 활동하는 등 독립운동을 위해서 많은 노력을 했다.

17. 위당 정인보爲堂 鄭寅普

정인보1893~1950는 1905년 성계숙과 결혼하고 대한제국 말기의 양명학자인 이건방의 문하에서 경학과 양명학을 공부했다. 1910년 상하이·난징 등지를 왕래하면서 홍명희·신규식·박은식·신채호·김규식 등과 동제사를 조직해 독립운동을 전개했다.

《시대일보》·《동아일보》 논설위원으로 있으면서는 조선총독부의 식민정책을 신랄하게 비판했다. 정인보는 특히 역사학적인 관점이 투철한 인물로, '국학'이라는 말을 처음 사용하고 국학 연구의 기초를 '실학'에서 찾고자 했다.

해방 이후 1947년 국학대학 학장과 1948년 초대 감찰위원장 등을 역임했다. 한국전쟁 중 납북되어 묘향산 근처에서 사망했다. 저서로 『조선사연구』·『담원시조』·『담원국학산고』·『담원록』· 등이 있고, 1983년 연세대학교출판부에서 『담원정인보전집』6권이 간행된 바 있다. 위당 정인보는 일찍이 석전 스님을 가리켜 "시문에는 깊은 사상이 깃들어 있고, 참선하실 땐 바로 부처님의 모습이시다. 또한 한 번 섭렵하신 바는 하나도 열거치 못하는 바가 없으니, 놀라울 뿐이다" 라고 칭송하였다. 석전 스님 역시 정인보와 관련된 다음과 같은 시를 남기고 있다.

조약돌 매만지며 시를 짓다

영 · 호남에 많은 벗이 있기는 해도
먼 길을 어떻게 갈 수야 없지.
늦게 사귄 정위당은
진실스런 얘기가 많기도 하고.
세상을 등진 채 고문(古文)에 능해
눈 속의 송죽보다 기개(氣介) 드높다.

18. 육당 최남선六堂 崔南善

최남선1890~1957은 서울 출생으로, 호는 육당六堂 · 대몽최大夢崔 · 공육公六 · 일람각주인一覽閣主人 · 한샘 등이다. 1906년 일본의 와세다대학 고등사범부 지리역사과에 입학하여 수학하였으나, 1907년 모의국회 사건으로 학업을 중단하게 되었다. 1908년 귀국하여 신문관을 세우고 종합월간지『소년』을 창간하면서 신문화운동에 앞장섰다. 또 1914년에는 종합월간지『청춘』을 창간하는 등 신문화 초기에 중추적 역할을 담당하기도 했다.

1919년 3 · 1운동 당시 독립선언서의 기초책임자로 체포되어 복역하다가, 이듬해에 출옥하기도 하였다. 그러나 1927년 총독부 조선사 편수위원회의 촉탁으로 위촉되면서 변절의 길을 걷기 시작하였다. 해방 후 반민특위에 의해 반민족행위자로 기소되어 수감되었다가 병보석으로 출감했고, 1957년 10월 10일에 사망하였다.

최남선은 석전 스님과 교유하면서 우리의 역사와 문화에 대해서 많은 정보와 가르침을 얻었다. 육당의 저서인『조선상식문답』이나『천

자고사』를 보면, 석전의 영향이 적지 않다는 것을 알 수 있다. 그리고
『백두산근참기』·『금강예찬』·『풍악유기』·『심춘순례』 등 육당의 거의
모든 여행기 또한 석전 스님의 자문과 인도에 따른 결과물이다.

아래의 시는 고희를 맞은 석전 스님께서 최남선에게 들려주신 것
이다.

늙음을 허무하다는 것은

늙음을 허무하다는 것은,
죽음도 삶도 깊이 모르는 입에서 나오는 법.
한지에 먹물이 번지듯이,
햇살에 창이 스며들 듯이,
죽음은 삶에 스며드는 것.
밝게 스며드는 죽음을 알게 되면,
늙는 것도 더 이상 두려운 게 아니네.
죽음을 알고 나면 지혜롭게 사는 일만
오롯이 남아서 오히려 조용하고,
태평스러운 시간을 보낼 수 있나니.

19. 벽초 홍명희碧初 洪命憙

홍명희1888~1968의 호는 가인假人·가인叮人·벽초碧初로 1888년 충북
괴산에서 출생하였다. 서울의 중교의숙을 거쳐 동경에 유학하여 타
이세이중학을 졸업했다.

3·1운동 당시 괴산에서 만세시위를 주도하여 옥고를 치른 후,
1925년 《시대일보》 사장, 1926년에는 오산학교 교장 등을 역임했

다. 1928년부터 1940년까지 《조선일보》와 『조광』에 대하장편역사소설 『임꺽정』을 연재하여 작가로서 확고한 명성을 얻었다. 해방 후인 1948년 남북조선 제정당사회단체대표자 연석회의 참가차 평양에 갔다가 북한에 남았다. 이후 북한에서 내각 부수상과 과학원 원장 및 최고인민회의 상임위원회 부위원장 등을 지냈다가 1968년 사망했다.

20. 무능거사 이능화無能居士 李能和

이능화1869~1945의 자는 자현子賢이며, 호는 간정侃亭 · 상현尙玄 · 무무無無 · 무능거사無能居士 등을 사용하였다. 어려서 한학을 배웠으며, 1887년고종 24 영어학당에 입학하여 2년간 수학했다. 그리고 1892년 한어漢語, 중국어학교에서 2년간 수학했으며, 1895년에는 프랑스어를 공부하기 위해 관립 법어法語, 프랑스어학교에 입학했다. 이후 관립 한성외국어학교 교관으로 취임하여 영어 · 중국어 · 프랑스어를 가르쳤다. 1905년에는 사립 일어야학사에 입학하여 일어를 공부했으며, 1906년 관립 한성법어학교 교장으로 취임했다.

1915년 각황사에서 불교진흥회를 발족시키고 간사를 활동하면서, 『불교진흥회월보』 · 『불교계』 · 『조선불교총보』 등의 편집인으로 일했다. 1922년 조선총독부가 조선사편찬위원회를 조직하자 그 위원이 되어 15년 동안 근무했다. 이 가운데 민족문화운동에 몰두하여 대부분의 저서들을 이때 저술했다. 저서로는 『조선불교통사』 · 『조선도교사』 · 『조선신교원류고朝鮮新敎源流考』 · 『백교회통百敎會通』 · 『조선무속고朝鮮巫俗考』 등이 있다. 2010년 동국대학교출판부에서 『조선불교통사』가 전8권으로 출간되었다.

석전 영호대종사 | 한국불교의 초석을 세우다

21. 이당 김은호以堂 金殷鎬

김은호1892~1979는 채색화의 대가로, 1912년 서화미술회 강습소에 입학하여 조석진 · 안중식 등의 지도 아래 전통적인 그림 공부를 했다. 이후 1925년 이용문의 후원으로 일본에 유학하여 유키 소메이[結城素明]의 문하생이 되었으며, 도쿄미술학교 수업도 청강했다. 일본에 머문 3년 동안에 성덕태자 봉찬미술전 등에 입선했다.

전통회화분야에 제자들이 많은데, 김기창 · 장우성 · 조중현 · 백윤문 · 이유태 등이 그들로, 해방 후에도 김은호의 영향력은 막강했다. 해방 후에는 역사인물의 초상화 제작에 나서, 신사임당 · 이순신 · 논개 등의 공인 영정을 제작했다. 김은호는 석전 스님이 대원암에 계실 때 자주 찾아와서 배움을 청하였으며, 석전 스님의 진영과 대원암의 탱화를 그리기도 했다. 이 석전 스님의 진영은 구암사로 옮겨졌는데, 한국전쟁 때 소실되었다.

22. 일붕 서경보—鵬 徐京保

서경보1914~1996 스님의 법명은 일붕—鵬으로, 1950년 동국대학교 불교학과를 거쳐 1969년 미국 템플대학교에서 비교종교학으로 철학박사학위를 받았다. 1971년 말레이시아 불교 종단으로부터 명예대승정, 1973년 타이베이원화대학에서 명예문학박사, 1977년 충남대학교에서 명예철학박사, 1980년 미국 히드대학에서 명예종교학박사 학위 등 67개의 명예박사 학위를 수여받았다.

동국대학교 교수와 불교대학장, 그리고 불국사 주지와 한중불교학술연구회장 등을 역임했다. 1980년 국민훈장 동백장을 수상하는 등 많은 수상이 있다.

저서로는 『불교입문강화』·『불교사상』 등 다수가 있으며, 『부처님의 위대한 열반』 등의 번역서가 있다.

23. 춘원 이광수春園 李光洙

이광수1892~1950는 5세에 한글과 천자문을 깨치고 8세에 동네 서당에서 한학을 배웠다.

1903년에는 동학에 입도해 1905년 천도교와 관련된 일진회의 유학생으로 일본에 건너갔다. 1910년 메이지학원 중학교를 졸업한 뒤 귀국해서, 이승훈의 추천으로 오산학교 교원이 되었다. 이후 최남선이 주관하는 『소년』에 단편을 발표하면서 문필가로서의 활동을 시작했다.

1915년 김성수의 도움으로 일본에 건너가 와세다대학 예과에 편입한 후 철학과에서 수학하며 재학 중 《매일신보》에 『무정』을 연재했다. 이후 일본에서 〈2·8 독립선언서〉를 기초하고 상하이로 탈출, 대한민국임시정부 기관지인 독립신문의 주간으로 활동했다.

그러나 1939년 조선문인협회 회장으로 선출되고 '복지황군위문'에 협력하는 친일행위를 하여 1949년 반민특위법으로 수감되었다. 병으로 석방되었으나, 한국전쟁 당시 납북되어 북한에서 병사했다.

석전 영호대종사 | 한국불교의 초석을 세우다

24. 신석정辛夕汀

신석정1907~1974은 한학과 초등학교를 마치고 독학으로 문학을 공부했다. 1930년 한 친척의 소개로 개운사 대원암의 중앙불교전문강원 석전 스님에게서, 불경을 공부하고 노장철학을 배웠다. 이때 30여 명의 승려들과 함께《원선圓線》이라는 문학회람지를 만들었다. 또한 이 시기에 정지용 · 한용운 · 김영랑 · 박용철 등과 교분을 나눴다.

해방 이후 1961년에는 김제고등학교 교사로 1963년에는 전주상업고등학교 교사가 되었다. 일찍이 석전의 시문집의 「서序」에 다음과 같은 그의 석전 스님에 대한 판단이 새겨져 있다.

> "세간의 물욕을 먼지처럼 털어버리신 스님의 풍모는 그대로 고담한 매화가 눈 속에서 피되 허울을 다 벗어버리고 두세 송이 꽃으로 짙은 향기를 던지는 것과 추호도 다름이 없다."

25. 조지훈趙芝薰

조지훈1920~1968은 할아버지에게 한문을 배운 뒤, 3년간 영양보통학교를 다녔다. 서울로 올라와 1939년 혜화전문학교현 동국대학교에 입학해 '백지' 동인으로 참여했다. 1941년 대학을 졸업하고는 일제의 탄압을 피해 오대산 월정사에서 불교전문강원 강사로 있었다. 이때『금강경오가해 金剛經五家解』 · 『화엄경』 등의 불교서적과 노장사상 및 당시唐詩를 즐겨 읽었다.

1942년 조선어학회『큰사전』 편찬위원으로 참여했고, 해방 후인 1947년에는 동국대학교 강사를 거쳐 고려대학교 교수가 되었다.

1963년 고려대학교 민족문화연구소 초대 회장이 되면서, 『한국문화사대계』를 기획하고 추진했다. 1968년 한국시인협회 회장 등을 역임했으며, 같은 해 사망했다.

26. 서정주徐廷柱

서정주1915~2000는 서당에서 한학을 공부하고, 부안 줄포공립보통학교를 거쳐 1929년 중앙고등보통학교에 입학했다. 이후 석전 스님의 도움을 받아 대한불교전문강원에 입학하여 불교와 인연을 맺게 된다. 1941년 동대문여학교에서 교편을 잡은 뒤, 1960년에는 동국대학교 교수가 되었다. 해방 후인 1949년 한국문학가협회 창립과 함께 시분과 위원장을 지냈고, 1977년에는 한국문인협회 이사장을 역임했다.

서정주의 석전 스님에 대한 글로는 다음과 같은 것들이 있다. 특히 추사에게서 시작되는 '석전'의 명칭은 스님에게 이르러 최고의 빛을 뿜어내고 있어 참으로 신묘하다고 이를 만하다.

석전 박한영 대종사의 곁에서 1

내가 넝마주이를 한 사실 하나 때문에
나를 하눌에서 온 신선(神仙)친구나 되는 것처럼
함박꽃 웃음으로 맞이해주시던
꼭 초등학교 동기만 같던 박한영스님.
자네가 그래 정말 그런 줏도 해 봤단 말이여?
도골(道骨)이군. 도골이군. 잘해본 일이여.
거름. 그것은 해보았으니깐

이제부턴 나하고 같이 공부나 해보세!
낄낄낄낄낄낄낄! 잘 왔어! 잘 왔어!
딴 데로 가지 말고 공부나 같이 해보아!
하시면서 내 손 잡던 박한영 스님.
그래 이 하눌 밑에서는 단 하나뿐인
새벽노고지리의 치솟는 웃음소리만 같던
그 웃음 따라 나는 그 곁에 머물렀다.

추사와 백파와 석전

질마재 마을의 절간 선운사의 스님 백파한테 그의 친구 추사 김정희
가 만년의 어느 날 찾아들었습니다.

종이쪽지에 적어온 '돌이마〔石顚〕'란 아호 하나를 백파에게 주면서,
"누구 주고 시푼 사람 있거던 주라."고 했습니다.

그러나 백파는 그의 생전 그것을 아무에게도 주지 않고 아껴 혼자
지니고 있다가 이승을 뜰 때, "이것은 추사가 내게 맡겨 전하는 것이니
후세가 임자를 찾아서 주라."는 유언으로 감싸서 남겨 놓았습니다.

그것이 이조가 끝나도록 절간 설합 속에서 묵어 오다가, 딱한 일본
식민지 시절에 박한영이라는 중을 만나 비로서 전해졌는데, 석전 박한
영은 그 아호를 받은 뒤에 30년간이나 이 나라 불교의 대종정 스님이 되
었고, 또 불교의 한일합병도 영 못 하게 막아냈습니다.

지금도 선운사 입구에 가면 보이는 추사가 글을 지어 쓴 백파의 비
석에는 '대기대용(大機大用)'이라는 말이 큼직하게 새겨져 있습니다. 추
사가 준 아호 '석전'을 백파가 생전에 누구에게도 주지 않고, 이 겨레의
미래영급에다 가만히 유언으로 싸서 전하는 것을 알고, 추사도 "야! 단
수 참 높구나!" 탄복한 것이겠지요.

27. 김달진金達鎭

김달진1907~1989의 호는 월하月下로, 1934년 금강산 유점사에서 출가
했다. 1934년 9월《동아일보》에「나의 뜰」과「유점사를 찾아서」를 발
표하며 본격적인 문학활동을 시작했다. 1939년 불교전문학교를 졸업
하고, 해방 후인 1946년에 경북여고 교사로 재직했다. 1960년대 이
후로는 동국역경원의 역경위원으로『고려대장경』번역에 몰두하며,
한시를 번역했다. 시집으로『큰 연꽃 한 송이 피기까지』등이 있으
며, 번역서로『장자』·『한산시집』·『금강삼매경론』등 다수가 있다.

28. 영담 김어수影潭 金魚水

김어수1909~1985의 본명은 소석素石, 어수魚水는 법명이다. 출가한 지 5
년 만인 1926년 공비유학생으로 선발돼 일본 교토 하나조노[花園]중학
교를 졸업했다. 이후 중앙불교전문학교에 진학했다. 이곳에서 서정
주 · 김달진 등을 만나 교우했으며, 김달진 · 나운경羅雲卿과『룸비니』
를 발간하는 등 시작詩作을 활발히 하였다.

1938년 중앙불전을 졸업한 그는 해방을 앞두고 하산해 교육계에
투신했다. 그는 부산을 비롯해 경남 각지의 중고등학교에서 학생들
을 가르쳤다. 교직을 은퇴한 뒤인 1969년에는 대한불교조계종 중앙
상임포교사에 임명되었는데, 당시 중앙상임포교사는 무진장 스님 ·
법성 스님 · 김어수 · 선진규 이렇게 4명이었다. 전국사찰을 다니면
서 행한 강의가 연간 250~280회에 이른다고 하니 그 열정을 능히 짐
작해 볼 수 있다.

석전 영호대종사 | 한국불교의 초석을 세우다

김어수는 서예에 조예가 깊어 글씨 써 주는 것을 좋아했는데, 어수의 상징이기도 한 물고기와 냇물이 새겨진 낙관이 찍힌 반야심경 8폭 병풍은 대단한 인기였다.

29. 성낙훈成樂熏

성낙훈1910~1977은 독학으로 한문을 배웠으나 타고난 재능으로 한문학의 일가를 이루었다. 유가·불가·도가의 경전에 두루 밝고 특히 전고에 밝아 고전국역에 독보적 존재라는 평을 받았다. 1969년부터는 동방고전연구원뒤에 한국고전연구원으로 개칭에서 무료로 제자들을 가르쳤고, 그가 설립에 직접 참여한 민족문화추진회에서 국역과 교열에 종사하는 한편 그 부설기관인 국역연수원 전임교수를 맡아 전문 국역자 양성에 여생을 바쳤다. 또 동국역경원에서 불경번역에도 매진하였고, 선운사에 모셔진 석전스님의 비문을 짓기도 하였다. 국역의 공로로 77년 은관문화훈장을 받았다.

30. 정종

정종은 1915년 영광에서 태어나 배제고등보통학교와 중앙불교전문학교를 졸업하고, 일본 동양대학 문학부 철학과를 마쳤다. 이후 광주의과대학과 전남대학교 교수를 거쳐, 동국대학교 철학과 교수가 되었다. 1975년 동국대학교에서 철학박사 학위를 취득했으며, 1980년 한국공자학회 부회장과 1985년에는 한국공자학회 회장을 역임했다. 저서로는 『인간의 학으로서의 교육학』·『고노의 철학』·『철학과 문학의 심포지엄』·『고향의 시인들과 시인들의 고향』·『내가 사랑한 나의 삶 84』 등이 있다.

1930년대 중반에 중앙불교전문학교 재학생으로 석전 스님의 강의를 들었던 정종은 다음과 같이 석전 스님을 기억하고 있다.

"석전 스님은 어린아이와 같은 천진도인이었지! 특유의 전라도 말씨가 자상하기도 하셨어. 한번은 금강산 마하연의 백성욱 박사를 만나고 싶어 소개장을 써달라고 하니 '백성욱이라, 백성욱이라' 하시며 그 자리에서 흔쾌히 써주시고 노자도 얼마 넣어주시더라고. 그런 동안의 미소가 아직도 삼삼해."

31. 석전 영호대종사에게 영향을 받은 일인학자

1) 고교형高橋亨

고교형1878~1967은 일본 사이타마현에서 태어났으며 1902년 동경제국대학교 철학과를 졸업하였다. 고교형은 26세에 조선정부의 초청으로 한국에 건너와 관립중학교경기중학교 전신 교사가 되었다. 이후 조선총독부 시학관·경성제대 교수·경학원 제학·혜화전문학교 교장 등을 역임하였다. 1919년에는 한국신앙과 사상을 주제로 동경제국대학교에서 박사 학위를 취득했고, 1924년에는 경성제국대학 법문학부에서 문학 제1강좌를 담당하는 교수가 되었다. 1929년 한국불교와 관련된 『이조불교』를 출간했다.

1950년에는 천리대학교 교수로 초빙되어 조선문학과 조선사상사 등을 강의했다. 이해에 조선학회를 발기하고 이듬해인 1951년에 기관지인 ≪조선학보≫를 창간하였다. 이후 그는 조선학회를 사실상

이끌면서 일본인들의 한국사 연구에 많은 영향을 끼치다가, 1967년 치바현에서 생을 마감했다.

2) 홀활곡쾌천忽滑谷快天

홀활곡쾌천은 일본 조동종의 승려이다. 1893년에 경응대학을 졸업하고 1903년에 조동종 대학강사가 되어 영어를 담당했다. 1912년에는 3년 동안 미국과 유럽으로 유학하며 일본 조동종을 구미에 알리는 영문서를 집필하기도 한다.

1925년에는 동경제국대학교에서 선학사상사로 박사 학위를 받았다. 그의 한국불교에 대한 관심은 구택대학에서 조선선교사를 강의하면서부터이다. 이로 인하여 1929년 6월 중순부터 8월 중순까지 한국 본산本山들을 방문하여 사적과 사찰의 현상을 조사한 후, 1930에 『조선선교사』를 간행하였다.

참고문헌

1장 참고문헌

김광식, 『그리운 스승 한암스님』, 민족사, 2006.

_____, 「방한암과 조계종단」, 『민족불교의 이상과 현실』, 도피안사, 2007.

_____, 「식민지(1910~1945) 시대의 불교와 국가권력」, 『대각사상』 13집, 대각사상 연구원, 2010.

_____, 「한암의 종조관과 도의국사」, 『한국 현대선의 지성사 탐구』, 도피안사, 2010.

_____, 「유교법회의 전개과정과 그 성격」, 『한국 현대선의 지성사 탐구』, 도피안사, 2010.

_____, 「한암과 만공의 同異, 그 행적에 나타난 불교관」, 『한암사상』 4집, 한암사상연구원, 2011.

_____, 『보문선사』, 민족사, 2012.

월정사·김광식 엮음, 『방산굴의 무영수』, 오대산 월정사, 2013.

김상일, 「石顚 朴漢永의 著述 성향과 근대불교학적 의의」, 『불교학보』 46집, 불교문화연구원, 2007.

_____, 「석전 박한영의 불교적 문학관」, 『불교학보』 56집, 불교문화연구원, 2012.

김호성, 『방한암 선사』, 민족사, 1995.

김효탄, 『계학약전 주해』, 동국역경원, 2000.

_____, 「석전 박한영의 생애와 불교사상」, 『불교평론』 44호, 만해사상실천선양회,

　　2010.

노권용, 「석전 박한영의 불교사상과 개혁운동」, 『선문화연구』 8집, 선리연구원, 2010.

백파문도회, 『映湖大宗師語錄』, 東國出版社, 1988.

신규탁, 「한암선사의 '승가오칙'과 조계종의 신행」, 『조계종사 연구논집』,

　　도서출판 중도, 2013.

심재룡, 「근대 한국불교의 네가지 유형에 대하여 － 論 ; 한국 근대 불교의

　　四大 思想家」, 『철학사상』 16호, 철학사상연구회, 2003.

오경후, 「영호 박한영의 항일운동」, 『보조사상』 33집, 보조사상연구원, 2010.

한암문도회, 『定本 一鉢錄』, 민족사, 2010.

한종만, 「박한영과 한용운의 한국 불교 근대화사상」, 『논문집』 5집, 원광대, 1970.

홍신선, 「박한영스님의 인물과 사상」, 『석전 박한영의 생애와 시문학』,

　　백파사상연구소, 2012.

「포교방법의 개선, 중앙학림강사 박한영씨 談」, ≪매일신보≫ 1919.1.1.

「승려 肉食 娶妻論에 대하여」 ≪시대일보≫ 1926.6.20.

2장 참고문헌

圭峰宗密 懸談, 『원각경 · 현담』, 신규탁 역주, 서울, 정우서적, 2013.

_____, 『화엄과 선』(재판), 신규탁 편역, 서울, 정우서적, 2013.

김용태, 『조선 후기 불교사 연구』(초판 2쇄), 서울, 신구문화사, 2011.

大慧宗杲, 『大慧普覺禪師書』(대정장 47).

道安 註, 『人本欲生經 註解』, 김월운 역주, 서울, 동국대 출판부, 2011.

동국대학교 불교문화원구원 편, 『근대 동아시아의 불교학』, 서울, 동국대 출판부,

　　2008.

默庵最訥, 『華嚴品目』(順天: 松廣寺, 刊記未詳).

白坡亘璇 集說, 『선문수경』, 신규탁 옮김, 서울, 동국대 출판부, 2012.

石顚 朴漢永, 『石顚文鈔』, 정읍 내장사, 법보원, 1962.

石顚 抄選, 『精選禪門拈頌說話』, 동국대 도서관 청구번호 : b 218.8 혜 59 ㅈ 복.

신규탁, 『선문답의 일지미』, 서울, 정우서적, 2014.

_____, 『한국 근현대 불교사상 탐구』, 서울, 새문사, 2012.

月雲 편, 『華嚴經疏鈔科圖集』, 경기도, 봉선사, 1998.

眞覺慧諶, 『禪門拈頌說話會本』, 한불전 제5책.

淸凉澄觀, 『華嚴科』(卷5−卷7), 京畿道 高揚郡, 開運寺講院, 佛紀二九五五年 戊辰.

編者 未詳, 『頌話選』(上), 刊記 未詳.

慧諶 · 覺雲, 『선문염송 · 염송설화』 전10책, 김월운 옮김, 서울, 동국대 출판부, 2005.

慧律法師 重校鑑定, 『大方廣佛華嚴經疏鈔科文表解』(臺灣 高雄: 鴻順彩色製版有限股份
    公司, 民國87年.

김상일, 「박한영의 저술 성향과 근대 불교학적 의의」, 『불교학보』 46집, 서울,
    동국대 불교문화연구원, 2007.

김용태, 「동아시아의 澄觀 화엄 계승과 그 역사적 전개」, 『佛敎學報』 61집, 서울,
    동국대 불교문화연구원, 2012.

김월운, 「講師等呼稱由來小考」, 『世主妙嚴主講五十年紀念論叢』, 경기 수원,
    봉녕사승가대학, 2007.

신규탁, 「한국불교에서 『화엄경』의 위상과 한글 번역 −백용성과 이운허의 번역 중
    『이세간품』을 중심으로− 」, 『大覺思想』 18집, 서울, 대각사상연구원, 2012.

이점숙(영석), 「慧諶의 『禪門拈頌』 硏究」, 박사학위논문, 동국대 대학원, 2010.

이종수, 「조선후기 불교 私記 집성의 현황과 과제」, 『佛敎學報』 61집, 서울, 동국대
    불교문화연구원, 2012.

3장 참고문헌

映湖,「稀朝自述 九章」,『石顚詩鈔』.

鄭寅普,「石顚上人小傳」.

高榮燮,「東大 '全人교육' 백 년과 '佛敎연구 백 년」,『불교학보』제45집,
　　동국대 불교문화연구원, 2006.

_____,「한국 불교학 연구의 어제와 그 이후: 이능화 · 박정호 · 권상로 · 김영수
　　불교학의 탐색」,『불교 근대화의 전개와 성격』, 조계종출판부, 2006.

_____,「東大 법당 '正覺院'의 역사와 位相」,『한국불교학』제65집, 한국불교학회,
　　2013.

_____,『한국불교사연구』, 한국학술정보, 2012.

김광식,「二九五八會考」,『한국민족운동사연구』, 간송 조동걸선생 정년논총간행위원회,
　　1997.

_____,『한국근대불교의 현실인식』, 민족사, 1998.

_____,「중앙학림과 식민지불교의 근대성」,『사학연구』제71호, 사학연구회, 2003.

_____,「명진학교의 건학이념과 근대 민족불교관의 형성」,『불교학보』제45집,
　　동국대 불교문화연구원, 2006.

김상일,「石顚 朴漢永의 저술 성향과 근대불교학적 의의」,『불교학보』제46집,
　　동국대 불교문화연구원, 2007.

_____,「근대 불교지성과 불교잡지: 석전 박한영과 만해 한용운을 중심으로」,
　　『한국어 문학연구』제52집, 한국어문학연구학회, 2009.

_____,「石顚 朴漢永의 불교적 문학관」,『불교학보』제56집, 동국대 불교문화연구원,
　　2010.

金映遂,「故太古禪宗敎正映湖和尙行蹟」(『石顚文鈔』).

김순석,「통감부 시기 불교계의 명진학교 설립과 운영」,『한국독립운동사연구』제21집,
　　독립기념관, 2003.

김종관,「石顚 朴漢永先生 行略」,『전라문화연구』제3집, 전북향토문화연구회, 1988.

김혜련, 「식민지 고등교육정책과 불교계 근대고등교육기관의 위상: 중앙불교전문학교
　　　를 중심으로」, 『불교학보』 제45집, 동국대 불교문화연구원, 2006.

金昌淑(曉呑), 「석전 박한영의 『戒學約詮』과 歷史的 性格」, 『한국사연구』 제107집,
　　　한국사연구회, 1999.

남도영, 「구한말의 명진학교」, 『역사학보』 제90집, 한국역사학회, 1981.

노권용, 「석전 박한영의 불교사상과 개혁운동」, 『선문화연구』 제8집, 한국선리연구원,
　　　2010.6.

徐廷柱, 「단발령」, 「내 뼈를 덥혀준 석전스님」, 『미당자서전』 2, 민음사, 1994.

成樂薰, 「石顚堂映湖大宗師碑文」, 智冠 編, 『韓國高僧總集』, 가산문화연구원, 2000.

이병주 외, 『石顚 박한영의 생애와 시문학』, 백파사상연구소, 2012.

이종찬, 「石顚의 天籟的 詩論과 紀行詩」, 『한국문학연구』 제12집,
　　　동국대 한국문학연구소, 1989.

황인규, 「중앙불교전문학교의 개교와 학풍」, 『불교 근대화의 전개와 성격』,
　　　조계종출판부, 2006.

_____, 「숭정전의 불교사적 의의」, 『한국불교학』 제65집, 한국불교학회, 2013.

4장 참고문헌

漢文大藏經

『六祖禪師法寶壇經』 卷 1(大正藏 48).

『景德傳燈錄』 卷 9(大正藏 51).

『續傳燈錄』 卷 17(大正藏 51).

미당 서정주 옮김, 『만해 한용운 한시선』, 민음사, 1999.

박한영, 『暎湖大宗師語錄』, 동국출판사, 1988.

백파사상연구소, 『제2차 백파사상 연구소 학술세미나 자료집 石顚映湖 大宗師의 生涯
　　　와 思想』, 선운사, 2009.

보조사상연구원, 『普照全書』, 불일출판사, 1989.

石顚 박한영, 서정주 번역, 『석전 박한영 한시집』, 동국역경원, 2006.

선운사, 『석전 정호스님의 행장과 자료집』, 선운사, 2009.

성철스님, 『백일법문』, 장경각, 1992.

_____, 『옛 거울을 부수고 오너라(禪門正路)』, 장경각, 2006.

이종익, 『선가귀감』, 보성문화사, 1992.

조계종 한국전통사상간행위원회, 『휴정』, 2011.

雲惺, 「우리 스님 石顚 朴漢永스님」, 『불광』, 1981.

김상일, 「石顚 朴漢永의 저술 성향과 근대불교학적 의의」, 『불교학보』, 2007.2.

김효탄, 「석전 박한영의 생애와 불교사상」, 『불교평론』 44호, 2010.9.

朴健柱, 「普照禪에 대한 眞覺慧謀의 看話禪 僞造」, 『진단학보』, Vol.- No.113, 2011.

혜남스님, 「石顚映湖 大宗師의 강맥」, 『제2차 백파사상 연구소 학술세미나 자료집
    石顚映湖 大宗師의 生涯와 思想』, 선운사, 2009.

≪불교신문 2550호≫ 2009.8.19.

≪전북중앙신문≫ 2014.5.19.

5장 참고문헌

實叉難陀 譯, 『大方廣佛華嚴經』 卷第24(大正藏 10).

鳩摩羅什 譯, 『佛垂般涅槃略說敎誡經』(大正藏 12).

竺佛念 譯, 『菩薩瓔珞經』(大正藏 16).

菩提燈 譯, 『占察善惡業報經』(大正藏 17).

般剌蜜帝 譯, 『大佛頂如來密因修證了義諸菩薩萬行首楞嚴經』 卷第6(大正藏 19).

佛陀耶舍 · 竺佛念 等共譯, 『四分律』(大正藏 22).

佛陀什 · 竺道生 等 共譯, 『彌沙塞部和醯五分律』(大正藏 22).

佛陀跋陀羅 · 法顯 共譯, 『摩訶僧祇律』(大正藏 22).

義淨 制譯, 『根本說一切有部毘奈耶』(大正藏 23).

弗若多羅 訟出 · 鳩摩羅什 譯, 『十誦律』(大正藏 23).

鳩摩羅什 譯, 『梵網經盧舍那佛說菩薩心地戒品』第10(大正藏 24).

玄奘 譯, 『阿毘達磨大毘婆沙論』卷第九十九(大正藏 27).

曇無讖 譯, 『菩薩地持經』(大正藏 30).

求那跋摩 譯, 『菩薩善戒經』(大正藏 30).

彌勒菩薩 說 · 玄奘 譯, 『瑜伽師地論』(大正藏 30).

達磨笈多 譯, 『菩提資糧論』卷第1(大正藏 32).

無畏三藏, 『禪要』(大正藏 18).

天友 造 · 眞諦 譯, 『部執異論』(大正藏 49).

世友 造 · 玄奘 譯, 『異部宗輪論』(大正藏 49).

釋慧皎 撰, 『高僧傳』「曇無讖傳」(大正藏 50).

延壽 集序, 『受菩薩戒法并序』(卍新纂續藏經 59).

袾宏 輯 · 弘贊 註, 『沙彌律儀』(卍新纂續藏經 60).

佐藤密雄 著, 『律藏』, 崔法慧 譯, 동국대부설 동국역경원, 1994.

朴漢永 撰, 金曉呑 註解, 『戒學約詮 註解』, 東國譯經院, 2000.

曉呑, 『戒學約詮』, 서울, 東國譯經院, 2000.

김광식, 『근현대불교의 재조명』, 민족사, 2000.

伽山智冠, 『韓國佛教戒律傳統』, 伽山佛敎文化硏究院, 2005.

원 영, 「삼취정계의 형성과 자서수계」, 『大覺思想』第十輯, 대각출판부, 2007.

조오현, 『불교평론』제44호, 만해사상실천선양회, 2007.

한보광, 「白龍城스님과 한국불교의 계율문제」, 『大覺思想』第10輯, 大覺思想硏究院, 2007.

김호귀, 「중국불교의 계율과 청규의 출현」, 『불교평론』제53호, 만해사상실천선양회, 2007.

李秀昌(摩聖), 「白龍城의 僧團淨化 理念과 活動」, 『범어사와 불교정화운동』, 영광도서, 2008.

석전 영호대종사 │ 한국불교의 초석을 세우다

노권용, 「石顚映湖 大宗師의 불교사상과 그 유신 운동」, 『石顚映湖 大宗師의 生涯와 思想』, 전북, 백파사상연구소, 2009.

선운사, 『石顚映湖스님 행장과 자료집』, 전북, 백파사상연구소, 2009.

선운사, 『石顚映湖 大宗師의 生涯와 思想』, 전북: 백파사상연구소, 2009.

효 탄, 「석전 박한영의 생애와 불교사상」, 『불교평론』 제44호, 만해사상실천선양회, 2010.

조오현, 『불교평론』 제53호, 만해사상실천선양회, 2013.

중앙승가대학교, 『大學院 研究論集』 제6집, 중앙승가대학교 대학원, 2013.

염중섭(자현), 「慈藏 戒律思想의 한국불교적인 특징」, 『韓國佛敎學』 제65집, 韓國佛敎學會, 2013.

마성(이수창), 「한국불교의 계율전통」, 『大學院 研究論集』 제6집, 중앙승가대학교 대학원, 2013.

6장 참고문헌

『四分律』, 『大正藏』 22.

『林間錄』, 『大正藏』 87.

『太古和尙語錄』, 『韓佛全』 6.

『鏡虛集』, 『韓佛全』 11.

『高麗史』.

『論語』.

鄭道傳 著, 『佛氏雜辨』.

朱熹 撰, 『朱子語類』.

達牧 撰, 「六種佛書後誌」.

閔漬 撰, 「佛祖傳心西天宗派旨要序」, 『西天百八代祖師指空和尙禪要錄』.

危素 撰, 「文殊師利最上乘無生戒經序」, 『文殊師利最上乘無生戒經』.

鄭寅普 撰,「石顚上人小傳」,「石顚詩鈔」.

韓國學文獻研究所 編,『通度寺誌』, 亞細亞文化社, 1979.

이미령 譯,『밀린다왕문경』, 民族社, 2007.

李贄 著, 김혜경 譯,『焚書Ⅱ』, 한길사, 2004.

강석주 · 박경훈 著,『佛教近世百年』, 中央新書, 1980.

金敬執 著,『韓國佛教近代史』, 經書院, 2000.

大韓佛教曹溪宗 教育院 著,『曹溪宗史－近現代篇』, 曹溪宗出版社, 2001.

朴漢永 著, 金曉呑 譯註,『戒學約詮 註解』, 東國譯經院, 2000.

박희승 著,『이제, 僧侶의 入城을 허함이 어떨는지요』, 들녘, 1999.

徐京保,『韓龍雲思想研究』, 民族社, 1980.

禪雲寺 編,『石顚 鼎鎬스님 行狀과 資料集』, 高敞, 禪雲寺, 2009.

龍城震鍾 著, 佛心道文 編,『龍城大宗師全集－第1卷』, 覺皇寺, 1991.

李能和 著,『朝鮮佛教通史 下』, 寶蓮閣, 1982.

이병주 外 著,『石顚 朴漢永의 生涯와 詩文學』, 白坡思想研究所, 2012.

李智冠 編,『韓國高僧碑文總集: 朝鮮朝 · 近現代』, 伽山佛教文化研究院, 2000.

李智冠 著,『韓國佛教戒律傳統: 韓國佛教戒法의 自主的傳承』, 伽山佛教文化研究院,
    2005.

玆玄 著,『呑虛, 虛空을 삼키다』, 民族社, 2013.

漢岩大宗師法語集 編纂委員會 編,『定本－漢巖一鉢錄』上 · 下, 漢岩門徒會 ·
    五臺山 月精寺, 2010.

혜자 著,『永遠한 大自由1』, 밀알, 2002.

시마다 겐지 著, 김석근 · 이근우 譯,『朱子學과 陽明學』, 까치, 1990.

高橋亨 著,『李朝佛教』, 京城, 寶文館, 1929.

『寺刹關係書類』, 政府記錄保存所 文書, 1926.

『朝鮮佛教一覽表』, 朝鮮佛教 中央教務院, 1928.

『朝鮮佛教叢報』 제20호 三十本山聯合事務所, 1920.

金光植,「呑虛스님의 生涯와 敎化活動」,『呑虛禪師의 禪敎觀』, 五臺山 月精寺,

2004.

_____, 「1910年代 佛敎界의 曹洞宗盟約과 臨濟宗運動」, 『韓國近代佛敎史硏究』,
民族社, 1996.

_____, 「1910년대 佛敎界의 進化論 수용과 寺刹令」, 『韓國近代佛敎史硏究』,
　民族社, 1996.

_____, 「朝鮮佛敎曹溪宗의 成立과 歷史的 意義」, 『曹溪宗史 硏究論集』, 中道, 2013.

김상일, 「石顚 映湖大宗師의 文學觀」, 『石顚映湖 大宗師의 生涯와 思想』, 禪雲寺, 2009.

노권용, 「石顚映湖 大宗師의 佛敎思想과 그 維新運動」, 『石顚映湖 大宗師의 生涯와
　思想』, 禪雲寺, 2009.

辛奎卓, 「漢岩 禪師의 〈僧伽五則〉과 曹溪宗의 信行」, 『曹溪宗史 硏究論集』, 中道, 2013.

慧 南, 「石顚映湖 大宗師의 講脈」, 『石顚映湖 大宗師의 生涯와 思想』, 禪雲寺, 2009.

曉 呑, 「石顚映湖 大宗師의 戒律思想」, 『石顚映湖 大宗師의 生涯와 思想』, 禪雲寺,
2009.

姜好鮮, 「高麗末 懶翁慧勤 硏究」, 서울大 博士學位論文, 2011.

金昌淑(曉呑), 「懶翁惠勤의 禪思想 硏究」, 東國大 博士學位論文, 1997.

심삼진, 「石顚 朴漢永의 詩文學論」, 東國大 碩士學位論文, 1987.

尹永海, 「朱子의 佛敎批判 硏究」, 西江大 博士學位論文, 1997.

李逢春, 「朝鮮初期 排佛史 硏究」, 東國大 博士學位論文, 1990.

李哲憲, 「懶翁 惠勤의 硏究」, 東國大 博士學位論文, 1997.

張成在, 「三峰의 性理學 硏究」, 東國大 博士學位論文, 1991.

鄭在逸(寂滅), 「慈覺宗賾의 『禪苑淸規』 硏究」, 東國大 博士學位論文, 2005.

金光植, 「方漢岩과 曹溪宗團」, 『漢岩思想』 제1집, 2006.

_____, 「曹溪宗團 宗正의 歷史像」, 『大覺思想』 제19집, 2013.

김병학, 「朝鮮後期 白坡와 秋史의 禪論爭」, 『(圓光大學校) 論文集』 제37호, 2006.

金昌淑(曉呑), 「石顚 朴漢永의 〈戒學約詮〉과 歷史的 性格」, 『韓國史硏究』 제107호,
　1999.

박동수, 「禪雲寺 白坡碑로 본 白坡와 秋史」, 『鄕土文化硏究』 제6호, 1990.

廉仲燮,「韓國佛敎의 戒律적인 특징과 현대사회-日帝强占期와 曹溪宗을 중심으로」,
　　『佛敎學硏究』 제35호, 2013.

尹暢和,「鏡虛禪師의 知音者 漢岩」,『漢岩思想』 제4집, 2011.

이상하,「『鏡虛集』 編纂, 刊行의 涇渭와 變貌 樣相」,『漢岩思想』 제4집, 2011.

李哲憲,「懶翁 惠勤의 法脈」,『韓國佛敎學』 제19집, 1994.

_____,「三和尙法系의 成立과 流行」,『韓國佛敎學』 제25집, 1999.

崔柄憲,「日帝의 侵掠과 佛敎」,『日帝의 韓國侵掠과 宗敎』, 韓國史硏究會學術會議
　　發表文, 2001.

_____,「朝鮮時代 佛敎法統說의 問題」,『韓國史論(金哲埈博士停年紀念號)』 제19호,
　　1989.

_____,「韓國佛敎 歷史上의 曹溪宗-曹溪宗의 歷史와 해결과제」,『佛敎評論』
　　통권51호, 2012.

許興植,「懶翁의 思想과 繼承者(下)」,『韓國學報』 제16권, 1990.

_____,「指空의 思想과 繼承者」,『겨레문화』 제2권, 1988.

_____,「指空의 遊歷과 定着」,『伽山學報』 제1호, 1991.

具萬化,「その罪三千大天世界に唾棄する虛無し」,『朝鮮佛敎』 제28집, 1926.

≪東亞日報≫.

≪每日新報≫.

≪佛敎新報≫.

『佛敎』 제23호, 1926.

『佛敎時報』 제71호, 1941·제90호, 1943.

『佛敎(新)』 제38호, 1942·제41호, 1942.

『禪苑』 제4호, 1935.

석전 영호대종사 │ 한국불교의 초석을 세우다

朴漢永, 『石顚詩鈔』, 동명사, 1940.

_____, 『石顚文鈔』, 법보원, 1962.

_____, 「陁古兀의 詩觀」, 『惟心』 제3호, 1918.

_____, 「백설은 공산에 가득커늘 양춘은 말슴뿐이 아닌가」, 『東明』 제2호, 1923년 1월 7일자.

_____, 「雪窓閑話」, 『一光』 제3호, 중앙불교전문학교, 1930.

_____, 「佛敎와 文學」, 『一光』 제6호, 중앙불교전문학교, 1934.

_____, 「佛敎文學으로 靑年諸君」, 『一光』 제7호, 1935.

_____, 「朝鮮佛敎와 文學」, 『佛敎時報』 제8호, 1936년 3월호.

고재석, 『한국근대문학지성사』, 깊은샘, 1991.

김미선, 「詩僧鼎鎬禪師의 시세계」, 『한문고전연구』 제16집, 한국한문고전학회, 2007.

김상일, 「근대 불교지성과 불교잡지」, 『한국어문학연구』 제52집, 한국어문학연구학회, 2009.

서정주, 『석전 박한영 한시집』, 동국역경원, 2006.

심삼진, 「석전 박한영의 시문학론」, 동국대 석사학위논문, 1989.

이능화, 『朝鮮佛敎通史 下』, 경희출판사, 1968(1918년판 영인본).

이종찬, 『한국의 禪詩(고려편)』, 이우출판사, 1984.

_____, 「석전의 天籟的시론과 기행시」, 『한국문학연구』 12집, 동국대 한국문화연구소, 1989.

杜黎均, 『二十四詩品譯註評析』, 北京出版社, 1988.

佛光大藏經編纂委員會 編, 『佛光大辭典』, 佛光山寺出版社, 1988(臺灣).

嚴羽 著, 陳定玉 輯校, 『嚴羽集』, 中州古籍出版社, 1997.

王國安 箋釋, 『柳宗元詩箋釋』, 上海古籍出版社, 1993.

趙則誠 外 主編, 『中國古代文學理論辭典』, 吉林文史出版社, 1985.

蔡眞楚, 『中國詩話史』, 湖南文藝出版社, 1988.

8장 참고문헌

이능화, 『조선불교통사』, 민속원, 1992.

김광식, 「근대불교개혁론의 배경과 성격」, 『종교교육학연구』7, 한국종교교육학회, 1998.

김상일, 「자비와 거울 마음으로 영혼을 씻겨주던 석전 박한영 선생」, 『스승』, 논형, 2008.

김상현, 「1910년대 한국 불교계의 유신론—불교개혁운동 탐구」, 『불교평론』Vol.2 No.3 (통권 4), 2000.10

김순석, 「조선총독부의 불교정책과 불교계의 대응」, 고려대 박사학위논문, 2001.

_____, 「한국근대불교계의 민족인식」, 『불교학연구회』21집, 불교학연구회, 2008.

김종관, 「石顚 朴漢永 先生 行略」, 『전라문화연구』3, 전북향토문화연구회, 1988.

김창숙, 「石顚 朴漢永의 『戒學約詮』과 역사적 성격」, 『한국사연구』107, 한국사연구회, 1999.

노권용, 「朴漢永의 佛敎思想과 維新運動」, 崇山朴吉眞博士古稀紀念,
『韓國近代宗敎思想史』, 崇山朴吉眞博士古稀紀念事業會, 1984.

독립운동사편찬위원회, 『독립운동사』제4권, 독립유공자사업기금운용위원회, 1970.

_____, 『독립운동사』제8권, 독립유공자사업기금운용위원회, 1970.

독립운동사편찬위원회 편, 『독립운동사자료집』6, 고려서림, 1970~1984.

_____, 『독립운동사』7, 고려서림, 1970~1984.

_____, 『독립운동사』8, 고려서림, 1970~1984.

_____, 『독립운동사』9, 고려서림, 1970~1984.

동국대학교백년사편찬위원회, 『동국대학교백년사』, 동국대학교, 2006.

박한영, 『석전문초』, 法寶院, 1962.

_____, 『석전시초』, 法寶院, 1935.

박희승, 「일제강점기 상해임시정부의 이종욱의 항일운동연구」, 『대각사상』
대각사상연구원, 제5집, 2002.

_____, 「지암 이종욱 연구」, 동국대 석사학위논문, 2001.

신복룡, 『대동단실기』, 양영각, 1982 : 『대동단실기』, 선인, 2003.

이재헌, 「근대 한국 불교개혁 패러다임의 성격과 한계」, 『종교연구』18, 한국종교회,
　　　1999.

이현희, 「대한민국임시정부와 지암 이종욱」, 『대각사상』제10집, 대각사상연구원,
　　　2007.

정광호, 『난세를 어떻게 살아갈 것인가』, 새밭, 1980.

조현범, 「종교와 근대성 연구의 성과와 과제」, 『근대 한국종교문화의 재구성』,
　　　한국학중앙연구원 종교문화연구소, 2006.

한종만 편, 『韓國近代民衆佛敎의 理念과 展開』, 한길사, 1980.

_____, 「불교유신사상」, 『韓國佛敎思想史－崇山 朴吉眞博士 華甲紀念』,
　　　숭산 박길진박사 화갑기념사업회, 1975.

_____, 「4. 박한영의 사상」, 『불교와 한국사상』, 불교춘추사, 2009.

《매일신보》.

《동아일보》.

《해동불보》.

《조선불교월보》.

저자약력

• **김광식**金光植

건국대학교 대학원 사학과에서 박사과정을 취득하고, 독립기념관 책임연구원과 부천대 초빙교수를 거쳐 만해마을 연구실장을 역임하였다. 현재 동국대학교 불교학술원 연구초 빙교수로 재직 중이며, 대각사상연구원 연구부장과 학술지 대각사상의 편집위원장을 맡고 있다.

한국 근현대 불교관련 연구논문 150여 편이 있으며,『한국 근대불교사연구민족사』와『그리 운 스승 한암 스님민족사』등 한국 근현대 불교사 및 인물과 관련된 20여종의 저서가 있다. 그간의 연구 업적이 인정되어 2012년에 유심학술상과 2014년에는 불교평론 학술상을 수 상하였다.

• **신규탁**辛奎卓

연세대학교 철학과와 동대학원의 석사과정을 마친 뒤, 일본 동경대학 중국철학과에서 중 국화엄사상으로 박사학위를 취득했다. 현재 연세대학교 철학과 교수로 재직 중이며, 한국 정토학회와 한국선학회 회장을 맡고 있다.

저서로『화엄의 법성철학』·『규봉 종밀과 법성교학』·『한국 근현대 불교사상 탐구』등 이 있으며, 번역사로『벽암록』·『선과 문학』·『원각경』·『화엄과 선』·『선문수경』등이 있 다. 이 외에 약 65편의 논문을 발표했다. 주로 화엄사상과 선 및 근현대 불교에 관련 연구 에 매진하고 있으며, 다양한 학문적인 공로를 인정받아 불교평론학술상·연세대공헌교수 상·청솔학술상 등을 수상하기도 했다.

석전 영호대종사 │ 한국불교의 초석을 세우다

• 고영섭高榮燮

동국대학교 불교학과를 졸업하고 동 대학원에서 석사학위를 받았다. 그리고 동국대학교 불교학과에서 박사학위를 취득하고, 고려대학교 철학과 박사과정을 수료했다. 이후 고려대학교 민족문화연구원 연구교수를 거쳐, 현재 동국대학교 불교학과 교수로 재직 중이다. 2006년과 2012년에는 일본 류코쿠대학교에서 한국불교 교환강의를 하였으며, 2010에서 11년에 걸쳐서는 하버드대 아시아센터 연구학자를 역임하였다.

「원효 일심의 신해성 연구」와 「지눌의 진심사상」 등 약 100여 편의 논문이 있으며, 『한국불교사연구한국학술정보』·『한국불학사연기사』·『원효탐색연기사』 등 한국불교와 관련된 다수의 저술이 있다. 2008년에는 동국대 인문학술상을 수상하였고, 한국불교사연구소 소장으로 한국불교 발전을 위해서 노력하고 있다.

• 정도正道

동국대학교 선학과를 졸업하고 동 대학원에서 석사와 박사학위를 취득하였다. 동국대 강사와 통도사 승가대학 교수 및 통도사 교무국장과 포교국장과 대한불교조계종 교육원 교육부장을 역임하였다. 현재 대한불교조계종 교육원 불학연구소장과 통도사 양산전법회관 주지 및 중앙승가대학교 이사로서, 종단 내외의 교육과 불교홍포를 위해 활발히 매진 중이다.

한국불교와 선사상에 대한 연구를 주로하고 있으며, 박사논문인 「경봉선사 연구」를 필두로 「경봉선사의 사상적 교류 고찰」와 「한암과 경봉선사의 오후보림에 대한 연구」 및 「경봉선사의 선사상-보조지눌의 선사상과 비교하여」 등 다수가 있다. 또 지난 2013년에는 경봉선사에 대한 연구를 집약한 『경봉선사 연구운주사』를 펴내기도 하였다.

• 법상法常

동국대학교 선학과를 졸업하고, 동 대학원에서 석사와 박사학위를 취득하였다. 현재 동국대학교와 중앙승가대학교에서 강의를 진행하고 있다. 또 대한불교조계종 포교원 포교연구실장, 대한불교조계종 교육아사리, 대한불교조계종 의례위원으로 활동하면서 불교포교와 교화에 매진하고 있다.

정토사상과 선불교에 관해서 주로 연구하고 있으며, 박사논문인 「영명연수의 정토관 연구」를 필두로 「염불에 내재한 선적요인에 대한 일고」와 「염불수행과 열반의 구체화에 대한 일고」 및 「법안종의 성립배경과 문익의 선교관」 등 다수의 논문이 있다. 또 지난 2013년에는 정토사상과 관련된 연구를 집대성한 『정토 수행관 연구운주사』를 출간하기도 했다.

• 자현玆玄

동국대학교 철학과와 불교학과를 졸업하고, 동국대학교 불교학과와 성균관대학교 동양철학과에서 석사학위를 받았다. 그리고 동국대학교 미술사학과건축와 성균관대학교 동양철학과율장, 그리고 고려대학교 철학과선불교에서 박사학위를 취득했다.

현재 동국대학교 교양교육원 강의교수를 거쳐 능인불교대학원대학교 불교학과 교수로 재직 중이다. 또 대한불교조계종 월정사 교무국장, 대한불교조계종 교육아사리, 울산 영평선원 원장, 월정사 부산포교원 원장 등을 맡고 있다. 인도·중국·한국·일본과 관련된 약 90여 편의 학진등재지 논문과 20여 권의 저서가 있다. 이 중 『불교미술사상사론』운주사은 2012년 학술원 우수학술도서에 선정되었으며, 『사찰의 상징 세계[상·하]』불광출판사는 2012년, 『붓다순례』는 2014년에 각각 문화관광체육부 우수도서에 선정되었다.

• 오경후吳京厚

동국대학교 사학과를 졸업하고 동 대학원에서 석사과정을 마친 후 『조선후기 사지편찬과 승전연구』로 박사학위를 취득했다. 동국대학교 강사 및 한국불교선리연구원의 연구원을 거쳐 현재 동국대학교교학술원에서 연구원으로 재직하고 있다.

주로 조선시대의 사찰 동향과 불교문화와 관련된 연구를 진행하고 있으며, 「조선후기 대흥사지의 편찬과 성격」·「조선후기 범우고의 성격과 가치」·「조선후기 왕실과 화계사의 불교사적 가치」·「월정사 팔각구층석탑과 한국의 탑돌이」등 다수의 논문을 발표한 바 있다. 또 『설악산 신흥사』와 『경허·만공의 선풍과 법맥』의 저술에 참여하기도 했다.

• 김상일金相日

동국대학교 국어국문학과 및 동대학원에서 석사와 박사학위를 취득하였다. 중국 북경외국어대학 전임교수와 고려대학교 민족문화연구원 선임연구원을 거쳐 현재 동국대학교 국어국문·문예창작학부 교수로 재직 중이다.

주로 불교문학에 대한 연구에 매진하고 있으며, 공저로 『불교문학과 불교언어』·『불교문학 연구의 모색과 전망』·『불가의 글쓰기와 불교문학의 가능성』등이 있다. 이 외에도 『한국불가한시선』등을 번역했으며, 「박한영의 저술 성향과 근대불교학적 의의」등 다수의 불교계 논문을 발표한 바 있다.

석전 영호대종사 | 한국불교의 초석을 세우다

석전 영호대종사
한국불교의 초석을 세우다

초판 1쇄 펴냄 2015년 2월 6일

저　　자 | 자현 외 7인
발 행 인 | 이자승
편 집 인 | 김용환
펴 낸 곳 | (주)조계종출판사

편　　집 | 김재호, 김소영, 오유진
디 자 인 | 최아름
제　　작 | 윤찬목, 인병철
마 케 팅 | 김영관

출판등록 | 제300-2007-78호(2007. 4. 27)
주　　소 | 서울시 종로구 우정국로 67 대한불교조계종 전법회관 7층
전　　화 | 02-720-6107~9
팩　　스 | 02-733-6708
홈페이지 | www.jogyebook.com
도서보급 | 서적총판사업부 02-998-5847
구입문의 | 불교전문서점 02-2031-2070~3 / www.jbbook.co.kr

ISBN 979-11-5580-035-5 03220
값 23,000원

이 도서의 국립중앙도서관 출판예정도서목록(CIP)은 서지정보유통지원시스템 홈페이지(http://seoji.nl.go.kr)와 국가자료공동목록시스템(http://www.nl.go.kr/kolisnet)에서 이용하실 수 있습니다.(CIP제어번호: CIP2015001921)